ro
ro
ro

Sarah Bilston ist gebürtige Engländerin und hat in London und Oxford studiert. Zusammen mit ihrem amerikanischen Mann und ihren drei Kindern lebt sie mittlerweile in Connecticut, USA, und unterrichtet in Yale. «Die Sofaprinzessin» ist ihr erster Roman.

«Eine höchst amüsante Geschichte, die man geradezu verschlingt.» *Rhein-Neckar-Zeitung*

«Auch wenn Sie noch nie schwanger waren – dieser Roman macht sofort abhängig.» *Plum Sykes*

Sarah Bilston

Die Sofaprinzessin

Roman

Deutsch von Anja Schünemann

Rowohlt Taschenbuch Verlag

Veröffentlicht im Rowohlt Taschenbuch Verlag,
Reinbek bei Hamburg, Februar 2008

Die Originalausgabe erschien 2006 unter dem Titel
«Bed Rest» bei Time Warner, New York

Lektorat Anne Bubenzer
Umschlaggestaltung any.way, Hamburg,
nach einem Entwurf
von PEPPERZAK BRAND
(Foto: Joachim Quast)
Druck und Bindung Clausen & Bosse, Leck
Printed in Germany
ISBN 978 3 499 24298 4

Für Daniel und Maisie

1.

Ich habe nicht mehr Tagebuch geführt, seit ich zwölf war. Nein, halt, das stimmt nicht. Später, als ich frisch mit Mike Novak zusammen war, habe ich noch einmal etwa ein halbes Jahr lang eines geschrieben. Ich muss es noch irgendwo haben, ein abgewetztes grünes Ringbuch, zur Hälfte gefüllt mit Jungmädchen-Seelenergüssen über Mike und darüber, wie furchtbar schlecht er küsste und wie beklagenswert es doch war, dass er eine angehende Krankenschwester namens Susie begehrte.

Tagebuchschreiben erscheint mir wie das Eingeständnis, dass man nichts Besseres zu tun hat. Im Grunde ist ein Tagebuch die Lebensgeschichte einer Person, die gar kein Leben hat. Ehrlich gesagt bezweifle ich, dass irgendwessen Existenz es wert ist, für die Nachwelt dokumentiert zu werden, außer vielleicht die eines Weltherrschers, einer Theatergröße oder so. Möglicherweise selbst dann nicht. Ich habe einmal das Tagebuch meiner Großmutter gelesen. Es handelte hauptsächlich vom Wetter, von ihren Treffen beim Frauenverband und vom Gedeihen ihrer Stangenbohnen. Eher würde ich gar kein Zeugnis meiner Existenz hinterlassen wollen als so etwas. Lieber soll mein Leben ein großes ungeschriebenes Buch sein, sodass sich meine zukünftige Enkelin mich als leckere Schönheit ausmalen kann, deren Jugend eine einzige lange Abfolge von Männern mit olivenfarbenem Teint und seidenen Hemden war.

Andererseits – wenn man *tatsächlich* nichts Besseres zu tun hat, ist Tagebuchschreiben eigentlich nicht der schlechteste Zeitvertreib. Die Stunden und Minuten fühlen sich dadurch weniger leer an – *ich dachte, ich fühlte, ich existierte*. Ich werde dieses Buch später wohl einfach vor meinen Enkelinnen verstecken müssen.

Heute Nachmittag kam ich um kurz vor 15 Uhr aus dem Büro. Ich arbeite bei – halt, warum erzähle ich mir selbst das? Ich weiß doch, wo ich arbeite.

Zeit für die erste Beichte: Ich leide an zwanghaftem Verhalten. Lücken und Unvollständigkeiten sind mir unerträglich; ich muss *alles* niederschreiben. Das besagte grüne Ringbuch begann eigentlich recht normal («Die Haut auf Mike Novaks Brust ist sonnengebräunt, und seine Brustwarzen verfärben sich dunkel, wenn ich daran knabbere»), aber von der fünften Seite an glich es eher einem Notizbuch für alle Gelegenheiten, angefüllt mit Listen der wichtigen Menschen in meinem Leben (1. Mum. 2. Mike. 3. Unsere Katze) und grauenhaften Gedichten («Mike ist gegangen, und mein Leben ist/Eine dunkle Seite/Eine schwarze Nacht/Ein bodenloses Meer/Beispiellosen Elends»). Sobald ich einen Stift in die Hände oder eine Computertastatur unter die Finger bekomme, gibt es für mich kein Halten mehr, es quillt einfach aus meinem Gehirn, ergießt sich wie von selbst aufs Papier; Tatsachen und Erfundenes, kleinste Einzelheiten, Gedanken, Fantasien, alles.

Außerdem – wenn ich dies in fünfzig Jahren noch einmal lese, werde ich wahrscheinlich Details wie den Namen der Anwaltskanzlei, für die ich arbeite, vergessen haben. Ich werde vergebens in meinem Gedächtnis graben, werde mir das Hirn zermartern und zornig auf mein damaliges Ich werden, das es verschlafen hat, akribisch alle Details seines Lebens niederzuschreiben. Also, los geht's.

Ich arbeite in der Anwaltskanzlei Schuster & Marks in New York City, 55th Street Ecke 5th Avenue. Heute habe ich um kurz vor 15 Uhr die Bürotür hinter mir abgeschlossen, während drinnen der Drucker noch seitenweise Aufzeichnungen ausspuckte, die ich bis morgen früh Korrektur lesen muss. Durch die Drehtür an der Vorderseite des Gebäudes trat ich hinaus in einen arktischen Februarnachmittag. Fünfzehn gelbe Taxis fuhren vorbei, durch deren Scheiben selbstgefällige Fahrgäste gleichmütig die hochschwangere Frau betrachteten, die in ihrem feuchten Kamelhaarmantel in der klirrenden Kälte auf dem Gehweg auf und ab lief (ich habe das Wichtigste noch nicht erwähnt: Die 27. Woche meiner Schwangerschaft hat gerade begonnen, gestern, um genau zu sein, am Montag). Hilft nichts, dachte ich schicksalsergeben, während sich eisige Tropfen in meinen Wimpern verfingen. Ich schlug den Kragen hoch, legte die Arme um meinen riesigen Bauch und legte den Weg zur Praxis meiner Gynäkologin, elf Blocks weiter nördlich, im Laufschritt zurück, vorbei an eiligen Passanten, die mit starren, verkniffenen Gesichtern dem frostigen Wind trotzten.

Dr. Weinbergs Praxis ist so elegant wie eine Kunstgalerie in Chelsea. Abstrakte Lithographien in mattsilbernen Rahmen zieren das Wartezimmer. Die Dame am Empfang späht hinter einer hohen, schmalen Glasvase hervor, in der die unglaublichsten südamerikanischen Orchideen stehen, perlweiß mit einem Hauch Rosa und tiefen, giftig gelben Kelchen. Die Ärztin selbst ist eine außergewöhnlich gut erhaltene Mittfünfzigerin mit hohen Wangenknochen, schmalen, burgunderroten Lippen und Haaren, die aussehen, als hätten sie während des Frisierens einen schweren Schock erlitten.

Nachdem sie mir vorab die üblichen Fragen gestellt hatte, begann sie an meinem Bauch herumzutasten und zu drücken, wobei sie mir ein paar heftige Stöße unter die Rippen und in die Zwerchfellgegend versetzte. Dann zückte sie ein Maßband, um die Entfernung vom Schambein bis zu einem Punkt ein wenig oberhalb des Bauchnabels zu bestimmen. Anschließend rollte sie mit ihrem Hocker zum Schreibtisch hinüber, blätterte in einem umfangreichen rosa Aktenordner und blickte mich schließlich über den Rand ihrer rechteckigen Stahlbrille hinweg an. «Ihr Bauch ist ziemlich klein», teilte sie mir mit.

Wie bitte?, dachte ich – er ist *gigantisch*. Die Kinder auf der Straße zeigen mit Fingern auf mich. Wildfremde wollen mir fürsorglicherweise den Weg zum Krankenhaus erklären. Ich trage Umstandshosen mit verstellbarem Dehnbund und riesigen Elastikeinsätzen am Bauch, und abends fühle ich mich trotzdem wie in ein Folterinstrument gezwängt.

«Klein?», entgegnete ich. *Klein?* Im Vergleich zu *was?*

Sie erklärte mir, der obere Rand meines Uterus befinde sich nicht dort, wo er sein sollte – nämlich auf halber Höhe zum Kinn –, und schickte mich sofort zum Ultraschall. Vom Wartezimmer aus rief ich in Panik Tom an (meinen Mann, für den Fall, dass ich in der Zukunft wirklich rasant fortschreitenden Alzheimer entwickeln sollte), aber noch bevor er sich von seinem Meeting im Federal Courthouse entschuldigen konnte, fand ich mich auch schon im abgedunkelten Sonographie-Raum drei Türen neben Dr. Weinbergs Sprechzimmer wieder. Eine stämmige Frau mit ausdrucksloser Miene und kurzem, gräulich aschblondem Haar blickte flüchtig auf, als ich eintrat. Sie trug einen weißen Kittel über einer weiten, beigefarbenen Hose und sah aus, als hätte sie den größten Teil ihres Lebens unter Tage zugebracht. Ihr bleiches, rundes Gesicht schimmerte eigentümlich im grauweißen Licht eines Computermonitors.

«Auf die Liege, bitte», sagte die Frau und deutete mit einer kurzen Kopfbewegung auf die Untersuchungsliege neben sich. Dann wandte sie sich ab, suchte eine CD heraus und legte sie in den Computer ein, der daraufhin respektvoll surrte und klickte. Ich wuchtete mich auf die Liege und entblößte meinen weißen Wal-Bauch. Plötzlich fühlte ich mich sehr verletzlich und sehnte mich furchtbar nach ein wenig beruhigendem Geplauder («Kein Grund zur Sorge, ganz bestimmt nicht, so etwas bekomme ich hier ständig zu sehen, das ist keine große Sache»). Fehlanzeige. Die Technikerin drückte eine halbe Tube zähes, blaues, ekelhaft warmes Gel auf meinen Bauch und griff dann wortlos nach dem harten, stößelförmigen Schallkopf.

Nachdem sie vierzig Minuten lang auf das flackernde Schwarzweißbild gestarrt hatte, teilte sie mir in knappen Worten mit, ich hätte einen niedrigen Fruchtwasserindex.

«Was bedeutet das?», fragte ich ahnungslos.

Die Frau zuckte die Achseln, schaltete den Monitor ab und nahm die CD wieder heraus. «Wenig Fruchtwasser», sagte sie, was mir auch nicht wirklich weiterhalf. «Doktor Weinberg wird das mit Ihnen besprechen, okay?»

Ich wusste nicht genau, ob ich das «okay» fand oder nicht, aber mir war klar, dass ich damit entlassen war; diese Frau hatte offenbar nicht die Absicht, sich weitere Erklärungen entlocken zu lassen. Gleich darauf hastete sie wortlos hinaus. Die überdimensionale Tür schlug hinter ihr zu, und ich blieb allein in dem dämmrigen Raum zurück. Ich wischte mir mit einem großen Packen kratziger Papiertücher aus dem Spender über der Couch das schleimige blaue Gel vom Bauch, ehe ich meine Elastik-Umstandshose wieder darüberzog. «Wenig Fruchtwasser» klang eigentlich nicht allzu schlimm, sagte ich mir, während ich die Beine vorsichtig von der harten Untersuchungsliege schwang; es war ja nicht so, als wäre irgendetwas mit dem *Baby* nicht in Ordnung. Ich hatte den Kleinen auf dem Ultraschall-Monitor gesehen, wie er mit seinen winzigen Ärmchen und Beinchen strampelte. Einmal hatte er den Fuß geradewegs dem Schallkopf entgegengestreckt, sodass auf dem Monitor fünf weiße, in perfektem Bogen angeordnete Zehen zu sehen waren. Mir erschien er völlig gesund. Voller Zuversicht kehrte ich ins Sprechzimmer der Ärztin zurück.

Normalerweise blickt Dr. Weinberg mit einem unverbindlichen, fast desinteressierten Ausdruck auf, wenn ich eintrete – diesem typischen Ausdruck, mit dem Mediziner ihre eigentlich gesunden Patienten begrüßen. Diesmal jedoch bemerkte ich eine angespannte Aufmerksamkeit, einen scharfen Zug in ihrem Gesicht, eine Wachsamkeit in ihren Augen, als nähme sie mich zum ersten Mal richtig wahr. Und vielleicht nahm ich sie selbst zum ersten Mal richtig wahr. Nach kurzem Schweigen räusperte sie sich.

Allmählich dämmerte mir, dass es ein Problem gab.

«Cherise hat mich gerade angerufen», begann Dr. Weinberg langsam und mit sehr beherrschter Stimme. «Das Baby benötigt das Fruchtwasser, um sich richtig zu entwickeln, und bei Ihnen ist die Flüssigkeitsmenge nicht ausreichend. Wenn Ihr Fruchtwasserindex nicht bald wieder ansteigt, müssen wir das Kind vierzehn Wochen vor Termin holen.»

In diesem Moment klopfte Tom an die Tür – gerade rechtzeitig, um mir eine braune Papiertüte zu reichen. Nachdem ich aufgehört hatte zu hyperventilieren, stellte er die nahe liegende Frage: «Diesen Index da, diesen Fruchtwasserindex – *wie* bekommen wir den wieder höher?»

«Bettruhe», lautete die Antwort. «Strikte Bettruhe für die gesamte restliche Dauer der Schwangerschaft. Sie können sich aussuchen, ob Sie lieber auf dem Sofa liegen oder im Bett, aber ich möchte nicht, dass Sie herumlaufen noch irgendetwas heben oder sich überhaupt mehr bewegen als unbedingt nötig. Einmal täglich duschen, zum Essen dürfen Sie sich aufsetzen, Sie können Ihre Termine bei mir wahrnehmen, aber mehr auch nicht. Die gute Nachricht ist: Dem Baby scheint es bislang gut zu gehen», fügte Dr. Weinberg beruhigend hinzu, wobei ein sanfter, mitfühlender Ausdruck über ihr Gesicht huschte. «Es gibt durchaus Grund zur Zuversicht, *mein bubeleh*», fuhr sie fort, und in diesem Moment erhaschte ich durch einen Riss in der Fassade einen flüchtigen Blick auf ihre wahre Persönlichkeit, den Menschen auf der Dinnerparty, die Mutter, die Schwester, die Tochter. «Cherise hat keine Anzeichen einer genetischen Fehlbildung entdecken können, und die Nieren des Babys sind allem Anschein nach gesund. Ich denke daher, es liegt nur an einer Unterfunktion der Plazenta. Sie sollten auf der linken Seite liegen, das verstärkt den Blutfluss zur Nabelschnur, und dann wird sich die Situation hoffentlich so weit verbessern, dass der Kleine sich ganz normal entwickeln kann. *Hoffentlich*», wiederholte sie bedeutungsschwer. «Eine Garantie gibt es nicht. Aber Sie können den weiteren Verlauf entscheidend beeinflussen, indem Sie sich strikt an meine Anweisungen halten. Ich möchte Ihnen nicht im Schlussverkauf bei Bloomingdales über den Weg laufen, *versteh?*» Dann scheuchte sie uns freundlich hinaus

(«Kopf hoch, meine Lieben, Sie werden das durchstehen, nicht wahr? Aber sicher doch!»).

Während sich unser Taxi im Schneckentempo über die 3rd Avenue unserem Apartment an der East 82nd Street näherte, begannen im orangefarbenen Licht der Straßenlaternen Schneeflocken zu tanzen wie Schwärme winziger Fische in einem bernsteinfarbenen Meer. Durch die beschlagenen eisigen Scheiben sah ich die Menschen über die glatten Gehwege hasten. Manche hoben schützend ihre Aktentaschen über den Kopf, andere hielten mit violett verfärbten Fingern durchweichte Ausgaben der *New York Times* über sich. Ich lehnte mich auf dem harten Rücksitz nach links, so gut ich konnte, und schaute meinen Mann an, der fieberhaft Nachrichten in seinen Blackberry tippte. Ich bemerkte seine hängenden Schultern unter der wollenen Seemannsjacke, den verrutschten Krawattenknoten. Immer wieder fuhr er sich hastig mit den Fingern durch die schwarzen Locken, und seine Lippen bewegten sich lautlos, während er schrieb. Als er meinen Blick spürte, sah er auf, und mein Gesichtsausdruck muss wohl verraten haben, wie mir zumute war, denn Tom fasste meine linke Hand und drückte sie fest. «Tut mir Leid, Schatz, ich muss diese Mails wirklich dringend abschicken, ich war mitten in einem Meeting, als dein Anruf kam. He, komm –», setzte er hinzu und zog mich an seine Schulter. «Nicht weinen! Du schaffst das schon, das Baby wird gesund zur Welt kommen, es wird alles gut, ganz bestimmt.» Ich vergrub mein Gesicht in der dunklen Kuhle unter seinem Kinn und atmete seinen süßen, warmen Geruch ein. Er hielt mich im Arm und flüsterte tröstliche Worte in mein Haar *(«Wir beide stehen das gemeinsam durch, das versprech ich dir …»).*

Zu Hause in unserem Apartment legte ich mich im Wohnzimmer auf das gelbe Liberty Print Sofa und versuchte es mir auf der linken Seite bequem zu machen. Gleich darauf brachte Tom aus dem Schlafzimmer meine blaugrau gemusterte Wolldecke, die er sorgsam über mich breitete und unter meinen Füßen und um meinen Bauch herum feststeckte. Anschließend ging er in die Küche, füllte einen großen Krug mit Wasser und Eiswürfeln und stellte ihn auf das Teakholztischchen neben dem Sofa.

Er beugte sich über mich und drückte mir einen flüchtigen Kuss auf die Stirn. «Kein Grund zur Sorge, ganz bestimmt nicht», beteuerte er noch einmal mit fester Stimme, während er auf dem Ledersessel mir gegenüber Platz nahm. Doch als er sich abwandte, sah ich – oder vielleicht habe ich es mir nur eingebildet, aber ich *meine* gesehen zu haben –, dass er Tränen in den Augen hatte.

2.

Seit wir die Arztpraxis verlassen haben, sind sieben Stunden vergangen. In der Zwischenzeit haben wir jeden angerufen, der uns einfiel – meine Mutter und meine Schwestern in England, Toms Eltern in Baltimore, seinen Bruder und seine Schwägerin in Sacramento sowie diverse Freunde. Mir fällt es leichter, wenn ich die Geschichte selbst erzähle; solange ich diejenige bin, die darüber spricht, kann ich mir auf eine Art selbst vorgaukeln, dass ich das alles nur erfinde oder wenigstens stark übertreibe, um Aufmerksamkeit zu erregen. Ich kann so noch immer die Person sein, für die ich mich bis vor einem halben Tag hielt – eine Frau, die wenigstens einen Teil der wichtigen Punkte auf der Liste *Was die Frau von heute vor dreißig erledigen sollte*, abgehakt hat – jener imaginären To-Do-Liste, die wohl alle Frauen in den späten Zwanzigern mit sich herumtragen.

Guten Job finden ☑
Sich attraktiven Mann mit gutem Job angeln ☑
Angemessenes Polster auf dem Bankkonto haben ☑
Schwanger werden ☑

(Es gibt natürlich noch weitere Punkte, auch solche, die ich noch nicht abhaken konnte oder bei denen ich das Häkchen wieder entfernen musste, seit ich schwanger wurde. «Dreimal pro Woche Sex haben» zum Beispiel. Und «Fünf Kilo untergewichtig sein». Diese beiden Projekte liegen vorerst auf Eis.)

Toms Vater, Peter, ist Chirurg, und er klang ganz gelassen, als er von der Sache mit meinem Fruchtwasser hörte. Das tröstete uns ein wenig, bis Tom sich darauf besann, was für ein Typ Mann sein Vater eigentlich ist: nämlich einer, der auch noch imstande ist, Witze zu reißen, wenn er ein bluttriefendes menschliches Herz in den Händen hält. Ihn scheint nichts zu erschüttern; eine Eigenschaft, die man zwar bei einem Chirurgen schätzt, jedoch nicht unbedingt beim eigenen Vater. Tom hat mir mal gestanden, er habe einen Großteil seiner Jugend dem Versuch gewidmet, Peter eine Reaktion abzuringen, indem er eine Reihe von Extremsportarten betrieb – Freeclimbing, Paragliding, Off-Piste-Ski, Wildwasserpaddeln. Aber das Äußerste, was er damit bei seinem Vater erreichte, war eine leicht hochgezogene Augenbraue. Tom war schon drauf und dran, sich weniger legaler Methoden zu bedienen, um die Aufmerksamkeit seines Vaters zu erlangen, als ein Universitätsprofessor ihm vorschlug, bei einem Moot Court anzutreten, also einem Wettbewerb für Jurastudenten, bei dem fiktive Gerichtsfälle verhandelt werden. Da entdeckte Tom eine größere Herausforderung als die, Peter zu provozieren, und mittlerweile hat er seinen Vaterkomplex offiziell überwunden. Ich habe allerdings so meine Zweifel, dass ihm die Meinung seines Vaters wirklich so gleichgültig ist, wie er immer vorgibt. Nachdem er Peter von meinen Schwangerschaftskomplikationen berichtet hatte, lenkte Tom das Gespräch nämlich wie zufällig auf das Thema «Warum ich im Büro unabkömmlich bin». Er hat in Aussicht, bald zum Teilhaber in seiner Anwaltsfirma aufzusteigen, einer der größten Kanzleien in der Stadt. Am Telefon stellte er es allerdings so dar, als sei die Sache bereits unter Dach und Fach. Das entspricht nicht *ganz* der Wahrheit – sicher, er hat die allerbesten Chancen, aber letztendlich schafft doch nur ein winziger Prozentsatz der Associates den Sprung zum Partner.

Anschließend sprach er noch mit seiner Mutter; ein kurzer Wortwechsel im Stakkato-Ton zweier Menschen, denen es an der wechselseitigen Zuneigung mangelt, die einer Stimme ihre Schärfe nimmt und ihr Herzlichkeit verleiht. Toms Mutter ist eine hagere, verkrampfte Bostoner Brahmanin, die ihrem Sohn niemals ganz verziehen hat, dass er kein Mädchen geworden war. Sie hatte sich gewünscht, durch eine Tochter noch einmal ihre Jugend als grazile Debütantin erleben zu können. «Ich war mir so *sicher*, dass er ein Mädchen sein würde», hörte ich sie einmal bei einer Tasse Lapsang Souchong zu einer Freundin sagen. «Schließlich lag er quer im Mutterleib», fügte sie mit einem vorwurfsvollen Blick in seine Richtung hinzu. Sie hat Toms diverse akademische und juristische Erfolge der letzten Jahre mit dem leicht verschleierten Blick einer Person zur

Kenntnis genommen, die sich eigentlich lieber mit ihren Teerosen beschäftigen würde.

Im Augenblick hantiert Tom hektisch in unserer winzigen Küche. Er wälzt Schinkenscheiben in klein gehacktem Cranberry-Walnuss-Brot, während er gleichzeitig über die Freisprechanlage ins Telefon schreit – offenbar geht es darum, eine Dienstreise zu verschieben – und zwischendurch herübergerannt kommt, um mir rasch einen Kuss zu geben und mir entschuldigend zuzuflüstern: «Ich muss das mit den Jungs klären, Q, tut mir wirklich Leid, aber dein Essen ist jeden Moment fertig …»

(Seit ich denken kann, werde ich von allen – in der Familie ebenso wie im Freundeskreis – «Q» genannt. In der Schule hat damals jemand eine Bemerkung darüber gemacht, dass die Figur «Q» in den James-Bond-Filmen eigentlich Major Boothroyd heißt; mein Nachname ist Boothroyd, mit Vornamen heiße ich Quinn, *et voilà.* Mir gefällt der Spitzname. Er klingt, als führe ich in weißen Luxuslimousinen mit Panzerglas und champagnergetränkten Sitzen, auch wenn ich in Wirklichkeit nur eine langweilig-respektabel verheiratete Rechtsanwältin bin.)

Sobald wir von der Ärztin zurückkamen, habe ich im Büro angerufen, und nach anfänglicher Verwirrung («Fruchtwasser-was?») und mehreren sehr ausgedehnten Pausen erklärte sich Fay – eine der Teilhaberinnen bei Schuster – bereit, meine Fälle auf die anderen Senior Associates zu verteilen. Ab sofort bin ich auf ärztliche Anordnung jeglicher Pflichten entbunden. («Ich will auch nicht, dass Sie von zu Hause aus an Telekonferenzen teilnehmen, haben Sie mich verstanden? Brechen Sie allen Kontakt zur Kanzlei ab. Stress kann die Blutversorgung des Babys beeinträchtigen.»)

Blicken wir den Tatsachen ins Auge – drei Monate nicht

ins Büro gehen zu können ist keine Katastrophe. Zwar werden die Rechtsanwälte in New York besser bezahlt als in London, aber ich kann nicht behaupten, hier das Leben zu führen, das ich mir erträumt habe, als ich vor vier Jahren in England meine Koffer packte, um hierher überzusiedeln. Die Arbeit ist genauso nervenaufreibend, die Arbeitszeiten sind erheblich länger. An den meisten Tagen laufen Tom und ich uns morgens um sechs im Badezimmer über den Weg, und gelegentlich treffen wir uns sonntagnachmittags zu einem Picknick im Central Park. Wie wir zu einem Kind gekommen sind, ist uns beiden ein Rätsel, das wir aus Zeitmangel vermutlich nie lösen werden. Ich erinnere mich vage an eine leidenschaftliche Szene nach einer Schlips-und-Kragen-Veranstaltung zum Empfang der neuen Associates in Toms Kanzlei. Während des Hauptgerichtes flirteten wir um die Wette, beim Dessert fummelten wir in angetrunkenem Zustand unter dem Tisch, um zwei Uhr fielen wir in ein Taxi, und ich glaube, als wir nach Hause kamen, haben wir es auf dem Küchentisch getrieben, woran ich mich allerdings nicht genau erinnern kann. Aber mir gefällt die Vorstellung, dass in dieser Nacht unser Baby gezeugt wurde und nicht bei einer dieser Pflichtveranstaltungen, zu denen es mitunter kommt, weil wir zufällig einmal beide vor 23 Uhr zu Hause sind.

Wenigstens werde ich also in den kommenden drei Monaten Gelegenheit haben, Tom wieder richtig kennen zu lernen; wir lieben einander zwar, aber in den letzten Monaten habe ich bemerkt, dass sich zwischen uns etwas verändert hat. Eine Kluft hat sich aufgetan, wie das schwarze Wasser zwischen Boot und Anlegesteg. Es ist natürlich nichts Ernstes, nichts, das uns wirklich entzweit; ich rede nicht von Affären, drohender Scheidung oder dergleichen.

Ganz bestimmt nicht. Im Gegenteil: Kaum dass wir einmal einen Tag gemeinsam verbringen, schließt sich die Kluft ganz schnell – bei einem Mittagessen im West Village oder einem gemächlichen Spaziergang über den Washington Square, wo wir uns vor vier Jahren zum ersten Mal begegneten, verschwindet sie wie von selbst. Dann, eine Woche später, taucht der Graben plötzlich wieder auf. Ich ertappe einen von uns beiden in einem gereizten Moment – sei es eine bissige Bemerkung, eine selbstgerechte Kritik, eine gedankenlose Handlung; alles Dinge, die wir damals, als wir uns kennen lernten, niemals getan, gesagt oder auch nur gedacht hätten.

Teils liegt es an den langen Arbeitszeiten, teils auch an der Schwangerschaft. Aus der Sicht des Mannes vergehen die schwangeren neun Monate mehr oder weniger wie beliebige andere neun Monate im Leben eines Erwachsenen; Tom kann den Ausdruck «wenn das Baby kommt» verwenden, als sei es noch nicht hier, mit uns im selben Zimmer, als zielte es nicht mutwillig mit seinen Tritten in die Tiefen meiner Magengrube. *Mein* Leben hat sich allerdings von Grund auf verändert, und zwar binnen einer Woche, nachdem ich erfuhr, dass ich schwanger bin. Eben noch hatte ich entzückt die zweite Linie auf einem kleinen, grauen Plastikstäbchen betrachtet, und schon bald darauf gab ich mein Abendessen auf der Toilette wieder von mir und musste feststellen, dass die Treppe zwischen den beiden Etagen meines Büros sich unvermittelt in den Mount Everest verwandelt hatte.

Meine Bettruhe wird helfen, die Kluft zwischen uns dauerhaft zu schließen, bevor das Baby zur Welt kommt. Vielleicht (wer weiß!) kommen wir zur Abwechslung sogar mal wieder zum Bumsen. Ich bin in den letzten Monaten bestimmt nicht auf der Höhe meines Sex-Appeals gewesen;

oft bin ich auf allen vieren ins Bett gekrochen, zu erschöpft, um mir auch nur die Zähne zu putzen, ganz zu schweigen davon, meine *Cosmo*-Leserinnen-Verführungskünste anzuwenden. Wenn ich schon die nächsten vierzehn Wochen in Seitenlage zubringen muss, kann ich die Zeit wenigstens dazu nutzen, etwas Schlaf nachzuholen. Obwohl, näher betrachtet bin ich nicht überzeugt, dass das die beste Methode ist, einem abgeflauten Liebesleben auf die Sprünge zu helfen. «Hi, Schatz, ich habe die letzten tausend Stunden vor einem öden Fernsehprogramm zugebracht – na, wie wär's, wollen wir zwei nicht mal wieder …» Und überhaupt – dürfen wir während meiner Bettruhe eigentlich Sex haben? Dr. Weinberg hat nichts darüber gesagt, aber es vermindert doch bestimmt den Blutfluss zum Uterus – oder *verstärkt* es ihn womöglich? Das muss ich unbedingt im Internet recherchieren.

Es gibt noch einiges, worüber ich mich im Netz informieren muss. Zunächst mal über diese ganze Fruchtwasser-Problematik. Und über Frühgeburten sollte ich auch mal was lesen, das Kapitel habe ich komplett übersprungen, als ich *Hurra! Ich erwarte ein Baby* gelesen habe. Vierzehn Wochen vor Termin klingt schlimm. Dann wäre er ein richtiges kleines Alien, mit durchscheinender Haut und Fingerchen wie Streichhölzer. Allein die Vorstellung ist mir fast unerträglich. Ich denke, ich sollte «Gestationsalter 26 Wochen» in Google eingeben –

Massenhaft Treffer für «26 Wochen». Auf prematurebabies.com erfahre ich, dass Babys, die in diesem Entwicklungsstadium geboren werden, an diversen einigermaßen unschönen Störungen leiden können. Aber jetzt kommt die gute Nachricht: Nach 30 Wochen liegt die Überlebenschance für das Baby bereits bei fast 90 %, und das Risiko ernsthafter Erkrankungen sinkt rapide. Das heißt, ich muss mein Möglichstes tun, um mehr Fruchtwasser zu produzieren; ich *muss* den Kleinen noch wenigstens vier Wochen lang sicher in meinem Bauch behalten. Nur vier Wochen, in denen ich rund um die Uhr auf der linken Seite liegen muss. Wenn man es recht überlegt, klingt das doch eigentlich gar nicht so schlimm. Oder?

3.

Mittwoch, 11.05 Uhr
Dies ist der erste Morgen meines ersten vollen Tages Bettruhe. Ich finde, ich schlage mich ganz wacker. Meine Schwester Jeanie hat mir gestern Abend am Telefon prophezeit, ich würde binnen vierundzwanzig Stunden vor lauter Langeweile in Depressionen verfallen, aber Jeanie ist nun einmal ein Mensch, der sich nicht einmal für eine Nanosekunde allein beschäftigen kann. Als wir Kinder waren, ist sie mir und Alison ständig hinterhergelaufen und verlangte, dass wir mit ihr spielten. Wenn wir nicht wollten, brüllte sie das ganze Haus zusammen. Ich bin die Älteste von uns dreien, und ich konnte mich schon immer am besten allein unterhalten.

Bisher habe ich heute Morgen also:

- meine E-Mails bei Yahoo abgerufen. Zweimal. Na gut, vielleicht auch etwas häufiger;
- die *New York Times* gelesen, *einschließlich* des Wirtschaftsteils;
- die News-Ticker auf der *Times*-Internetseite verfolgt;
- die Rechnungen bezahlt. Sogar die beängstigend hohen.

(Ziemlich weit oben auf der Liste *Was die Frau von heute vor dreißig erledigen sollte*, steht: «Aufhören, Kreditkartenabrechnungen heimlich in alten Cosmopolitan-Heften verschwinden zu lassen» und «die Erwachsenen-Rubriken in der Zeitung lesen». Ich fühle mich noch nicht berechtigt, diese beiden Punkte abzuhaken, aber ich betrachte sie mit neuer Zuversicht.)

Und ich habe noch nicht ein einziges Mal den Fernseher eingeschaltet! Alison hat behauptet, ich würde noch vor Ende der Woche süchtig nach *Zeit der Sehnsucht* sein, aber bisher habe ich reichlich Beschäftigung gefunden, ohne auf Soaps und Talkshows zurückzugreifen. Vielleicht sehe ich mir heute Nachmittag um 5 die *Ricki Lake Show* an. Das Thema der heutigen Sendung betrifft mich in gewisser Weise – jedenfalls geht es darum, schwanger zu werden.

Tom ist um 7 Uhr früh aus der Wohnung gehetzt, kam dann um 7.05 in heller Panik wieder hereingestürmt, hat hastig ein Stück Käse zwischen zwei Scheiben Brot geklemmt und das Ganze auf dem Tisch neben dem Sofa platziert («Tut mir Leid, Schatz, das hab ich ganz vergessen, Shit, ich bin *wirklich* spät dran!»). Wie es scheint, soll das mein Mittagessen sein. Ich bin versucht, mir etwas vom Restaurant zu bestellen, aber dann müsste ich an die Tür gehen, um die Lieferung anzunehmen …

15.20 Uhr

Das Problem mit dem Mittagessen hat sich erledigt, und zwar dank Brianna, der verrückten Anwaltsassistentin aus meiner Kanzlei. Wir haben vor einigen Monaten begonnen, einen Fall gemeinsam zu bearbeiten. Obwohl wir uns persönlich nicht sehr nahe stehen, kam sie mich in ihrer Mittagspause besuchen, und zwar – wer hätte das gedacht? –

mit würziger Peperonipizza und einem leichten gemischten Salat im Gepäck. Ich habe beschlossen, dass es erlaubt sein muss, an die Tür zu gehen, wenn es klingelt – sonst gehe ich hier drin noch die Wände hoch –, aber nachdem ich Brianna hereingelassen hatte, habe ich mich brav wieder aufs Sofa gelegt und die Pizza verschlungen, während sie sich auf dem roten persischen Kelim niederließ, der über die gesamte Breite des Wohnzimmerbodens reicht, und mir von ihrem komplizierten Liebesleben erzählte und davon, wie schrecklich man doch als Assistentin ausgebeutet wird (vor acht Monaten hat sie bei der Staatsanwaltschaft von Manhattan aufgehört und ist zu Schuster gewechselt, wo zwar die Bezahlung besser, die Behandlung dafür aber schlechter ist).

Seit Brianna wieder fort ist, habe ich fünf Anrufe aus der Kanzlei erhalten, und jedes Mal ging es um Geschäftliches. Nichts, womit ich nicht zurechtkäme – glücklicherweise hatte ich, in Vorbereitung auf meinen Mutterschaftsurlaub, bereits angefangen, Notizen über alle meine Akten zusammenzustellen. Die Inbox meiner Firmen-Mailadresse quillt mit Sicherheit schon über, aber ich bin entschlossen, sie zu ignorieren – wenn die Leute merken, dass ich sie nicht abrufe, wird ihnen ohnehin nichts anderes übrig bleiben, als mich in Ruhe zu lassen. Das Büro scheint jetzt schon in seltsame Ferne gerückt, eine andere Welt, ein anderes Leben.

Noch eine Stunde und vierzig Minuten bis *Ricki*. Was fange ich jetzt an?

15.50 Uhr

Wenigstens kann ich vom Sofa aus zum Wohnzimmerfenster hinausschauen. Ich kann den Himmel und das Wetter beobachten, ein urenglischer Zeitvertreib. Wenn ich mich anstrenge und den Hals recke, kann ich die Fußgänger an der Kreuzung von 82nd und 2nd sehen. Und ich kann die Bewohner der kleinen Vierzigerjahre-Apartments im Wohnblock gegenüber sehen, wenigstens die beiden oberen Stockwerke.

Das Fenster, durch das ich hinausstarre, ist rechteckig und sehr groß (der Makler, der uns damals das Apartment zeigte, nannte es den «eindrucksvollen Fokalpunkt», was im Klartext bedeutet, dass das Zimmer selbst nur ein schlichter, länglicher Kasten ist). Darunter steht eine Heizungsbank aus Holz, die gerade breit genug zum Sitzen ist. Wir haben sie mit ein paar Chenille-Kissen gepolstert, sodass man es sich dort herrlich mit einem Buch bequem machen kann (das heißt, man *könnte*, wenn man denn einmal Zeit dazu hätte). Zu beiden Seiten des Fensters hängen von einer eisernen Stange schwere rote Vorhänge herab, deren Saum bis auf den Holzfußboden reicht. Ein paar Wochen nach unserem Einzug habe ich an einem meiner seltenen freien Tage in einem Antiquitätenladen um die Ecke eine dazu passende preiselbeerfarbene Glasvase erstanden. Sie thront auf dem dänischen Teakholztisch neben dem Sofa, und wenn das Licht darauf fällt, erscheint die Wand dahinter tiefrot, wie ein Fleck von einem Glas Pinot Noir. In der rechten Ecke des Zimmers steht, mir schräg gegenüber, ein brauner Ledersessel. An der gelb gestrichenen Wand auf der linken Seite gibt es zwei Bücherregale. Das Regal näher am Fenster, voll gestopft mit einem Durcheinander von Fachbüchern aus der Studienzeit und zerfledderten John-Grisham-Paperbacks, die hauptsächlich aus Flughafen-Buchhandlungen stammen, gehört Tom. Meines, das näher am Sofa steht, enthält eine chronologische Sammlung von Gedichtbänden, Essays und Romanen von Austen bis Atwood, außerdem zur Dekoration mehrere holzgerahmte Familienfotos und ein paar vom Meer glatt geschliffene Glasstücke von englischen Stränden.

Das Zimmer ist klein (schließlich sind wir hier in Manhattan), aber hell und gemütlich. Die Heizung läuft auf höchster Stufe; über der Bank flimmert die Luft vor Hitze. Ich glaube, seit dem Tag, an dem wir hier eingezogen sind, habe ich zusammengenommen nicht mehr als zehn Stunden in meinem Wohnzimmer verbracht. Jetzt ist es für die restliche Dauer meiner Schwangerschaft meine Welt.

Das Gebäude gegenüber wird noch im Laufe dieses Jahres verschwinden; es soll abgerissen und durch etwas Größeres, Moderneres ersetzt werden. Ich habe irgendwo gehört – von zwei Nachbarn, die sich im Aufzug unterhielten, oder war es bei den Briefkästen –, dass es vollkommen schimmelverseucht ist. Soweit ich sehen kann (und wenn ich mich anstrenge, kann ich geradewegs in die Zimmer schauen), sind die Bewohner überwiegend ältere Leute, viele bestimmt schon über achtzig. Ich habe die vergangene Stunde hauptsächlich damit zugebracht zu beobachten, wie sie langsam umherschlurfen, von einem Zimmer ins andere. Sie scheinen in einer anderen Zeitdimension zu leben: Jede Bewegung ist sorgfältig bemessen, jeder Schritt bedächtig. Ich habe zugesehen, wie der ältere Mann in dem Eck-Apartment versuchte, eine Glühbirne auszuwechseln. Er brauchte etwa fünf Minuten, um seine kleine Trittleiter zu erklimmen. Als er die oberste Stufe erreichte, wackelte die Leiter heftig, er ließ die Birne fallen, und dann musste er ganz von vorn anfangen. Das war recht unterhaltsam. Die Frau im Apartment daneben sieht im Halbdunkel fern.

18.20 Uhr

Verdammt – ich habe das Ende von *Ricki Lake* verpasst (ich bin schon ganz verrückt nach Ricki), weil ausgerechnet mitten in der Sendung Alison anrief. Jetzt werde ich nie erfahren, ob Erik oder Vinnie der Vater von Tayshas Baby ist. Der offizielle Grund des Anrufs war, dass Alison sich nach meinem Befinden erkundigen wollte. Der inoffizielle Grund war pure Schadenfreude.

«Du musst mir versprechen, dass du dich von jetzt an schonst», säuselte sie. Ihre Stimme triefte nur so vor selbstgefälliger Zufriedenheit. «So eine Schwangerschaft ist sehr strapaziös für den Körper, Q – glaub mir, ich weiß Bescheid! Als ich mit Geoffrey schwanger war, habe ich dasselbe versucht wie du, aber ich habe rechtzeitig eingesehen, dass man Zugeständnisse an die Bedürfnisse des heranwachsenden Babys machen muss. Deine vielen Überstunden – das ist doch absurd! Wenn Tom bis in die Nacht arbeitet, ist das eine Sache, aber für eine Frau in deinem Zustand ist es unvernünftig. Wirklich, Q, ich hoffe, diese Geschichte hat dich endlich wachgerüttelt.»

Anschließend musste ich einen zwanzigminütigen Vortrag darüber erdulden, dass man auf die Signale seines Körpers achten müsse, dass der Körper einer Schwangeren eine zarte Blütenknospe sei und dass Alison und meine Mutter *gerade letzte Woche noch* zueinander gesagt hätten, wenn ich beruflich nicht endlich kürzer träte, werde das noch böse enden. Sie behauptet, in der vergangenen Nacht habe sie vor lauter Sorge um mich und das Baby nicht schlafen können. Ich glaube, sie hat seit Ewigkeiten nicht mehr solchen Spaß gehabt.

Alison hat schon seit Jahren dieses Problem mit mir, dieses Kleine-Schwester-Problem. Als wir Kinder waren, musste sie alles tun, was ich tat – nur besser. Das ging so weiter, bis wir auf die Uni kamen. Dann begriff sie endlich, dass sie Fähigkeiten hatte, die ich nicht besaß – sie konnte schauspielern, sich cool geben, sich schöne Männer mit Titel angeln –, und sie wurde sehr viel glücklicher. Und sehr viel unmöglicher.

Ich erinnere mich noch an ihre gequälte Miene an dem Tag, an dem ich die Ergebnisse meiner Prüfungen für den mittleren Schulabschluss bekam – lauter Bestnoten. Im folgenden Jahr arbeitete sie wie der Teufel, um sich auf ihre Prüfungen vorzubereiten – sie übertrieb es so sehr, dass sie am Ende ein Karpaltunnelsyndrom entwickelte und ein halbes Jahr lang Physiotherapie bekam. Und ich erinnere mich an den Funken Hoffnung, der ihr Gesicht erhellte, vielleicht war es sogar Triumph, an dem Tag, als ich das erwartete A in meiner Physik-Abschlussprüfung nicht geschafft hatte. Aber das Seltsame war: Obwohl sie in Physik eigentlich besser war als ich, bekam sie im nächsten Jahr selbst nur ein B. Ich weiß nicht, ob sie die Motivation verloren hatte oder ob sie, wie Tom vermutet, einfach nicht mit der Vorstellung zurechtkam, mich tatsächlich zu schlagen. Mal ehrlich, sie hatte ihr Leben lang darauf hingearbeitet, mir einmal einen Schritt voraus zu sein, als sich dann die Gelegenheit bot, verlor sie einfach die Nerven.

Wie auch immer, jedenfalls bekam sie genau wie ich noch in letzter Minute einen Studienplatz in Oxford, belegte ebenso wie ich PPW – Politik, Philosophie, Wirtschaftswissenschaften –, aber anders als ich ließ sie das Studium im zweiten Jahr schleifen und nahm stattdessen die Hauptrolle in *Guess Who's Coming to Dinner* an. Sie trug plötzlich schwarze Jeans, schwarze Rollkragenpullover und Second-Hand-Wildlederjacken von Camden Market. Sie blondierte sich die Haare und drehte sie zu grässlichen kleinen, glänzenden Löckchen, die sie mit einem lackierten Essstäbchen zusammensteckte. Und sie hatte eine Unzahl Affären mit verteufelt gut aussehenden Schauspielern (die ebenfalls schwarze Jeans und Rollkragenpullover trugen und sich so frisierten, dass es aussah, als seien sie gerade aus dem Bett gefallen). Sie «kam an» in einer Weise, wie es mir nie gelungen war. Ich brachte meine Studienjahre allein mit einem halben Zentner Bücher zu, während meine Schwester allabendlich glamouröse Auftritte hatte. Dass parallel dazu ihre Studienleistungen in den Keller sackten, kümmerte sie nicht im Geringsten. Wenn wir uns zum Lunch im Covered Market trafen, erschien sie mit einem Päckchen Camel in der Gürteltasche (das war noch bevor sie zu der Auffassung gelangte, ihr Körper sei eine zarte Blüte) und teilte mir mit, dass ich rein gar nichts vom *Leben* verstünde. Ich gestehe freimütig, dass mich diese Entwicklung ziemlich aus der Bahn warf – ich war so daran gewöhnt, mich anzustrengen, um ihr immer einen Schritt voraus zu sein, dass ich gar nicht wusste, wie ich reagieren sollte, als sie aus unserem System ausstieg und eine völlig andere Richtung einschlug. Anfangs ging ich auf ein paar ihrer Partys – die gewöhnlich in verrauchten Kellerräumen zwischen Stapeln halb bemalter Kulissen stattfanden –, aber wenn etwas garantiert zu Peinlichkeiten führt, dann ist es die Rolle der intellektuellen großen Schwester einer talentierten Sexbombe im heiratsfähigen Alter. So beschloss ich, sie ihrer Wege gehen zu lassen, und setzte mich wieder an meine Bücher.

Während ich nach dem ersten Abschluss die Fachrichtung wechselte und mein Jura-Studium in London aufnahm, kam sie mit Greg zusammen und erlitt einen erneuten Sinneswandel. Die Schauspielerei sei ja schön und gut, erklärte sie mir, aber auf Dauer lauge einen der Beruf doch aus und sei kaum vereinbar mit einer ernsthaften Beziehung. Sie hatte Greg bei den Proben zu *Caligula* kennen gelernt; er war einer dieser zerzausten Schauspieler mit verdächtig gekünstelt klingendem Cockney-Akzent. Tatsächlich stellte sich heraus, dass er nie weiter in Richtung East End vorgedrungen war als bis zur Liverpool Street Station, und zwar auf dem Weg zum Anwesen seiner Familie in North Norfolk. Der ehrbare Gregory Farquhar dachte nicht daran, sein Leben mit einer Horde verarmter Schauspieler zu verbringen; kaum hatte er (mit Mühe und Not) seinen Abschluss in Oxford geschafft, da hatte er es auch schon sehr eilig, in die City zu ziehen, wo er mittlerweile für einen von Daddys Kumpels arbeitet und Geld wie Heu verdient. Greg war eine gute Partie, das kann man nicht anders sagen, und Alison war sich dessen deutlich bewusst. Sie heirateten mit zweiundzwanzig (das Magazin *Hello!* berichtete kurz über die Hochzeit), und Alison hängte ihre Schauspielkarriere an den Nagel, um sich der plastischen Kunst zuzuwenden. Klartext: Alison wurde zur Gebärmaschine. Zwei Kinder hat sie bereits geworfen, und sie kann es kaum erwarten, Nummer drei in Angriff zu nehmen.

In Anbetracht dessen verfügt sie auf dem Gebiet der Babyproduktion also tatsächlich über mehr Erfahrung als ich, und sie wird zweifellos dafür sorgen, dass ich das bis an mein Lebensende nicht vergesse. Seit Geoffreys Geburt vor drei Jahren hat sie nicht aufgehört, die Freuden der Mutterschaft in den höchsten Tönen zu preisen (als sie das letzte

Mal hier zu Besuch war und die Pillenpackung auf meinem Nachttisch liegen sah, schüttelte sie den Kopf so kummervoll, dass man hätte meinen können, es handele sich um harte Drogen). «Mutter zu sein knüpft ein solch starkes Band zwischen Frauen, Q», erklärte sie mir mit diesem grässlichen esoterischen Leuchten in den Augen. (Sie trägt heutzutage Gaultier, besitzt eine Dreiviertelmillion-Pfund-Nobelhütte in Pimlico und hat eine persönliche spirituelle Beraterin, die ihr hilft, in all diesem Glamour die wahre Erleuchtung zu finden.) «Es wäre so wunderbar, meine Erfahrungen als Mutter mit dir teilen zu können! Und ich wünsche mir, dass unsere Kinder etwa im gleichen Alter sind; sie sollen einander als enge Freunde betrachten, nicht bloß als Verwandte – wünschst du dir das nicht auch, Q?» Nein, ehrlich gesagt sind Geoffrey und Serena genau die Sorte Kinder, vor denen meine später hoffentlich schreiend davonlaufen werden. Greg sieht seinen Sohn und Erben am liebsten im Matrosenanzug, und Serena läuft meist im rosa Tutu herum und erzählt jedem, der es hören will, wenn sie groß sei, wolle sie «Pinzessin» werden. Ich hoffe sehr, dass wir irgendwann eine Tochter bekommen, die es faustdick hinter den Ohren hat und Serena mal beiseite nimmt und …

Jedenfalls – die Vorstellung, Alison hätte, als sie mit Geoffrey schwanger war, «dasselbe versucht wie ich», ist lachhaft; seit sie mit Greg verheiratet ist, hat sie kaum einen Tag ernsthaft gearbeitet. Sie hat ein eigenes Atelier (vom Göttergatten finanziert, versteht sich), und soweit ich weiß, schaut sie dort dreimal pro Woche für ein paar Stunden vorbei und kommt nachher mit einem Topf ohne Boden oder etwas ähnlich Albernem wieder nach Hause. Sie selbst hält sich allerdings für eine ernst zu nehmende Künstlerin, denn Gregs Cousin ist Kunsthändler und kennt jemanden, der jemanden kennt, dem eine Galerie im Süden Londons gehört. Und so flattert mir etwa alle drei Jahre ein elegantes weißes Kärtchen ins Haus, auf dem eine Ausstellung von Alison Farquhars Werken angekündigt wird. Der elende Schreibknecht vom *Evening Standard*, der darüber berichtet, ist zweifelsohne ebenfalls ein Freund ihres Gatten. Aber natürlich kann ich das alles nicht anführen, wenn Alison sich darüber auslässt, wie gut sie meine berufliche Belastung doch nachempfinden könne – oder?

4.

10.30 Uhr
Beim Durchlesen meines gestrigen Tagebucheintrags dämmert es mir, dass ich in Bezug auf Alison wohl nicht ganz «mit mir im Reinen» bin. Ich sollte mir das noch einmal durch den Kopf gehen lassen. «Souveräne Überlegenheit gegenüber kleinen Schwestern entwickeln» ist ein wichtiger Punkt auf der Liste *Was die Frau von heute vor dreißig erledigen sollte.*

Ich war noch ziemlich aufgewühlt, als Tom gegen 22 Uhr nach Hause kam, ganz abgesehen davon, dass mich mein gieriger, unersättlicher Schwangerschafts-Heißhunger beinahe umbrachte. Tom war seit 18 Uhr «auf dem Sprung nach Hause» gewesen, und als er dann tatsächlich eintraf, war ich außer mir vor Hunger, Wut und Enttäuschung. Fünf Minuten nachdem er zur Tür hereingekommen war, warf ich mit Sofakissen, weinte und schrie ihn an, weil er auf dem Nachhauseweg nicht bei einem Restaurant Halt gemacht hatte und ich nun *noch eine halbe Stunde* warten musste, bis endlich mein Abendessen kam.

Mitten in all dem Schreien, Wüten und Kissenwerfen fiel mein Blick auf Toms Gesicht. Bis vor sechsunddreißig Stunden hatte er eine einigermaßen normale Frau gehabt – zugegebenermaßen mit einem Akzent, bei dem halb New York in Ohnmacht fällt und die andere Hälfte an Cruella De Vil denkt, ganz zu schweigen von einem Bauch, vor dem (wie ich vielleicht schon erwähnte) selbst die Hunde auf der Straße erschrocken zurückweichen. Aber abgesehen davon war sie doch ziemlich normal gewesen. Jetzt, binnen eines Tages, hat sie sich in einen wütenden Derwisch verwandelt, einen Tasmanischen Teufel. Mein Mann zupfte sichtlich verzweifelt an seinen schwarzen Locken, während er zusah, wie seine eingekerkerte Frau tobte und raste.

Ich hörte schlagartig auf zu weinen, als er plötzlich neben dem Sofa auf die Knie fiel und etwas von «auf das Fruchtwasser aufpassen» murmelte. Beinahe wider Willen legte ich die Hand in seinen Nacken und strich mit den Fingern durch sein weiches dunkles Haar. Nach ein paar letzten Schluchzern und Seufzern (nur des Nachdrucks wegen) nahm ich das Telefonbuch aus dem unteren Fach des Couchtisches, schob es ihm hin und beauftragte ihn, etwas Essbares für mich aufzutreiben, und zwar schnell. Immerhin war es bereits zehn Uhr.

Inzwischen ist Bettruhe-Tag zwei angebrochen, und Tom und ich haben gestern Abend ein paar Vereinbarungen über unseren Tagesablauf getroffen:

- Wenn er sagt, er kommt gleich nach Hause, dann kommt er auch wirklich binnen einer halben Stunde, damit ich nicht stundenlang in der Luft hänge.
- Abends bestelle ich bei einem Restaurant meiner Wahl mein Essen, und er holt es auf dem Heimweg dort ab.

- Er bereitet/kauft mir zum Mittagessen ein Sandwich, das auch wirklich essbar ist, und stellt es in einer Kühlbox an mein Sofa. Außerdem stellt er mir etwas Obst und Nüsse für zwischendurch hin (ich war versucht, zusätzlich eine Packung Chocolate Chip Cookies zu fordern, aber wenn ich nicht aufpasse, kann ich in vierzehn Wochen zum Krankenhaus rollen).
- Er bemüht sich zu verstehen, wie es für mich ist, den ganzen Tag zu Hause eingesperrt zu sein, und ich bemühe mich, daran zu denken, dass er es auch nicht leicht hat und sich Sorgen macht (bla, bla, bla).
- ICH LASSE MIR VON ALISON NICHT DIE LAUNE VERDERBEN.

So weit, so gut. Mein Sandwich mit Mozzarella und Artischocken-Pesto liegt auf dem Couchtisch – beziehungsweise das, was davon noch übrig ist; die Hälfte habe ich heute Morgen um 8.30 Uhr gegessen –, und ich habe bereits das Menü für heute Abend ausgesucht. Diese Stadt quillt über von erstklassigen Restaurants, und ich habe drei Monate Zeit, sie alle durchzuprobieren. Bewaffnet mit meinem treuen *Zagat* und ein paar Restaurantkritiken aus älteren Ausgaben der *New York Times*, werde ich das nächste Dutzend Abendessen im Handumdrehen geplant haben.

16 Uhr

Brianna hat mich heute wieder in der Mittagspause besucht, was ein riesiges Glück für mich war, denn das Mozzarella-Sandwich hat nicht länger als bis 11 Uhr überlebt. Mit wachsender Panik fragte ich mich bereits, wie ich mich mit zwei Kiwis und einer Tüte trocken gerösteter Erdnüsse neun

Stunden lang über Wasser halten sollte. Doch dann erschien Bri mit vier Stücken Pizza vom *La Margherita* um die Ecke. Nachdem ich drei davon verschlungen hatte, erkannte sie den Ernst der Lage und hat in der Küche rasch ein Omelett mit Schinken und Käse gebrutzelt. *Und* sie hatte noch zwei Schoko-Cookies dabei, für die ich ihr ergebenst dankte. Den einen aß ich sofort, den anderen hebe ich mir für heute Nachmittag auf, damit ich ihn genießen kann, während ich *Ricki* sehe.

Als Gegenleistung musste ich mir weitere ausführliche Berichte über Briannas Liebesleben anhören. Sie ist, wie meine Mutter es ausdrücken würde, eher einfach strukturiert. Sie hat seit etwa einem Jahr eine Affäre mit einem verheirateten Mann und fällt offenbar unentwegt auf Sprüche herein wie «Ich muss um der Kinder willen bei ihr bleiben» oder «Ich würde dich lieber heute als morgen heiraten, aber meiner Frau geht es zurzeit nicht gut, sie steht unter Antidepressiva». Ich dachte, solche Frauen gäbe es nur noch in Fünfzigerjahre-Filmen.

Wenn man mich fragt, ist Brianna die Sorte Frau, mit der Männer Affären haben, sie aber niemals heiraten. Sie hat eine umwerfende Oberweite, lange, schlanke Beine und ein ziemlich hübsches Gesicht, langes, glattes, dunkles Haar und ein paar Sommersprossen auf der Nase. Ihre Mutter stammt aus einer traditionsreichen italienischen Familie, der offenbar mehrere schicke Villen und ein nicht ganz kleiner Olivenhain in den Bergen bei Florenz gehörten, ehe der Besitz in den Jahren nach dem Zweiten Weltkrieg verloren ging. Die Vorfahren ihres Vaters waren verarmte irische Einwanderer, die sich in der Neuen Welt als Schiffsbauer erfolgreich eine neue Existenz aufbauten. Aber trotz (oder vielleicht gerade wegen) ihrer Abstammung ist sie auf eine naive Art weltfremd, die andere geradezu auffordert, sie auszunutzen. Ich kann mir vorstellen, dass gewisse Männer das unwiderstehlich finden. Als ich andeutete, verheiratete Leute hätten die unliebsame Angewohnheit, verheiratet zu bleiben, wurden ihre dunklen Augen eine Spur größer. «Aber er will sich doch von seiner Frau trennen», beteuerte sie ernsthaft. «Er muss nur den richtigen Zeitpunkt finden, verstehst du?» Dabei strich sie sich mit einer anmutigen Geste das Haar zurück, das ihr wie ein Vorhang vors Gesicht fiel.

Nachdem Bri gegangen war, machte ich mich daran, im Internet nach Informationen über diese Störung zu suchen, die bei mir aufgetreten ist – es gibt übrigens einen herrlich komplizierten Namen dafür: Oligohydramnion. Außerdem habe ich diverse Zeitschriften abonniert, eine Mischung aus sachlich-seriös *(The Economist, Time)* und weniger sachlich-seriös (*Vogue*, *Glamour* und aus einer Laune heraus ein Magazin mit dem Titel *Die Berufstätige Mutter*. Nachdem ich auf den Button «Jetzt abonnieren» geklickt hatte, überfiel mich in plötzlicher Panik die Frage, ob ich überhaupt jemals eine berufstätige Mutter sein werde. Aber schließlich muss man positiv denken).

18.15 Uhr

Warum stören mich die Leute immer ausgerechnet während *Ricki?* Gerade wenn ich es so richtig genieße, «Ich bin untreu, na und?» anzusehen, ruft jemand an, oder es klingelt an der Tür, und ich verpasse den Rest der Sendung.

Heute war es Fay aus der Kanzlei. Sie ist eine resolute Person, klein, das glänzende, brünette Haar kurz geschnitten, durchaus sympathisch, aber immer furchtbar auf ihre Arbeit fixiert. Offen gestanden bin ich aus allen Wolken gefallen, als sie plötzlich vor der Tür stand. Brianna muss wohl etwas erwähnt haben, denn sie brachte eine Tüte Kekse mit – allerdings leider keine mit Schokostückchen, sondern Haferkekse mit Rosinen. Ich mag keine Haferkekse mit Rosinen. Was ich an Haferkeksen mit Rosinen besonders hasse, ist die Tatsache, dass man sie von weitem für Schokokekse halten kann. Da macht man sich Hoffnungen, und dann wird man bitter enttäuscht.

Entsprechend empfing ich Fay nicht in bester Laune, und meine Stimmung verschlechterte sich noch, als sie mir ein grässlich ernsthaftes Buch aufnötigte. «Ich habe mir schon seit Ewigkeiten vorgenommen, das verdammte Ding endlich mal zu lesen», verkündete sie strahlend, «aber ich komme einfach nicht dazu. Du hast doch jetzt reichlich Zeit, dann kannst du es ja für mich lesen und mir genau erzählen, was drinsteht. *Hahahahaha!*»

Schlechter Scherz. Ganz schlechter Scherz. Ich habe selbst massenhaft ernsthafte Bücher im Regal. Wie kommt Fay auf den Gedanken, ich wollte ihr ernsthaftes Buch für sie lesen? Ich bin hier quasi rund um die Uhr eingesperrt, habe nicht die geringste Ablenkung, und diese Frau will mir das Leben vollends zur Hölle machen?

Natürlich sprach ich ihr gegenüber nicht aus, was ich dachte. «Wie reizend», sagte ich stattdessen. Das klingt wirklich spannend – eine Frau überquert allein die Anden, nachdem sie erfahren hat, dass sie unheilbar an Krebs erkrankt ist. Ach, und eine Beinprothese hat sie auch noch. Wunderbar. Ich kann es gar nicht erwarten, endlich dieses Buch zu lesen.

Anschließend redete Fay etwa eine Stunde lang über ihre Arbeit – sie kennt kein anderes Gesprächsthema, weil sie, soweit ich es beurteilen kann, nichts anderes tut als arbeiten.

Vor zwei Jahren hat sie sich von ihrer langjährigen Freundin getrennt, und seitdem lebt sie allein. Sie ist bereits Teilhaberin bei Schuster, verbringt aber trotzdem noch mehr Zeit im Büro als ich. Nach dem Besuch bei mir ist sie zurück in die Kanzlei gegangen und wird wahrscheinlich nicht vor Mitternacht wieder herauskommen. Was für ein entsetzlich einsames, trostloses Leben.

5.

Freitag, gegen Mittag
Der dritte Tag meiner Bettruhe. Heute Morgen bin ich mit folgendem Gedanken aufgewacht: Das geht womöglich noch neunzig Tage lang so weiter. Woraufhin ich erst mal in Tränen ausbrach.

Aber ich habe mich zusammengerissen, und zwar zu Toms sichtlicher Erleichterung gerade noch rechtzeitig, bevor er zur Arbeit musste («Ich kann doch nicht ins Büro gehen und dich in diesem Zustand allein lassen!»), und soeben habe ich mich eine Stunde lang damit beschäftigt, meine Augenbrauen in die Kapitulation zu zupfen. Außerdem habe ich:

- meinen Bauch gewachst (neuerdings habe ich um den Nabel herum dicke, dunkle Haare, und da ich in den kommenden dreizehneinhalb Wochen voraussichtlich etwa alle fünf Minuten untersucht werde, liegt es nahe, dass ich gut aussehen möchte)
- ein Nickerchen gemacht (und beim Aufwachen festgestellt, dass ich unser rotes Chenille-Dekokissen voll gesabbert habe – warum sabbern Schwangere eigentlich

so viel? Vielleicht, damit sie besser auf die Spuckerei ihrer Babys vorbereitet sind?)
- beobachtet, wie eine alte Frau im Haus gegenüber den Fußboden putzte (zumindest in allen Zimmern, in die ich hineinsehen konnte)
- die Fassung verloren und meine Mutter angerufen.

Letzteres war zugegebenermaßen ein Fehler. Es ist eine Sache, meine Mutter anzurufen, um Informationen auszutauschen (Alisons Flieger landet um 7.10 Uhr; ich schicke dir einen Artikel aus dem *New Yorker*; ich habe einen niedrigen Fruchtwasserindex, und unser Baby wird möglicherweise eine Frühgeburt). Es ist jedoch etwas gänzlich anderes, sie anzurufen, um Trost und Unterstützung zu erhalten.

Entsprechend verlief das Gespräch ungefähr folgendermaßen:

Ich: Hi, Mum, wie geht's dir? Ich drehe hier gerade ein wenig durch – tagein, tagaus immer nur auf der linken Seite liegen … Dachte, ich ruf mal an, um mich etwas aufmuntern zu lassen.

Sie: Nun, ich will ja nicht sagen, dass du selbst schuld bist … Hast du es denn schon mit Ylang-Ylang versucht?

Ich: Selbst schuld? Wie kommst du denn darauf?

Sie: Ich will nicht sagen, das wäre nicht passiert, wenn du in England geblieben wärest …

Ich: Wie meinst du das? Was hat denn das mit meinem Fruchtwasser zu tun? Es hat *überhaupt nichts* damit zu tun, wo ich lebe!

Sie: Ich sagte doch, ich will *nicht* sagen, es hätte damit zu tun, dass du nach Amerika gegangen bist –

Ich: Du glaubst, es liegt alles nur daran, dass ich so viel

arbeite, nicht wahr? Fängst du *schon wieder* damit an! Du meinst, in London würde ich weniger Überstunden machen und alle meine Probleme kämen nur daher, dass wir hier in Amerika so furchtbar arbeitswütig sind. Dabei weißt du überhaupt nicht, wie viele Überstunden die Rechtsanwälte in London machen oder welches Arbeitsethos hier in Amerika herrscht, aber du bildest dir natürlich ein, du –

Sie: Ich weiß *sehr wohl* darüber Bescheid, Madame! Die Tochter von Jane Cooper hat eine Fünf-Tage-Woche und kommt rechtzeitig von der Arbeit, um die Kinder von der Schule abzuholen …

Ich: Jane Coopers Tochter ist eine verdammte Assistentin bei Saffron Walden, das ist wohl kaum vergleichbar!

Sie: Es besteht kein Grund zu fluchen, Liebes. Denk daran, *du* hast *mich* angerufen, und ich brauche mir deine Unverschämtheiten wirklich nicht bieten zu lassen …

Das Gespräch endete etwa vierzig Minuten später, nachdem ich a) zugegeben hatte, dass ich wohl tatsächlich zu viel arbeite, und b) mich bereit erklärt hatte, es für die Nacht einmal mit Ylang-Ylang auf dem Kopfkissen zu versuchen. Nach diesem Telefonat habe ich erst einmal eine halbe Stunde lang geflennnt und mich verzweifelt gefragt, warum ich – eine nicht ganz erfolglose, eigentlich recht durchsetzungsfähige Rechtsanwältin – in diesen Scharmützeln mit meiner Mutter immer wieder den Kürzeren ziehe. Warum breche ich regelmäßig in Tränen aus, wenn sie mir meine angeblichen Fehler vorhält? Warum ist es mir nicht einfach egal, wenn sie findet, ich hätte etwas falsch gemacht? Ich wünschte, ich könnte nachsichtig lachend über die Schrullen meiner Mutter hinwegsehen. Ich wünschte, ich könnte den Punkt «Wunderbar reife, erwachsene Beziehung zur eigenen Mutter haben» auf der Liste *Was die Frau von heute vor dreißig erledigen sollte* abhaken. Aber diese Sorte Mensch bin ich nicht.

Immerhin habe ich in meinen diversen Haarentfernungs-Aktivitäten ein Ventil gefunden, auf konstruktive Art Dampf abzulassen. Jetzt ist es auch schon bald Zeit, dass Brianna mit irgendeiner Köstlichkeit zum Mittagessen auftaucht.

14 Uhr

Keine Brianna. Macht aber nichts, Tom hat mir nämlich einen Riesenstapel Sandwiches mit sündhaft teurem Käse von Zabar's zurechtgemacht (gestern nach der Arbeit ist er, von Schuldgefühlen getrieben, auf dem Heimweg in einen Kaufrausch verfallen und hat mir ein riesiges Stück bröseligen weißen Cheshire mitgebracht – «Hier, für dich, Q, und beklag dich nicht, dass ich dich nie verwöhne, ach übrigens, morgen könnte es im Büro spät werden …»). Außerdem habe ich immer noch diese verdammten Haferkekse von Fay. Wenn ich alle Rosinen rauspule (eklige Schrumpeldinger), können die Kekse vielleicht als Imbiss für heute Nachmittag reichen.

6.

Montag, 10 Uhr

Warum kommt mich niemand besuchen? Ich hatte mindestens ein Dutzend Anrufe von Leuten aus der Kanzlei, die mir entweder erklärten, warum sie *nicht* kommen können, oder vage Versprechungen machten, mich später einmal zu besuchen (wenn die Kinder ihre Erkältung los sind, wenn der Prozess vorbei ist, wenn sie von den Malediven zurück sind). Man könnte meinen, ich wohnte irgendwo meilenweit außerhalb der Stadt und nicht mittendrin. Wie schwer kann es denn sein, sich mal in die U-Bahn zu setzen? Zugegeben, am Sonntag sind Lara und Mark zum Lunch vorbeigekommen. Auf dieses Vergnügen hätte ich allerdings gern verzichtet, denn ich kann sie beide nicht besonders gut leiden. Mark ist ein alter Studienfreund von Tom, aber seit er bei der Staatsanwaltschaft angefangen hat – er ist mittlerweile ziemlich weit oben – und sich darauf verlegt hat, kleine Cannabis-Dealer vor Gericht zu zerren, ist er völlig unerträglich geworden. Lara arbeitet in einem Fitnessstudio, und ihrem geradezu unnatürlich durchgestylten Körper sind die zwei Schwangerschaften so wenig anzusehen, dass man glauben könnte, sie hätte ihre Kinder durchs Nasenloch zur Welt gebracht. Meinen riesigen Bauch hat sie fast angewidert beäugt. Hinzu kommt, dass die beiden die unangenehmsten Gäste in der westlichen Hemisphäre sind. Gut, sie haben Essen aus einem Restaurant mitgebracht, aber wäre ihnen etwa ein Zacken aus der Krone gebrochen, wenn sie Tom anschließend ein bisschen beim Aufräumen geholfen hätten? Diese Wohnung ist ein Schweinestall! Und sie haben mir nichts zu naschen mitgebracht, nur eine Flasche verdammten Chardonnay, von dem ich begreiflicherweise nichts trinken kann. Kein Stück Kuchen in Sicht, nicht einmal ein einziger Keks.

Erstaunlicherweise war der netteste Besuch, den ich bisher hatte, eine lustige kleine griechische Lady, die ein paar Stockwerke unter uns wohnt. Am Samstagnachmittag klopfte sie an die Tür und fragte, ob sie sich mal ein wenig in unserer Wohnung umschauen dürfe – sie hat Streit mit dem Vermieter wegen mangelnder Instandhaltung und Modernisierung ihrer Wohnung und wollte sich zum Vergleich einmal eine andere ansehen. Wie auch immer, eine halbe Stunde, nachdem sie die Ausstattung der Küche und den Zustand der Klimaanlage inspiziert hatte, stand sie erneut vor der Tür, diesmal mit einer Schüssel hausgemachter Moussaka und einem Pappteller voller Grießgebäck. Ihr Englisch ist alles andere als perfekt (ihr Akzent ist schwer und zäh wie Honig), aber sie war unglaublich lieb zu mir. Sie hat angekündigt, mich bald wieder zu besuchen und mir selbst gemachte Baklava mitzubringen – das ist *fast* so gut wie Schoko-Cookies.

So, dies ist nun also der Beginn einer neuen Woche und zugleich das Ende meiner ersten Woche im Liegen. Ich habe die 27. Schwangerschaftswoche vollendet. Wenn das Baby heute zur Welt käme, wäre es 13 Wochen vor Termin. Ich habe gerade «Überlebenschance Gestationsalter 27 Wochen» in Google eingegeben und bin auf eine Internetseite gestoßen, auf der steht, die Chancen des Kleinen lägen bereits bei rund 85 Prozent! Große Erleichterung.

11 Uhr

Gerade habe ich bei Google «Oligohydramnion, Überlebenschance» und «geringe Fruchtwassermenge, Auswirkungen» eingegeben. Schwerer Fehler, Q. Ganz, ganz schwerer Fehler.

Die nächsten zwanzig Minuten habe ich damit zugebracht, in eine Papiertüte zu hecheln, aber ich kann immer noch nicht aufhören zu weinen. Ein durchschnittliches 27-Wochen-Baby mag eine 85-prozentige Chance haben, es zu schaffen, aber bei Babys mit Fruchtwassermangel sieht die Statistik erheblich düsterer aus. Bei Oligohydramnion im zweiten Schwangerschaftsdrittel ist, wie ich erfuhr, die Prognose «ungünstig»; die Lunge «kann unzureichend entwickelt sein». Kinder, die im Mutterleib noch ganz gesund erscheinen, können unmittelbar nach der Geburt an etwas sterben, das sich «Pulmonale Hypoplasie» nennt.

Nachdem ich das herausgefunden hatte, konnte ich nicht anders, als weiter nachzuforschen. Wenig später war ich in Forenpostings von Frauen aus allen Teilen des Landes gelandet, denen aufgrund der Diagnose auf Oligohydramnion geraten worden war, die Schwangerschaft abzubrechen. Frauen, deren Neugeborene erstickt waren, weil die Lunge nicht arbeitete. Deren Kinder mit einer grauenhaften Kombination körperlicher und geistiger Missbildungen zur Welt gekommen waren.

Vor ein paar Minuten habe ich mich im Bad übergeben; seitdem liege ich zitternd auf dem Sofa. Ich versuche, mich wieder zu beruhigen, indem ich dies hier schreibe. Warum hat meine Ärztin mir nichts von dieser pulmonalen Hypoplasie gesagt? Dachte sie, ich könne das nicht verkraften? Ehrlich gesagt weiß ich nicht, *ob* ich es verkraften kann. Wie soll ich die nächsten fünf, vielleicht sogar zehn Wochen überstehen, ohne zu wissen, ob dieses Baby überhaupt lebensfähig sein wird?

12 Uhr

In meiner Verzweiflung habe ich bei Dr. Weinberg in der Praxis angerufen. Die freundliche Rezeptionistin verlegte meinen Termin von morgen Nachmittag auf heute um 16 Uhr. Ich habe Tom Bescheid gesagt, dass er sich freinehmen muss, um mich zu begleiten. Er klang nicht gerade begeistert («Lieber Gott, Q, mir steht die Arbeit bis zum Hals, ach, was sag ich da, ich versinke in Arbeit»), aber als ich dann hysterisch zu weinen begann und ihm berichtete, was ich gerade gelesen hatte, wurde er sehr still. Das machte mich nur noch panischer – ich hätte mir gewünscht, dass er mir sagte, ich solle nicht albern sein, man dürfe nicht alles glauben, was im Netz steht. Doch er sagte nichts in diese Richtung. Er wurde einfach sehr, sehr still, und ich hörte ihn langsam und angestrengt atmen, wie er es immer tut, wenn er sich bemüht, Ruhe zu bewahren. «O mein Gott», flüsterte er schließlich kaum hörbar.

Ich kann nichts essen, habe aber während der letzten Stunden fieberhaft Wasser getrunken («Achten Sie darauf, immer genügend zu trinken», hat Dr. Weinberg mir letzte Woche eingeschärft. Bedeutet das, wenn ich Wasser trinke, kommt etwas davon beim Baby an? Aber wie soll das gehen? Wie gelangt die Flüssigkeit vom Magen in den Mutterleib?).

15.30 Uhr

Tom muss jede Minute hier sein. Aber ich bin schon wieder etwas ruhiger.

Die kleine griechische Lady ist mit der versprochenen Baklava gekommen. Ich schluchzte gerade verzweifelt vor mich hin, als es klingelte, und hätte sie am liebsten gar nicht reingelassen, aber sie muss mich gehört haben, denn sie rief besorgt durch die geschlossene Tür, ob etwas nicht in Ordnung sei. Mein erster Gedanke war, sie fortzuschicken. Ich weiß selbst nicht recht, warum ich es nicht getan habe; jedenfalls stand ich auf und öffnete die Tür. Sie schaute mich nur kurz an, brachte mich dann zum Sofa zurück und sagte, ich solle mich wieder hinlegen.

Als sie sah, dass mein Mittagessen noch unberührt auf dem Couchtisch stand, hat sie mir das Sandwich Stück für Stück in den Mund gesteckt. Erst jetzt bemerkte ich, dass ich sehr hungrig war, und ich ließ mich widerstandslos füttern wie ein kleines Kind. Anschließend gab sie mir etwas Baklava, dazu ein Glas Milch. «Schwere Zeit das», sagte sie am Ende sehr ernsthaft zu mir, «aber du versuchen ruhig zu bleiben. Hat kein Sinn, schlimme Gedanken zu machen, du kämpfen, ja? Gutes Mädchen, hm? Gutes Mädchen.» Dann drückte sie mir zu meiner Überraschung einen mütterlichen Kuss auf die Wange, ehe sie aufstand und sich verabschiedete. «Bis bald, ich komme, bringe mehr süße Sachen, gute Sachen, du essen werden gesund, ja?» Sie kicherte unvermittelt. «Ich komme wieder bald, versprochen.»

Heute hat sie beiläufig erwähnt, sie selbst habe keine Kinder. Ich frage mich, warum; sie wäre eine ausgezeichnete Mutter.

19 Uhr

Inzwischen war ich beim Arzt und habe mich wieder auf dem gelben Liberty Print Sofa eingerichtet. Tom musste noch einmal ins Büro.

Ich wünschte, ich könnte behaupten, Dr. Weinberg habe alle meine Sorgen in Luft aufgelöst und ich sei wieder so richtig optimistisch. Ich wünschte, ich könnte mich wieder so fühlen wie vor einer oder zwei Wochen: wie ein simples, gesundes Tier, eine Kuh vielleicht, die gebärt, ohne sich irgendwelche Gedanken zu machen. Stattdessen ist plötzlich alles so kompliziert – all diese Untersuchungen und Diagnosen, die Messwerte in Zentimetern (oder sind es Millimeter?), die Tabellen, Kurven, Statistiken.

Andererseits muss ich zugeben, es hätte schlimmer kommen können.

Wir kamen ein paar Minuten zu früh in Dr. Weinbergs Praxis an. Das Wartezimmer war voller schwangerer Frauen, deren Hände leicht auf ihren gerundeten Bäuchen ruhten.

Letzte Woche war ich eine dieser Frauen mit dem seligen Madonnenlächeln. Diese Woche kauerte ich mich in eine Ecke und versteckte meinen «kleinen» Bauch hinter der *New York Times*. Ich fühlte mich so unzulänglich.

Zuerst wurde ich zum Ultraschall geschickt. Cherise erwartete mich in ihrem kleinen, abgedunkelten Zimmer, den Schallkopf schon in der Hand. «An Sie erinnere ich mich doch», bemerkte sie kühl, als ich eintrat. «Ich vermute, wir werden uns von jetzt an häufiger sehen», fügte sie hinzu, öffnete ihre Tube und schmierte meinen Bauch mit eklig warmem Gel ein. Ich schauderte.

Aber was war das eine Erleichterung, das Baby wieder auf dem Monitor zu sehen, die vier winzigen Herzkammern deutlich erkennbar, jede einzelne klar abgegrenzt, formvollendet. Und was für eine eigentümliche Freude zu sehen, wie sich seine Knochen bewegten. Winzige Schien- und Wadenbeine zuckten nach links und rechts; die gleichmäßig aneinander gereihten Wirbel des Rückgrats bogen sich mal hier-, mal dorthin, während der Kleine sich um seine Nabelschnur wand wie ein Zirkusartist um sein Seil. Für eine Sekunde erschien das Gesicht auf dem Bildschirm, und etwas an seinen Wangen, an der Form der Knochen um die Augen herum erinnerte mich an meinen Vater. Komisch, dachte ich. Während all der Jahre, die Dad nun schon tot ist, hat ein Teil von ihm in mir weitergelebt und darauf gewartet, wiedergeboren zu werden.

Cherise war heute ungewohnt redselig aufgelegt, denn am Ende der Untersuchung teilte sie mir mit, mein Fruchtwasserindex sei «stabil», da habe sich «nicht viel getan». Demnach habe ich also noch immer nicht genug von dem Zeug, aber wenigstens ist es seit letzter Woche auch nicht weniger geworden.

Anschließend waren wir bei der Ärztin, die mir erst mal die Leviten las wegen meiner Internetrecherchen. «Was ist das für ein *mishegoss*?» Sie drohte mit dem Finger. Im Grunde war ich ganz froh, dass sie mit mir schimpfte – es hatte etwas von dem «Glaub nicht alles, was irgendwo im Internet steht», das ich mir am Morgen von Tom gewünscht hatte. Anschließend erklärte Dr. Weinberg, mein Oligohydramnion sei «nur mäßig stark ausgeprägt» und Lungenhypoplasie trete nur in Fällen auf, in denen der Fruchtwasserindex noch niedriger liege als bei mir. Ganz ausschließen konnte sie die Gefahr allerdings nicht. Und wenn das Baby tatsächlich daran leidet, gibt es absolut nichts, was wir dagegen unternehmen könnten. Es gibt keine Untersuchung, mit der man die Entwicklung der Lunge überprüfen könnte. Da hilft nur Abwarten.

Während sie sprach, hatte ich die ganze Zeit bedrückt auf den Linoleumboden gestarrt, und Tom blickte durch die Jalousien ins Leere. Dr. Weinberg muss uns wohl angesehen haben, wie niedergeschlagen wir waren, denn sie fuhr resolut fort: «Hören Sie, die anatomische Entwicklung Ihres Babys scheint normal zu verlaufen, ich habe keine Anzeichen körperlicher Fehlbildungen bemerkt – Babys, die zu wenig Platz im Mutterleib haben, entwickeln häufig Klumpfüße, und das ist leicht zu sehen. Wir haben daher allen Grund zur Zuversicht. Ich will Ihnen nichts vormachen; ich kann nicht dafür garantieren, dass wir nicht bei der Geburt etwas feststellen, das auf den Ultraschallbildern nicht zu erkennen war, aber ich denke, der Kleine wird das Ganze gut überstehen. Grübeln Sie nicht zu viel über die Zukunft, konzentrieren Sie sich immer auf eine Woche nach der anderen», fügte sie hinzu und blickte mich fest an. «Und lassen Sie das Surfen im Netz sein, ja?

Überhaupt: Wer postet schon so eine Geschichte wie ‹Ich hatte ziemliche Angst, aber am Ende ist doch alles gut geworden›? Denken Sie daran: Wenn Sie noch irgendwelche Fragen haben, dann erkundigen Sie sich bei mir, nicht unter werdendemutterinpanik@yahoo.com.»

«Und Sie» – wandte sie sich an Tom, und ihr kantiges Gesicht nahm einen etwas vorwurfsvollen Ausdruck an –, «Sie sorgen dafür, dass Ihre Frau sich nicht beunruhigt, okay? Es ist Ihre Aufgabe, sie bei Laune zu halten, ihr das Ganze so angenehm wie möglich zu machen. Verwöhnen Sie sie mit kleinen Aufmerksamkeiten, Fußmassagen und so weiter, ja?» Tom rang sich ein gequältes Lächeln ab und murmelte etwas von beruflicher Belastung.

Aber mir scheint, er hat sich Dr. Weinbergs Anweisung zu Herzen genommen, denn als wir nach Hause kamen, rannte er gleich noch einmal los und kehrte eine Viertelstunde später mit einem riesigen Vitamin-angereicherten Milchshake (massenhaft Proteine, gut für die Fötusentwicklung), einer Tüte Chips und ein paar DVDs zurück. Danach musste er zwar wieder ins Büro, weil er einen Termin mit einem Klienten hatte, aber wenigstens habe ich jetzt ein bisschen Ablenkung. Ich vermisse ihn trotzdem. Ich wünschte, er wäre bei mir und wir könnten uns die Filme gemeinsam ansehen. Allmählich fange ich an, mich schrecklich einsam zu fühlen.

7.

Dienstag, 10 Uhr

Tom ist schon vor mehr als drei Stunden aus dem Haus gegangen, aber ich habe es bisher erfolgreich vermieden, im Internet nach weiteren Schauergeschichten über Fruchtwassermangel zu suchen. Stattdessen habe ich:

- drei Stücke Baklava gegessen.

Das war im Grunde auch schon alles. In der übrigen Zeit habe ich aus dem Fenster in den grauen, kalten, verregneten Ostküstenmorgen gestarrt und beobachtet, wie ein älterer Herr im Haus gegenüber auf seinen Fernseher haute, offenbar in der Hoffnung, ihn dadurch wieder zum Laufen zu bringen. Außerdem habe ich mein Adressbuch durchgeblättert und überlegt, ob es jemanden gibt, mit dem ich gern sprechen würde (es gibt niemanden), und anschließend ein zwanzigminütiges Nickerchen gehalten. Es kommt mir vor, als läge ich schon seit sechs Wochen im Bett. Wie kann es sein, dass erst acht Tage herum sind?

10.45 Uhr

Mir fällt immer noch nichts ein, was ich tun könnte – außer in Panik zu geraten. Ich muss mich irgendwie ablenken. Ich werde meine Mutter anrufen. Das ist mit ziemlicher Sicherheit ein Fehler. Ich werde es trotzdem tun.

11.30 Uhr

Na also, das war doch alles in allem gar nicht so übel. Sie war gut aufgelegt, weil die Einnahmen des Yoga-Studios in diesem Quartal gestiegen sind.

Überhaupt muss ich zugeben, dass sie viel besser gelaunt ist, seit sie aus ihrem «richtigen» Beruf als Bank-Managerin ausgestiegen ist und das Studio eröffnet hat. Als sie mir damals von ihrem Vorhaben erzählte, habe ich sie nicht gerade darin bestärkt; ich befürchtete ehrlich gesagt, sie würde in das Klischee der alleinstehenden Frau mit wallendem Kaftan, Räucherstäbchen und einer etwas wirren Haartracht verfallen. Inzwischen finde ich, dass Kaftane ihr ganz gut stehen, Räucherstäbchen zündet sie nur zu besonderen Anlässen an, und – ausgefallene Frisur hin oder her – sie betreibt ihr Gewerbe durchaus erfolgreich. Innerhalb weniger Jahre hat sie das Studio in die schwarzen Zahlen gebracht, was schon eine beachtliche Leistung ist. Sie hat eine Marktlücke entdeckt: Frauen über sechzig mit reichlich Freizeit, die sich nicht vor den Augen geschmeidiger Zwanzig- bis Dreißigjähriger die Gliedmaßen verrenken möchten. Ich habe nie einen ihrer Kurse besucht, aber laut Jeanie sind sie ein Knüller – ein gutes Dutzend silberhaariger älterer Damen in Segelschuhen und Trainingshosen, die sich halbtot kichern, wenn es ihnen nicht gelingt, die «Katzenstellung» zu halten. Offenbar lieben sie meine Mutter – komisch, dass sie mit den Unzulänglichkeiten anderer Leute so tolerant und nachsichtig umgehen kann, während meine zu regelrecht abscheulichen Verbrechen werden.

Ich frage mich oft, was geschehen wäre, wenn mein Vater uns nicht verlassen hätte, als ich dreizehn war. Es kann natürlich sein, dass sie ihn früher oder später selbst hinausgeworfen hätte. Für mich war er aber nun einmal mein Dad, und ich liebte ihn, obwohl er zugegebenermaßen einer der am wenigsten praktisch veranlagten Menschen auf Erden war. Während meiner Kindheit versuchte er sich hauptsächlich als Songschreiber – und scheiterte grandios. Dabei spielte er wirklich ausgezeichnet Klavier und hatte eine herrliche Stimme; ich erinnere mich lebhaft daran, wie er mir und meinen Schwestern immer Soldatenlieder vorsang («If You Were The Only Girl In The World», «Roses in Picardy», «We'll Meet Again»), wenn wir in der Badewanne saßen. Wobei ich betonen möchte, dass er selbst nie beim Militär gedient hatte; der Zweite Weltkrieg war ein paar Jahre vor seiner Zeit, was vermutlich ein Glück war, denn hätte mein Dad jemals eine Waffe in die Hand bekommen, dann hätte er sich, wie meine Mutter zu sagen pflegte, vermutlich selbst ins Knie geschossen. Er war sein halbes Leben lang arbeitslos und hielt sich in der übrigen Zeit mit diversen Jobs über Wasser – als Gärtner, Hilfslehrer, Kinderclown (ihm verdankte ich meine Ballontiere-Sammlung, um die mich alle meine Freundinnen beneideten). Und dann, als ich ungefähr zwölf war, hat er diese jämmerliche Affäre mit der Nachbarin angefangen, einer Frau, die den ganzen Tag in Pantoffeln und Lockenwicklern herumlief und bei anderen Leuten putzen ging, deren innigster Wunsch es aber war, Lehrerin für klassische Gitarre zu werden – ausgerechnet. Die beiden zogen nach Brighton, und danach habe ich meinen Dad nur noch wenige Male gesehen. Während meines ersten Jahres auf der Universität starb er an einem Herzinfarkt.

Ich hatte immer den Eindruck, wenn er nicht verschwunden wäre, hätte meine Mutter erheblich weniger Energie darauf verwendet, an ihren drei Töchtern herumzumäkeln. Jedenfalls bekamen wir in den Jahren, nachdem er uns verlassen hatte, ihre Durchsetzungskraft deutlich zu spüren. Sie gab uns nachdrücklich zu verstehen, dass wir in ihre Fußstapfen treten sollten, nicht in seine – Stabilität und Sicherheit sollten unsere oberste Devise sein. Sie wollte, dass wir alle drei eine gute Hochschulbildung bekamen, vorzugsweise in Oxford (sie war die Erste in ihrer Familie, die studiert hatte, aber zu ihrer Zeit waren die altehrwürdigen Universitäten noch unerreichbar für eine Arbeitertochter, sodass sie mit Southampton vorlieb nehmen musste). Anschließend sollten wir einen der «angesehenen Berufe» ergreifen, damit der Makel des Arbeitertums endlich aus der Familie getilgt wurde. Ich war genau auf dem richtigen Kurs, eine Vorzeigetochter, bis ich den Job in den Staaten annahm – das passte *nicht* in Mummys Plan. Für meine Mutter ist Amerika ein Land voller Gauner und Scharlatane, zwielichtiger Typen mit Gamaschen und tief ins Gesicht gezogenen Hüten. Wann immer ich sie einlade, mich doch einmal zu besuchen, lehnt sie ab; ich glaube, sie wäre komplett überfordert, wenn sie entdeckte, dass die New Yorker in Wirklichkeit nicht ständig in illegalen Spelunken herumhängen und ihre Feinde in Betonbottichen versenken.

Und jetzt ist sie also zum Yoga-Guru für ältere Damen avanciert und zu einer sturen Verfechterin europäischer Arbeitszeiten. Offenbar steht und fällt alles mit den «Rhythmen des Lebens». Die Theorien meiner Mutter über die Rhythmen des Lebens mögen auf Personen über sechzig hervorragend anwendbar sein; sie haben jedoch wenig mit Leuten zu tun, die sich ihren Lebensunterhalt verdienen müssen. Unter anderem besagen sie, man solle seinem Schlafbedürfnis stets nachkommen, häufiger Urlaub an südfranzösischen Stränden machen und (dies besonders salbungsvoll betont) seiner Familie «wahre Energie» widmen. Was in der Praxis anscheinend bedeutet, dass man seiner ältesten Tochter Vorwürfe machen muss, weil sie in dreieinhalbtausend Meilen Entfernung lebt. Außerdem muss man natürlich einen besonders gequälten Ton anschlagen, wenn besagte Tochter über ihre Arbeitsbelastung spricht, darüber, dass sie und ihr Mann zu wenig Zeit gemeinsam verbringen, und über die Schwierigkeit, Beruf und Privatleben zu vereinbaren. Ihre Theorie ist äußerst zweckmäßig, denn sie besagt, dass man in keinem dieser Punkte Mitgefühl für seine älteste Tochter aufzubringen braucht, sondern ihr einfach vorhalten kann, bei einem ideologisch derart verfehlten Lebenswandel habe sie doch wahrhaftig nichts Besseres erwarten dürfen. Wann sie denn endlich zur Besinnung kommen werde und ins Land der Mäßigung und Vernunft zurückkehren, das Land, in dem (wie meine Mutter beharrlich betont) die Familie noch immer an erster Stelle steht? Man bräuchte sich ja nur einmal Alison anzusehen …

Alison ist jetzt die neue Vorzeigetochter; ihr Stern ist ebenso rasch aufgegangen, wie der meine sank. Sie verkörpert in herausragender Weise die Theorie der Lebensrhythmen, sie ist eine erstklassige Schläferin und Strandurlauberin, und ihre bodenlosen Tontöpfe stehen der Erfüllung ihrer Mutterrolle nicht nennenswert im Weg. Wie sich nun herausstellt, wollte meine Mutter gar nicht wirklich, dass wir Berufe ausüben – sie wollte, dass wir uns einen reichen Mann angeln und das Arbeiten *ihm* überlassen. Ich wünschte, das hätte ich schon vor Jahren begriffen; es hätte mir eine Menge Anstrengung erspart.

Wie auch immer – heute hat sie sich aus unerfindlichen Gründen mit ihren spitzen Bemerkungen zurückgehalten, und wir plauderten recht entspannt über Familienangelegenheiten. Sie hält nichts von Jeanies Freund, ich ebenso wenig, sodass wenigstens bei diesem Thema wenig Gefahr besteht, aneinander zu geraten. Mein furchtbarer Onkel Richard (Mums älterer Bruder) hat letzte Woche sein Ferienhaus auf Malta mit Verlust verkauft – ein weiteres unverfängliches Thema, da wir beide bei jedem Missgeschick, das Richard ereilt, eine geradezu unschickliche Freude empfinden. Außerdem erzählte meine Mutter von ihren Plänen, das Angebot ihres Yoga-Studios im nächsten Jahr zu erweitern. Sie will eine zweite Lehrerin einstellen, was ich für eine ausgezeichnete Idee halte, sei es auch nur, um mehr Zeit für Reisen ans Meer zu haben und vielleicht, vielleicht aber auch dafür, einmal hierher zu Besuch zu kommen und das Baby zu sehen. Eigenartig – obwohl die Familie bei ihr doch einen so hohen Stellenwert hat, ist es ihr offenbar bis heute nicht in den Sinn gekommen, mir während meiner Bettruhe für eine oder zwei Wochen Gesellschaft zu leisten. Sie behauptet, sie sei im Yoga-Studio unabkömmlich. Ist das nicht ein ideales Beispiel dafür, wie das Familienleben unter dem Beruf leiden kann? (Und? Habe ich das vorhin am Telefon vielleicht gesagt? Natürlich nicht. Im Augenblick kommen wir gut miteinander aus, sagte die brave Tochter in mir; setz das nicht aufs Spiel. Vielleicht kannst du sie beim nächsten Mal darauf ansprechen. Dabei ist mir selbst klar, dass ich es nicht tun werde. Ich bringe einfach nicht die Nerven dazu auf.)

13.30 Uhr

Ich habe das Schinken-Sandwich, die Chips und die Banane, die Tom mir hier gelassen hatte, vor etwa einer Stunde aufgegessen und warte seit nunmehr zwanzig Minuten sehnsüchtig auf Brianna. Aber wie es scheint –

14.45 Uhr

Na also, zum Glück kam Brianna dann doch noch, als ich bereits drauf und dran war, vor Hunger und Verzweiflung Harakiri zu begehen. Mir scheint, ich habe Brianna bisher völlig unterschätzt. Heute hat sie mir einen dicken Teller Nudeln und Zuckerschoten von einem Gourmet-Buffet mitgebracht, dazu Stollen und eine Tüte Marzipankugeln aus einem der deutschen Läden um die Ecke *und* drei exzellente Schoko-Cookies (einen mit weißen, einen mit Zartbitter- und einen mit Vollmilch-Schokoladenstückchen in dünnem, knusprigem Teig, köstlich butterig und mit genau der richtigen Süße).

Wieder einmal bestand der Preis für diese kulinarischen Gaben darin, dass ich mir einen fünfunddreißigminütigen Bericht zum Thema «Verheirateter Mann» anhören musste. Die Geschichte wird immer haarsträubender. Verheirateter Mann und Verheiratete Frau haben zwei Kinder, und VF hat VM kürzlich mitgeteilt, dass sie zum dritten Mal schwanger ist. Brianna hält das alles für einen Plan der Ehefrau; vergiss die Ehefrau, dachte ich bei mir, vielleicht ist hier VM der Verschwörer … Natürlich musste er ihr erklären, wie die Frau, die «zu berühren er kaum über sich bringt», von ihm schwanger werden konnte. Er hat Brianna erzählt, es sei gewissermaßen ein One-Night-Stand gewesen, nachdem vor ein paar Monaten der Vater der Ehefrau einen Herzinfarkt hatte. Hatten wir zuvor schon jemals etwas über den Vater der VF und seinen Herzinfarkt erfahren? Hatten wir von der Untröstlichkeit der VF und ihrem unstillbaren Verlangen nach Sex im Anschluss an diesen Vorfall gehört? Nein, hatten wir nicht, aber das scheint Brianna nicht im Mindesten stutzig zu machen. Sie schluckt die ganze Geschichte, ohne mit der Wimper zu zucken. Eins muss man dem VM lassen: Er macht seine Sache wirklich gut. Er hat vermutlich die einzige Frau in New York City gefunden, der solche Sätze noch nicht allzu bekannt vorkommen, und diesen Vorteil nutzt er denkbar geschickt aus. Unglücklicherweise vertraut Brianna nun, da wir uns etwas näher kennen, mir allmählich ohne irgendwelche Hemmungen die intimeren Details ihrer Affäre an. Ich weiß daher:

- dass er besonders darauf abfährt, wenn sie eine rote Samtkorsage mit Nippelringen trägt, dazu Netzstrümpfe und schwarze Strapse («meine Frau ziert sich immer so»)
- dass seine Lieblingsfantasie darin besteht, dass sie sich als Nutte verkleidet (als Nutte mit roter Samtkorsage, versteht sich), er vorbeifährt und sie zu ihm ins Auto steigt
- dass sie in Erwägung zieht, auf Obiges einzugehen, jedoch einige ernste Vorbehalte hegt («Q, ich könnte dabei *verhaftet* werden!»)
- dass seine Frau sich über seinen schlaffen Körper und seine Rettungsringe lustig macht, wohingegen Brianna ihm das Gefühl gibt, ein echter Mann zu sein (ha!).

Während Brianna mir all das erzählt, mache ich ein interessiertes Gesicht und schaufele Nudeln in mich hinein. Ach was, seien wir doch ehrlich – ich bin mittlerweile völlig fasziniert von ihrem Intimleben. *Meine* rote Samtkorsage liegt schon seit langem ganz hinten in der Sockenschublade, und als Tom und ich das letzte Mal über unsere Fantasien gesprochen haben, war von einem Häuschen in der Vorstadt mit drei Schlafzimmern, einem mittelgroßen Garten und einem Viking-Herd die Rede.

Da ist es wohl nicht weiter verwunderlich, dass ich ein merkwürdiges Beinahe-Bedauern empfand, als Brianna wieder zurück in die Kanzlei musste. Sie ist sicher nicht die hellste Birne in der Lichterkette, aber immer noch tausendmal interessanter als die vier gelb gestrichenen Wände unseres kleinen Wohnzimmers.

8.

Mittwoch, 9 Uhr

Ich halte das nicht aus, wirklich, ich habe das Gefühl, ich kann es keinen Tag länger ertragen. Heute Morgen wurde ich gegen 6 Uhr davon wach, dass die Wohnungstür zuschlug – Tom war zur Arbeit gegangen. Panik stieg in mir auf; Angst schnürte mir die Kehle zu, bis ich fast erstickte. Ich muss diesen ganzen langen Tag allein hier drin überstehen, und den nächsten und den übernächsten und den über-übernächsten und immer so weiter, drei Monate lang (dreizehn Wochen, einundneunzig Tage, zweitausendeinhundertvierundachtzig Stunden, einhunderteinunddreißigtausendundvierzig Minuten –).

Ich werde eine ganze Jahreszeit verpassen. Jetzt ist Februar; den Frühling werde ich in diesem Jahr gar nicht mitbekommen. Nicht dass der Frühling hier an der Ostküste besonders spektakulär wäre, nicht so wie in England – in Oxford blühen jetzt sicher schon die Osterglocken, unter den Bäumen in den Trinity Gardens ein Meer lilafarbener und gelber Krokusse –, aber ich werde dieses Gefühl, wenn das Jahr heller wird, verpassen; die ersten warmen Tage, das erste Grün, das im Park unter dem welken Gras vom Vorjahr heraussprießt.

Ich bin einsam. Ich langweile mich. Ich habe Hunger.

10 Uhr

Ich werde stricken lernen. Soeben habe ich im Netz nach dem Stichwort «Wolle» gesucht und bin auf die Website eines Handarbeitsladens in Manhattan gestoßen. Ich habe etwas bestellt, das sich «Baby-Kaschmerino» nennt, fünf Knäuel in Hellblau. Dazu zwei Paar Stricknadeln aus Bambus und ein Buch mit dem Titel «Stricken für Einsteiger». Um die Bestellung abzurunden, landete noch ein schicker Strickbeutel mit passendem Nadeletui im Warenkorb, mit Streifen in Pink und Taupe. Sehr retro.

10.30 Uhr

Glaube ich etwa selbst, was ich da schreibe? Nie und nimmer werde ich auf eigene Faust stricken lernen. Ich kann nicht einmal nähen – in der Schule habe ich mich geweigert, es zu lernen, weil ich (im zarten Alter von sechs Jahren) der Überzeugung war, das sei eine aussterbende Kunst. Stattdessen habe ich versucht, Nadeln so in die Haut an meinem Zeigefinger zu stechen, dass es nicht blutete. Möglicherweise hätte ich es als Akupunkturtherapeutin zu etwas bringen können, aber die Chancen, dass ich es fertig bringe, ein paar Babyschuhe für unseren Kleinen zu stricken, stehen denkbar ungünstig. Und wer will überhaupt handgestrickte Babyschuhe? Ein Zehnerpack praktischer weißer Baumwollsöckchen von The Gap ist doch sicher ohnehin besser?

Was soll ich nur tun … was soll ich nur tun … was soll ich nur tun …?

11.15 Uhr

Ich weiß, womit ich mich beschäftigen kann: Ich werde meine Kenntnisse der Schwarzweiß-Filmgeschichte erweitern. Zuerst erstelle ich eine Liste berühmter Filme, die ich schon immer einmal sehen wollte, und dann arbeite ich mich nacheinander durch die Genres – Stummfilm, Actionfilm, Film Noir, fremdsprachige Filme, Dokumentarfilme. Dazu mache ich mir Notizen über die Handlung, die Darsteller, die Regisseure und wer wofür einen Oscar bekommen hat. Bis das Baby kommt, habe ich ein umfassendes Wissen über die großen Filme drauf – ich werde jemand sein, der in obskure Programmkinos rennt, um sich neu entdecktes Material zu einem russischen Dokumentarfilm aus der Vorkriegszeit anzusehen. Ich werde bei Dinnerpartys beiläufige Bemerkungen über meinen japanischen Lieblingsregisseur fallen lassen. Ich werde mit Sachverstand über «Cinematographie» sprechen. Ich werde in der Lage sein, den Punkt «durch kultivierte Konversation beeindrucken» auf der Liste *Was die Frau von heute vor dreißig erledigen sollte* abzuhaken.

11.30 Uhr

Aber wann werde ich jemals wieder auf Dinnerpartys gehen? Und woher soll ich die Zeit nehmen, mir obskure Kunstfilme anzusehen? Wer versorgt solange den Kleinen? Ich kann ihn wohl kaum mitnehmen; intellektuelle Kinogänger sind von kreischenden Babys nicht gerade begeistert. Es hat keinen Sinn, mich auf dem Gebiet der großen Filme zu bilden. Ich werde ja doch die nächsten zehn Jahre meines Lebens damit zubringen, Disneyfilme mit Prinzessinnen und tanzenden Schildkröten anzusehen.

Ich habe kein Leben mehr, und ich werde nie wieder ein Leben haben. Das sind die Tatsachen. Meine Jugend ist vorbei. Das hier ist nur ein Vorgeschmack dessen, was noch auf mich zukommt. Ich bin nicht mehr ich selbst; ich bin keine Rechtsanwältin, ich bin nicht Toms Geliebte, ich bin ein Körper, ein Vehikel, ein Brutkasten. Ich bin «ein Mittel, eine Bühne, eine Kuh im Kalb», wie Sylvia Plath es formuliert hat. Mein ganzes Sein ist darauf ausgerichtet, ein anderes Leben zu erhalten. Mein eigenes Leben ist praktisch zu Ende. Durch die Bettruhe ist dieses Ende nur viel früher gekommen als erwartet.

11.45 Uhr
Das Vorige bitte komplett löschen. ✂✂✂. Ich kann es nicht fassen: Da jammere ich über die Einschränkungen, die mir durch das Baby entstehen, und dabei weiß ich nicht einmal, ob es *überleben* wird. Was bin ich nur für eine Mutter, dass ich mich darüber beklage, die letzten paar Monate meiner Freiheit einzubüßen. Was zum Teufel ist los mit mir?

9.

Donnerstag
Den ganzen Tag geschlafen, ferngesehen.

10.

Freitag
Geschlafen, ferngesehen, wieder geschlafen.

11.

Samstag
Tom muss arbeiten. Ferngesehen. Geweint. Cookies gegessen.

12.

Sonntag
Tom muss *schon wieder* arbeiten. Hysterisch geweint. Cookies gegessen.

13.

Montag, gegen Mittag
Heute Vormittag gab es einige wichtige Ereignisse.

- Ein Besuch bei Cherise hat ergeben, dass mein Fruchtwasserindex leicht gestiegen ist.
- Der Rundbrief der Hausverwaltung wurde unter der Tür hindurchgeschoben, und ich stellte fest, dass meine lustige griechische Lady eine Nachbarschaftsinitiative gegen den Abriss des Apartmenthauses gegenüber anführt. Wer hätte das gedacht!

Mein Fruchtwasserindex ist immer noch zu niedrig, Dr. Weinberg hat mir eine Kurve mit Normwerten gezeigt. Aber ich liege nicht mehr im untersten Bereich; es gibt einen Funken Hoffnung, dass die drohende Katastrophe abzuwenden ist. Vielleicht hilft das permanente Rumliegen tatsächlich? Ich kann es ja noch nicht recht glauben. Es fällt mir einfach schwer, mir vorzustellen, den ganzen Tag auf dem Sofa zu liegen hätte Auswirkungen auf diese unregelmäßig geformten schwarzen Flecken um die Schultern, Hüften und Zehen des Babys. Aber wer weiß. Das Wichtigste ist jetzt – wie Dr. Weinberg mir erklärte, ein entschlossenes Lächeln auf den dunkel geschminkten Lippen –, dass der Zustand sich nicht *verschlechtert.*

Was die griechische Lady betrifft: Anscheinend ist sie so etwas wie eine lokalpolitische Agitatorin. Wie ich inzwischen erfahren habe, gehören unser Haus und das gegenüber, dessen Bewohner ich immer beobachte, wenn nichts Gutes im Fernsehen läuft, derselben Immobiliengesellschaft. In beide Häuser sind in den Fünfziger- und Sechzigerjahren zahlreiche griechische und zypriotische Einwanderer eingezogen (ich habe mich schon immer gefragt, warum man hier in der Gegend so gute Dolmades bekommt). Schnitt, fünfzig Jahre später: Das Gebäude gegenüber ist jetzt von giftigem Schimmel befallen, von schwarzem Schimmel, um genau zu sein; solchem, der sich tief im Mauerwerk einnistet, sich im Verborgenen emsig vermehrt und irgendwann ausbricht, um die Atmosphäre im gesamten Haus zu verpesten. Der Eigentümer plant daher, das Gebäude abzureißen und durch einen moderneren, Yuppie-geeigneteren Neubau zu ersetzen. Die Bewohner, inzwischen überwiegend ältere Leute, möchten aber nicht aus ihren Wohnungen ausziehen und wehren sich mit Händen und Füßen gegen das Vorhaben. Ich muss sagen, ich halte es für unklug, sich mit schwarzem Schimmel anzulegen. Erst letzten Monat habe ich in der Zeitung gelesen, dass in Queens ein Kind beinahe an Atemproblemen gestorben ist, die von diesem Zeug verursacht wurden. Außerdem hat es in den letzten Jahren riesige Prozesse gegen Immobilienunternehmen gegeben, die schimmelbegünstigend gebaut hatten. Ich persönlich finde, die Bewohner sollten sich auf die Schadensbegrenzung konzentrieren und schleunigst ihre Sachen packen. Schwarzer Schimmel ist etwas Gruseliges.

Übrigens fühle ich mich heute endlich einmal wieder in der Lage, Interesse für die Außenwelt aufzubringen, und zwar hauptsächlich weil Jeanie angerufen hat, um mir mitzuteilen, dass sie eine passende Flugverbindung gefunden hat und am Donnerstagabend herkommt!

Ich weiß nicht, wer von uns beiden sich mehr darüber freut, ich oder Tom. Er findet den Umgang mit mir momentan ziemlich schwierig. Am Sonntagnachmittag habe ich ihn gezwungen, zeitig nach Hause zu kommen – er rief gegen 14 Uhr an, um sich zu erkundigen, ob es mir etwas besser ginge (als er morgens um 7 aus dem Haus musste, war ich ein in Tränen aufgelöstes, jammerndes, verrotztes Häufchen Elend), und ich antwortete «Nein, ehrlich gesagt geht es mir noch schlechter. Ich glaube, ich halte das nicht mehr lange aus. Ich werde verrückt vor lauter Langeweile und Angst.» Nach kurzem, angespanntem Schweigen erklärte er sich bereit heimzukommen, und eine Stunde später erschien er tatsächlich mit einem Stapel DVDs und einer Flasche Merlot. («Anweisung von Doktor Tom, Q, keine Widerrede. Ein Gläschen hiervon, dann geht es dir bestimmt gleich besser.») Aber uns beiden ist klar, dass er nicht jedes Mal, wenn ich mich elend fühle, nachmittags aus dem Büro verschwinden kann. Erst heute hat er mir wieder ins Gedächtnis gerufen, dass die Seniorpartner in seiner Kanzlei unmissverständlich haben durchblicken lassen, wie er sich zuvor als Angestellter bewähren müsste, wenn er im nächsten Sommer zum Partner aufsteigen wolle. Er ist ein glänzender Anwalt und genießt großes Ansehen, aber Crimpson ist eine der drei führenden Kanzleien in New York City, und in den vergangenen Jahren hat dort nur eine Hand voll ausgewählter Leute den Aufstieg geschafft. Hinzu kommt, dass Tom in den letzten zwölf Monaten ein paar unselige Fehler unterlaufen sind, ein paar dumme Unachtsamkeiten, von denen ausgerechnet besonders wichtige Klienten betroffen waren. Wenn er selbst Teilhaber bei Crimpson werden will, muss er jetzt die Partner davon überzeugen, dass er fähig *und* hundertprozentig engagiert ist.

Ach, aber ach, was bedeutet das für mich … Einsamkeit und Langeweile, das bedeutet es – Einsamkeit, Langeweile und Hunger. Großen Hunger. Immerhin kann sich in der nächsten Woche Jeanie um mich kümmern. Sie kann für mich Essen und Zeitschriften einkaufen, ich kann mir von ihr Schoko-Cookies bringen lassen (die beste amerikanische Erfindung aller Zeiten, wenn man mich fragt; die Glühbirne folgt auf Rang zwei, aber mit erheblichem Abstand), wir können Spiele spielen, und vielleicht gelingt es mir ja doch noch, etwas aus den fünf Knäueln Kaschmerinowolle zu stricken (die momentan noch originalverpackt in ihrem gepolsterten braunen Umschlag lagern, vergraben unter einem Stapel Rechnungen und ungelesener Zeitschriften – hatte ich mir ernsthaft eingebildet, ich würde *The Economist* lesen?). Vielleicht stricke ich mir einen Schal, das kann doch nicht so furchtbar schwer sein. Es wird alles wieder so sein wie früher, als wir Kinder waren und versuchten, aus Stöcken, die wir im Garten gefunden hatten, Tempfähle zu schnitzen. Ich glaube nicht, dass wir jemals ein erkennbares Totem zustande brachten, aber wir versuchten es mit großer Begeisterung. Alison blickte verächtlich auf unsere Anstrengungen hinab (und drohte, Mummy zu erzählen, dass wir die Messer aus der Küchenschublade gemopst hatten), aber Jeanie und ich ließen uns nicht beirren. Seit Jeanie ungefähr acht war, konnte man mit ihr wirklich eine Menge Spaß haben. Viel mehr als mit Alison. Und jetzt kommt sie für eine ganze Woche hierher – das wird ganz fantastisch werden.

Ihr grässlicher Freund kommt nicht mit, sehr zu Jeanies Ärger – ich glaube, sie hoffte den Besuch bei mir mit einem romantischen Kurztrip in den Big Apple zu verbinden (ein paar Shows am Broadway sehen, in einigen teuren, angesagten Restaurants essen, Unsummen im Nike Town ausgeben – all das, was meine englischen Freundinnen immer unbedingt tun müssen, wenn sie zu Besuch herkommen). Aber die Vorstellung, ihren grässlichen Freund in meiner Wohnung zu beherbergen – in meiner zukünftigen Babystube –, erfüllte mich mit Grauen und Abscheu, auch wenn ich mich mit Bemerkungen darüber zurückhielt (okay, vielleicht habe ich erwähnt, dass er mir hier nicht mit seinen Schweißfüßen die Luft verpesten soll. Aber sie riechen nun einmal *wirklich* streng). Wie auch immer, das Thema hat sich sowieso erledigt, weil er nicht freibekommt, er hat gerade nämlich mal ausnahmsweise einen Job … Außerdem kann er sich das Flugticket nicht leisten, und ich werde den Teufel tun, für ihn zu zahlen, auch wenn ich Jeanie gern etwas zu ihrer Reisekasse zuschieße. Der grässliche Freund wird also hübsch allein in London bleiben, und ich habe sieben Tage lang Zeit, meiner gefühlsverirrten kleinen Schwester zu erklären, warum er nicht der Richtige für sie ist. Ausgezeichnet!

Jeanie ist überhaupt etwas sonderbar. Ich werde wohl nie begreifen, warum eine derart attraktive junge Frau – sie hat große braune Augen, eine jungenhaft schlanke Figur und langes, ganz glattes blondes Haar (viel hübscher als meine krausen roten Zotteln) – sich zu solchen Losern hingezogen fühlt. Ich meine, Mike Novak war ein Trottel, aber wenigstens hatte er Aussichten auf eine Karriere als Mediziner, und Alisons Freunde waren zwar allesamt nervtötend, aber immer irgendwie begabt, gutaussehend oder mit einem Titel versehen. Jeanie hingegen hat ein seltenes Talent dafür, sich in Männer zu verlieben, denen die Natur Schönheit auffallend sparsam zugeteilt hat – je pockennarbiger, desto besser – und die dennoch ein Ego von der Größe des London Eye haben. Ich glaube, dieses Phänomen ist auf die männliche Spezies beschränkt; zeig mir ein Mädchen mit Figurproblemen, fettigem Haar und Pickeln, und ich sehe eine Person, die kaum aus dem Haus geht und sich hinter dunklen Brillen und großen Hüten verschanzt. Männer mit denselben unliebsamen Eigenschaften (erwähnen wir der Vollständigkeit halber außerdem noch Mundgeruch und unangenehmen Körpergeruch) sind hingegen samstagabends in jedem Club in England zu finden, wo sie großspurig auftreten, jedes weibliche Wesen, das sich ihnen versehentlich auf weniger als drei Meter Entfernung nähert, dreist anquatschen und ihren Kumpels siegesgewiss versichern, die hätten sie «an der Angel».

Die meisten Frauen würden einem solchen Widerling natürlich kurzerhand ihren Wodka-Orange über den Kopf kippen, aber Jeanie gehört zu jenen eigentümlichen Leuten, die meinen, er wolle «ja nur nett sein». Dave – der aktuelle Prinz Charming – ist in einem ihrer Abendkurse aufgetaucht (sie absolviert gerade ein Graduierten-Programm in Sozialarbeit) und war offenbar von Anfang an auffallend «nett». Genau genommen scheint er hauptsächlich damit gepunktet zu haben, dass er ihr während des ersten Monats nachlief. Mit der Ergebenheit eines Hundes, und auch dessen Gewohnheiten in puncto Körperhygiene, wie ich hinzufügen muss. Bibliothek, Pub, Bushaltestelle – wohin auch immer Jeanie kam, da erwartete Dave sie bereits mit hoffnungsvollem Blick. Ich an ihrer Stelle hätte meinen Anwalt verständigt und ihm diese Flausen mit einer einstweiligen Verfügung ausgetrieben. Jeanie jedoch fand das alles ganz süß und belohnte ihn nach Ablauf von vier Wochen, indem sie mit ihm ins Bett ging. Nicht dass er wirklich ihr Typ gewesen wäre, wie sie eingestand, aber sie nahm seine hündische Ergebenheit als Beweis seiner tiefen Gefühle für sie. Sie ließ sich auch nicht davon beirren, dass er zu diesem Zeitpunkt bereits aus dem Sozialarbeits-Seminar herausgeflogen war, weil er seine Kursgebühren nicht bezahlt hatte, und auch nicht davon, dass er unlängst wegen ebenfalls nicht bezahlter Steuern verklagt worden war und dass das Café, in dem er jobbte, ihn gefeuert hatte, weil er ständig zu spät zur Arbeit erschien. Er steckte eben «gerade in einer schwierigen Phase», erklärte Jeanie mir voller Zuversicht. «Er braucht dringend jemanden, der an ihn glaubt.»

Meine Mutter denkt, dass Jeanie durch ihre Erfahrungen mit unserem Vater darauf vorprogrammiert ist, sich in nichtsnutzige Männer zu verlieben, aber ich glaube, es muss noch etwas anderes dahinterstecken; Dad hat sich wenigstens die Zähne geputzt und die Haare gewaschen, um Himmels willen, und er hatte auch nicht Daves schändlich schleimige Art. Tom ist der Ansicht, Jeanie habe sich von unserem Vater im Stich gelassen gefühlt, von unserer Mutter zu wenig beachtet (weil Alison und ich sämtliche Aufmerksamkeit bekamen) und von uns beiden älteren Schwestern ausgeschlossen, und deshalb sucht sie nun nach einem Menschen, für den sie der Mittelpunkt des Universums ist. Ich halte diese Theorie für Unfug. Mag sein, dass ich mir als Kind manchmal einen Spaß daraus gemacht habe, meine beiden Schwestern um meine Aufmerksamkeit wetteifern zu lassen, was zugegebenermaßen etwas gemein von mir war, aber ich bin ganz bestimmt nicht die erste älteste Schwester auf der Welt, die sich so verhalten hat. Und Jeanie weiß, wie sehr ich sie mag. Ich glaube, wenn ich nicht nach New York gezogen wäre, kurz nachdem Alison den ehrbaren Gregory Fuckwit (wie ich ihn insgeheim gern nenne) geheiratet hatte, wäre zwischen uns beiden ein richtig inniges Verhältnis entstanden.

22 Uhr

Tom hat gerade angerufen, um Bescheid zu sagen, dass er in einer Stunde nach Hause kommt. Ich bemerkte seine Anspannung schon an der Art, wie er atmete, noch ehe er überhaupt etwas sagte – «Q, ich kann hier noch nicht weg, bitte sei nicht böse auf mich, okay?» Aber statt ihn wütend anzuschreien oder mit gebrochener Stimme zu flüstern, ich bräuchte ihn *jetzt*, erwiderte ich, er solle sich «Zeit lassen, so viel du brauchst …»! Vielleicht ist das ein Meilenstein, vielleicht beginne ich mich an dieses kuriose neue Leben *anzupassen*. Der Schwangerschaftsverlauf scheint sich zu verbessern, in vier Tagen kommt Jeanie mich besuchen, und Brianna hat heute Nachmittag um vier vorbeigeschaut und mir drei Schachteln Buttergebäck aus einem Delikatessenladen im Village mitgebracht.

14.

Dienstag, 14 Uhr

Gerade als ich im Begriff war, mein Mittags-Sandwich mit geräuchertem Schinken und Cheshire-Käse zu verschlingen – es befand sich buchstäblich auf halbem Weg zu meinem Mund –, klopfte es an der Tür, und vor mir stand Mrs. Gianopoulou (besser bekannt als meine lustige griechische Lady, auch bekannt als Vorsitzende von «Mieter gegen den Abriss») mit einer wahrhaft beeindruckenden Schlemmerplatte. Cremiges Hummus, violett glänzende Oliven, pikant gefüllte Weinblätter und frisch gebackene warme Pita, alles hausgemacht, eins delikater als das andere. Ich war richtig gerührt. Seltsam: Meine treuesten Besucher seit Beginn meiner Liegezeit sind ausgerechnet eine Kollegin, die ich bisher kaum kannte, und eine Nachbarin, mit der ich noch nie etwas zu tun hatte.

Ich bat Mrs. G., doch noch ein wenig zu bleiben und die Köstlichkeiten mit mir zu teilen, und nach kurzem Zögern willigte sie ein. Ich kann schlecht einschätzen, wie alt sie ist – jedenfalls deutlich über sechzig –, aber sie wirkt auf eine gesetzte Art attraktiv. Ihr silbriges Haar trägt sie zu einem Knoten gebunden, wodurch die kräftigen Wangenknochen unter ihrer olivenfarbenen Haut besonders zur Geltung kommen, und in ihren grünen Augen leuchten goldene Fünkchen. Auf schicke Kleidung scheint sie wenig Wert zu legen, aber sie hat diese typisch südländische Vorliebe für kräftige Farben; an den meisten Tagen trägt sie bequeme Hosen in leuchtendem Rosa oder Orange, dazu gestreifte Baumwollshirts und fröhlich bunte handgestrickte Pullover. Sie ist weder dick noch dünn, vielleicht ansatzweise mollig, wirkt total gemütlich und hat ein wunderbares Lächeln.

Ihre Anwesenheit in unserem Apartment – diesen allzu vertrauten vier Wänden – fühlt sich an wie eine warme, frische Brise. (Vorhin hat sie mir sogar geholfen, das Zimmer ein wenig aufzuräumen; es ist erstaunlich, wie viel Müll sich in kurzer Zeit ansammelt, wenn man nicht aufstehen kann, um etwas in den Abfalleimer zu werfen. Genau genommen war es eher so, dass sie umhersauste und nacheinander mehrere Plastiktüten mit Schokoladenpapieren und Essensverpackungen füllte, während ich auf dem Sofa lag und ihr in den höchsten Tönen dankte.)

Beim Mittagessen sprachen wir über ihren Einsatz für «Mieter gegen den Abriss». Sie scheint der Überzeugung zu sein, das Schimmelproblem sei mit ein paar Dosierkappen Chlorreiniger und einem ordentlichen Hausputz in den Griff zu bekommen. Und sie zog mit deutlicher Skepsis die Augenbrauen hoch, als ich vorbrachte, dass schwarzer Schimmel nur unwesentlich harmloser ist als der schwarze Tod. Ich fragte sie, warum sie die Initiative leite, obwohl sie doch gar nicht in dem betroffenen Haus wohne, woraufhin sie mit vorwurfsvollem Blick zurückfragte, was *ich* denn täte, wenn meine Freunde obdachlos zu werden drohten. Ich glaube allerdings, bei ihr steckt noch etwas anderes dahinter als reine Nächstenliebe; sie scheint sich mit dafür verantwortlich zu fühlen, dass der Eigentümer das Gebäude abreißen will, denn sie hat ihre Freunde in dem Wohnkomplex dazu angestachelt, beim Vermieter wegen mangelnder Instandhaltungsleistungen Protest einzulegen. Sie selbst bewohnt, ebenso wie viele der Mieter in dem zum Abriss vorgesehenen Haus, eine Wohnung mit Mietpreisbindung, und wie jeder weiß, sind Hauseigentümer nicht gerade erpicht darauf, Geld auf Mieter zu verschwenden, die für begehrte Upper-East-Side-Apartments nur einen Bruchteil des Marktpreises an Miete zahlen. Mrs. G. hat offenbar mehrere Beschwerden über Versäumnisse des Vermieters im Laufe des vergangenen Jahres eingereicht, und einem halben Dutzend Freunden von gegenüber hat sie dabei geholfen, ähnliche Protestschreiben zu verfassen. Sie glaubt, der Eigentümer habe es angesichts der plötzlichen Flut von Beschwerdebriefen mit der Angst zu tun bekommen und deshalb mit dem schwarzen Schimmel aufgetrumpft.

Außerdem befürchtet sie, unser Haus könnte als Nächstes an die Reihe kommen – sie glaubt, mit dem Abriss des ersten Gebäudes werde gewissermaßen ein Präzedenzfall geschaffen. Sie hat offenbar Angst, selbst ihre Wohnung zu verlieren. Solange unsere Wohnungen frei von giftigem Schimmel sind, hat die Immobiliengesellschaft keine Handhabe, versicherte ich ihr; als Mieterin einer Wohnung mit Mietpreisbindung steht sie unter gesetzlichem Kündigungsschutz. Bei Tom und mir sieht die Sache natürlich anders aus; wenn der Eigentümer unsere Wohnung renovieren will, müssen wir zum Ablauf unseres Mietvertrages ausziehen. Aber das wäre erst in einem Jahr, und bis dahin – wer weiß? – sitzen wir vielleicht sowieso schon in unserem Häuschen mit drei Schlafzimmern und kochen auf unserem chromglänzenden Viking-Herd.

Ich neige eigentlich dazu, in solchen Situationen ein gewisses Verständnis für Hauseigentümer aufzubringen. Sie wollen ja nur ihren Lebensunterhalt verdienen wie jeder andere auch. Aber wenn man Mrs. G. glauben darf, übervorteilt unser Vermieter die Bewohner der mietpreisgebundenen Wohnungen schon seit Jahren, und jetzt hat er einen schändlich herablassenden Brief geschrieben, in dem er ihnen mitteilt, sie müssten ihre Wohnungen binnen Wochen räumen, wofür er ihnen eine schockierend geringe Abfindung in Aussicht stellt.

Wenn das Gebäude wirklich ernsthaft von Schimmel befallen ist, werden die Mieter in der Tat ausziehen müssen, wie ich meiner Nachbarin erklärte, aber sie haben selbstverständlich gewisse Rechte. Mrs. G. und ihre Freunde wissen nun nicht, wie sie reagieren sollen; bisher hat Mrs. G.s Neffe Alexis ihnen geholfen, den Schriftverkehr mit der Immobiliengesellschaft zu übersetzen, aber mit dem letzten Schreiben des Vermieters zur Darstellung des Sachverhalts und der Rechtslage hat er offenbar selbst seine Probleme.

Ich habe mich daher angeboten, mir diesen Brief einmal anzusehen und Alexis und Mrs. G. den Inhalt zu erläutern. O Gott, wie konnte ich mich nur darauf einlassen! Ich habe mich wirklich sehr bemüht, der alten Dame begreiflich zu machen, dass ich sie in dieser ganzen Angelegenheit *nicht* als Anwältin vertreten werde, aber ich bin mir nicht sicher, ob sie das verstanden hat. Als ich sagte, sie und die anderen Mieter müssten offiziell einen Rechtsanwalt damit beauftragen, ihre Interessen zu vertreten, hat sie mich mit großen Augen angesehen und gefragt: «Das heißt, du nicht Rechtsanwalt?» Sie wird Alexis im Laufe der Woche einmal abends nach der Schule mit dem Brief bei mir vorbeischicken (er ist Geschichtslehrer), und bei dieser Gelegenheit werde ich ihm verklickern müssen, dass mein Rat völlig inoffiziell ist. Ich glaube, ich darf mich in diese Sache wirklich nicht hineinziehen lassen; selbst wenn die Mieter in der Lage wären, mich zu bezahlen, kann ich als Anwältin doch wenig ausrichten, solange ich rund um die Uhr auf der linken Seite liegen muss. Und Dr. Weinberg bekäme einen *Anfall*, wenn sie davon erführe.

Spielt die alte Mrs. G. vielleicht ein Spiel mit mir? Möglicherweise werde ich mein Hilfsangebot noch ernsthaft bereuen, aber im Augenblick sehe ich nicht, wie ich mich anders verhalten könnte. Mrs. G. war in der vergangenen Woche wie eine Mutter zu mir – nicht wie *meine* Mutter, versteht sich, sondern eher wie die Mutter, die ich mir immer gewünscht habe. Sie bekocht mich, sie hört verständnisvoll zu, wenn ich mich aufrege, und abgesehen davon *lässt sie mich in Ruhe*. Das entspricht aus meiner Sicht ziemlich genau dem idealen Verhalten einer Mutter. Ihr einen Brief zu erklären ist wohl das Mindeste, womit ich mich revanchieren kann.

Heute hat sie mir zum ersten Mal ein wenig aus ihrem Leben erzählt. Sie war vor fünfunddreißig Jahren mit einem Mann verlobt, der jedoch eine Woche vor der geplanten Hochzeit im Vietnamkrieg fiel. Und damit war dieses Kapitel für sie abgeschlossen. «In mein Kopf, wir sind verheiratet, du verstehen?», sagte sie zu mir mit einem plötzlichen Leuchten in den Augen. «Verheiratet ist für immer. Kann kein anderer geben. Er war Alles. Meine Schwester in Philadelphia, sie so böse mit mir, denkt, ich habe mein Leben ruiniert, aber ich bin glücklich, verstehen? So glücklich wie geht ohne *ihn*. Alexis kümmert um mich, ich habe Freunde, ich gehe aus, ist gutes Leben so. Weiß nicht, warum Leute wollen, ich soll tun wie alle anderen, weitermachen, als ob nix ist passiert. Wenn man findet den Richtigen, dann man ist zusammen, für immer. Du verstehen?»

Ich nickte langsam. Was würde wohl geschehen, wenn Tom – nein, nein, darüber darf ich gar nicht nachdenken. Aber meine Mutter war in gewisser Weise wie Mrs. G.: Nachdem mein Vater uns verlassen hatte, gab es kaum noch Männer in ihrem Leben, was allerdings nicht so sehr daran gelegen haben dürfte, dass sie fand, sie und Dad seien «zusammen für immer». Ich glaube, sie wollte einfach nicht noch mehr von ihrem Leben an nichtsnutzige Spinner vergeuden.

19 Uhr
Katastrophe! Briannas verheirateter Liebhaber hat gestern Abend mit ihr Schluss gemacht!

Die beiden haben sich in einem Lokal getroffen, sie rechnete wie gewohnt mit einem romantischen Abend, aber stattdessen gab er ihr den Laufpass, noch bevor sie ihren großen trockenen Martini zur Hälfte ausgetrunken hatte. Tja, was tut man da, sagte sie zu mir – den Trennungsschmerz ausdehnen, während man anständig sein Glas leer schlürft, oder das Zeug auf ex runterkippen und taube, geschwollene Lippen und Verätzungen der Mundhöhle riskieren? Am Ende entschied sie sich für die altmodische Variante (ich habe ja immer gesagt, sie ist ein Fünfzigerjahre-Typ) und goss ihm den gesamten Inhalt ihres Glases ins Gesicht. Um zu verhindern, dass ihr Lover mit *seinem* Drink dasselbe tat (sie ist auf ihre Weise ein durchaus cleveres Mädchen), nahm sie anschließend kurzerhand sein Glas mitsamt Zahnstocher, Olive und allem und kippte es ihm hinten in den Kragen, ehe sie erhobenen Hauptes die Bar verließ.

Vor ein paar Stunden rief sie bei mir an und fragte, ob sie vorbeikommen könne. Ich muss gestehen, es reizte mich, Näheres über diese unverhoffte Trennung zu erfahren. Warum hat VM seine außerordentlich naive und gefügige Mätresse verlassen? Liegt es daran, dass ein weiteres Kind unterwegs ist … *oder* liegt es daran, dass Brianna noch immer Vorbehalte dagegen hatte, sich in Strapsen und roter Samtkorsage auf den Straßen Manhattans zu präsentieren?

VM, arrogant und gerissen, wie wir ihn kennen, hat es sogar fertig gebracht, dass Brianna die Schuld für das Desaster bei sich selbst sucht. Ich vermute, seine Frau hat Verdacht geschöpft, denn offenbar hat Brianna vor ein paar Tagen die oberste Regel ihrer Beziehung verletzt, indem sie ihn auf dem Handy anrief, sodass in der Liste der letzten zehn Anrufe eine unbekannte Nummer erschien. *Und*, wie VM mehrfach betont hatte, die Ehefrau pflegt diese Liste regelmäßig durchzusehen. Ein weiterer Fehler von Brianna war anscheinend gewesen zu verlangen, VM solle im nächsten Monat mal ein Wochenende mit ihr verbringen. Darüber hinaus hatte sie ihm nahe gelegt, seine Ehe doch vielleicht besser sofort zu beenden als in fünf Monaten, wenn seine Frau kurz davor stünde, einen schreienden Neunpfünder zur Welt zu bringen. Mit anderen Worten: Sie verhielt sich eine Winzigkeit fordernder, einen Hauch weniger unterwürfig, und schon ergriff VM panisch die Flucht.

Jetzt quält Brianna sich natürlich mit Schuldgefühlen («Ich habe ihn zu sehr bedrängt … Natürlich muss die Schwangerschaft ein Schock für ihn gewesen sein … Natürlich kann er seine Frau nicht verlassen, während sie ein Kind erwartet … Natürlich hätte ich diese Korsage anziehen sollen …»). Ich strich ihr über die Schulter, sagte tausend tröstende Worte und sah zu, wie zur Abwechslung jemand anders sich durch die Schachtel mit rosa Papiertüchern arbeitete, die ich immer auf dem Teaktischchen stehen habe. Es war richtig nett, einmal nicht diejenige zu sein, die weint. Ich versicherte Brianna, sie habe etwas Besseres verdient, sie sei eine hübsche, intelligente Frau, und ein Mann, der ihre Qualitäten nicht zu würdigen wisse, sei nicht der Richtige für sie. Sie schluchzte noch eine Weile lang verzweifelt vor sich hin, dann riss sie sich zusammen, lächelte mich unter Tränen an und sagte, ich hätte wahrscheinlich Recht. Sie bedankte sich dafür, dass ich ihr in der Stunde der Not zugehört und ihr beigestanden hatte, und nannte mich weise. Ich fühlte mich wunderbar mütterlich. («Freunden in Not weisen Rat erteilen» ist auch ein Punkt auf der Liste *Was die Frau von heute vor dreißig erledigen sollte.*)

Vor ein paar Minuten rief Tom an, um anzukündigen, er käme gleich zum Abendessen, woraufhin Brianna beschloss, nach Hause zu gehen, ein Bad zu nehmen und sich eine Riesenpackung Schoko-Karamell-Eiscreme zu genehmigen (meine Idee). Mir scheint, ich konnte sie etwas beruhigen. Ja, ich glaube sogar, sie sieht allmählich ein, dass sie froh sein sollte, den Mistkerl los zu sein.

22.30 Uhr

Tom hat mir erzählt, er sei auf dem Nachhauseweg in der U-Bahn Mark über den Weg gelaufen. Bei dieser Gelegenheit erfuhr er, dass Lara wieder schwanger ist! Kinderkriegen scheint neuerdings wieder groß in Mode zu sein.

15.

Mittwoch, 9 Uhr

Morgen kommt Jeanie – ich kann es kaum erwarten. Nur noch dreiunddreißig Stunden, bis ihr Flieger landet.

10 Uhr

Gerade rief Brianna an. Der Bottich Eiscreme gestern Abend und meine wohl bemessene Dosis guter Ratschläge haben offenbar nur eine vorübergehende Besserung bewirkt. Heute ist sie (wie sie mir berichtete) tränenüberströmt aufgewacht, hatte auf dem Weg zur Arbeit einen ununterbrochenen Heulkrampf und wollte sich jetzt meinen Segen holen, nach Hause zu gehen, sich unter die Bettdecke zu verkriechen und sich für den Rest des Tages in ihrem Elend zu suhlen.

Ich antwortete: *Nein!* Kommt nicht infrage. Suhlen nicht gestattet. Schokoladenorgien sind eine Sache, stundenlang unter der Bettdecke flennen ist eine andere. «Bleib an deinem Schreibtisch», ermahnte ich sie energisch. «Wenn du willst, kannst du in der Mittagspause herkommen, und wir essen gemeinsam eine Schachtel Cookies.»

14 Uhr

Ich habe Bri soeben in die Kanzlei zurückgeschickt. Sie wollte für den Rest des Tages hier bleiben («wir können uns gegenseitig Gesellschaft leisten»), aber davon wollte ich nichts hören. Ich meine, ich mag sie ja, und sie tut mir auch wirklich Leid, aber ich habe schließlich selbst genügend Probleme. Außerdem muss sie endlich anfangen, über diese Sache hinwegzukommen. Es wäre ja noch etwas anderes, wenn ihr verheirateter Liebhaber wenigstens irgendwelche guten Seiten hätte, aber das ist nun einmal nicht der Fall; er betrügt seine Frau und seine Kinder, er ist ein extrem kaltherziger Jurist (das gibt Brianna selbst zu – er muss das soziale Gewissen einer Hafenratte haben), und er versteht es meisterhaft, schwache kleine Mädchen zu manipulieren. Wie soll man so jemanden mögen?

16 Uhr

Wieder ein einstündiges Telefonat mit Brianna. Ich kann nicht mehr.

18 Uhr

Vor ein paar Minuten ging die Türklingel. Es war Brianna; ich habe durch die Tür gehört, wie sie schwer atmete. Ich schäme mich, es einzugestehen, aber ich tat, als schliefe ich.

18.10 Uhr

Brianna hat eben vom Handy aus angerufen, um sich zu erkundigen, ob bei mir alles in Ordnung sei – sie habe sich Sorgen gemacht, weil ich nicht öffnete ... Ich redete mich damit heraus, ich hätte gerade geschlafen, und verfluchte mich innerlich dafür, dass ich überhaupt ans Telefon gegangen war. Daraufhin fragte Brianna, ob sie vorbeikommen könne. Sie klang so elend, dass ich mich verpflichtet fühlte, ja zu sagen. Wenigstens bot sie an, eine Zwei-Liter-Packung «Super Fudge Chunk»-Eiscreme von Ben and Jerry's mitzubringen, die mit den extra vielen großen Knusperstücken. Und eine Flasche Schokoladensoße.

Mitternacht

Gerade hat Tom Brianna hinausgeworfen. Er hatte sie schon während der letzten zwei Stunden mit zunehmend finsterer Miene angestarrt, während sie endlos abwechselte zwischen Lobeshymnen über VMs Tugenden (er war «fürsorglich», was im Klartext heißt, dass er ihr zu ihrem letzten Geburtstag ein Türkisarmband von Tiffany geschenkt hat) und Auflistungen seiner Fehler und Schwächen (inzwischen räumt sie ein, dass seine Frau nicht ganz falsch liegt, was seinen alternden Körper angeht; während sein Bauchumfang sich auf dem Vormarsch befindet, ist sein Haaransatz angeblich rapide im Rückzug begriffen). Scheunentorweites Gähnen meinerseits schien sie gar nicht wahrzunehmen, ebenso wenig wie die Tatsache, dass ich irgendwann im Verlauf des Gesprächs tatsächlich eindöste (wobei von «Gespräch» eigentlich nicht die Rede sein kann – sie sprach, während wir beide schweigend zuhörten und allmählich Streichhölzer brauchten, damit uns nicht die Augen zufielen). Schließlich stand Tom auf und sagte höflich, aber bestimmt – jeder Zoll der routinierte, aalglatte Anwalt –, *ich* bräuchte jetzt meine Ruhe und *er* müsse morgen früh ins Büro. Sie sah ein wenig gekränkt aus, aber Tom manövrierte sie geschickt aus dem Sessel und zur Tür hinaus, noch ehe sie Gelegenheit fand zu fragen – und ich wusste, dass die Frage früher oder später kommen würde –, ob sie nicht diese Nacht in unserem freien Zimmer schlafen könne. Jeanie im Zimmer meines Babys: in Ordnung; alle anderen: *Nein.*

16.

Donnerstag, 7 Uhr
Ich konnte letzte Nacht nicht schlafen – vielleicht mache ich mir noch immer zu viele Gedanken wegen Briannas Krise, vielleicht bin ich auch nur so aufgeregt, weil Jeanie heute Abend kommt. Jedenfalls haben mich die ganze Nacht hindurch eigenartige, skurrile Träume geplagt; einmal wachte ich schweißgebadet auf, sicher, ich hätte Drillinge mit Katzenköpfen zur Welt gebracht.

Außerdem rebellieren meine Beine inzwischen gegen die andauernde Untätigkeit. Die Sehnen jammern, die Knochen stöhnen, die Gelenke versagen mir einfach den Dienst, wenn ich versuche mit den Füßen zu kreisen, damit meine eiskalten Zehen wieder durchblutet werden. Und dann sind da noch diese Krämpfe, nächtliche Schrecken der Schwangerschaft, die immer dann zuschlagen, wenn man gerade nicht darauf gefasst ist. Ich ertappe mich selbst dabei, wie ich verzweifelt versuche wach zu bleiben, weil ich vielleicht im Schlaf die Zehen nach unten strecken und damit einen Schmerz auf den Plan rufen würde, der bestimmt mindestens so schlimm ist wie die Geburt selbst. (Falls die noch schlimmer sein sollte, will ich sofort hier raus.)

8 Uhr

Bri hat gerade *schon wieder* angerufen. Sie hat verkündet, sie werde den ganzen Tag zu Hause bleiben und weinen, wenn ich ihr nicht einen Grund nennen könne aufzustehen. Nein, ehrlich gesagt kann ich das nicht. Nach fünf Minuten gab ich vor, zur Toilette zu müssen. Tut mir wirklich Leid, Bri.

10.30 Uhr

Jeanie müsste jetzt schon in Heathrow am Gate sein. Wahrscheinlich gehen die Passagiere gerade an Bord. Hoffentlich hat sie daran gedacht, sich eine zusätzliche Flasche Wasser für unterwegs mitzunehmen. Ich habe es ihr jedenfalls eingeschärft.

Gegen Mittag

Jeanies Flug ist planmäßig gestartet – ich habe auf der Website von Virgin Atlantic nachgesehen. Sieht aus, als käme sie pünktlich an. In etwa sieben Stunden wird sie also hier durch diese Tür hereinkommen.

Noch ein Anruf von Brianna, und ich habe mich wieder damit herausgeredet, «für kleine Mädchen» zu müssen. Besonders originell ist das auf Dauer nicht, aber was soll ich denn tun? Da ich die ganze Zeit liegen muss, kann ich wohl kaum «gerade auf dem Sprung zur Tür» sein oder «mich dringend um das Abendessen kümmern müssen», und ich *kann* mir einfach nicht noch mehr zum Thema VM anhören – nein, nein, *nein*. Ich habe das Gefühl, in der Falle zu sitzen. Wenn Jeanie erst hier ist, werde ich sie bitten, für mich ans Telefon zu gehen.

Mitternacht
Jeanie und ich haben während der letzten fünf Stunden ununterbrochen geredet – über alles: die Schwangerschaft, Alison, unsere Mutter, das Yogastudio, ihr Studium – einfach alles. Es tut so gut, sie zu sehen. Dafür lohnt sich die Bettruhe schon fast, dass ich sie endlich hier bei mir habe.

17.

Sonntag, 16 Uhr
Die größten Vorteile daran, Jeanie hier zu haben:

- Sie ist eine *ausgezeichnete* Köchin, und ich sehne mich schon seit einer Weile nach hausgemachtem Essen (seit ich das Bett hüten muss, hatten wir jeden Abend Restaurantessen. Es mag in Manhattan einige der weltbesten Restaurants geben, aber der Mensch verträgt nun einmal nur eine begrenzte Menge gesättigter Fettsäuren). Gestern Abend haben wir Spinatlasagne gegessen, am Abend davor Entenschmortopf, und heute hat Jeanie zum Mittagessen einen großen Topf Apfel-Pastinaken-Suppe gekocht. Sie hat mir versprochen, vor ihrer Abreise noch einen Vorrat davon anzulegen und einzufrieren, dazu ein paar Vollkornbrötchen. Hmmm.
- Sie ist die Einzige aus meiner Familie, mit der Tom sich richtig gut versteht.
- Ich habe einen Vorwand, Brianna abzuwimmeln, wenn sie anruft («Tut mir Leid, ich muss jetzt Schluss machen! Jeanie ruft gerade nach mir …»).

(Arme Bri, ich glaube, seit Jeanie hier ist, fühlt sie sich von mir im Stich gelassen – was ehrlich gesagt durchaus berechtigt ist. Aber nach ein paar Bri-freien, tränenfreien Tagen fühle ich mich wieder in der Lage, sie zu ertragen, deshalb habe ich sie für Dienstagabend um 7 eingeladen, herzukommen und Jeanie kennen zu lernen. In Anwesenheit meiner Schwester wird sie sich mit ihren Erzählungen hoffentlich ein bisschen zurückhalten, und ohnehin kann sie nicht länger als eine Stunde bleiben, weil der VM sie gebeten hat, sich mit ihm auf einen Drink zu treffen, um «über alles zu sprechen».)

Die größten Nachteile daran, Jeanie hier zu haben:

- Wie ich inzwischen erfahren habe, kann Jeanie schon stricken. Ich weiß nicht recht, was ich davon halten soll, dass meine jüngste Schwester in den weiblichen Künsten bewanderter ist als ich. Eine wesentlich bessere Köchin ist sie ja ohnehin bereits. («In den weiblichen Künsten bewandert sein» ist ein weiterer Punkt auf der Liste *Was die Frau von heute vor dreißig erledigen sollte.* Ich will, dass meine Kinder in einem Haushalt aufwachsen, in dem die Speisekammer voll ist mit bunten Töpfen hausgemachten Gelees und bernsteinfarbenen Chutneys in funkelnden Gläsern.)
- Ich schlafe entsetzlich schlecht und *sehne* mich danach, das Bett mal wieder eine Nacht lang für mich allein zu haben, aber da Jeanie in dem anderen Zimmer schläft, kann ich Tom nicht ausquartieren.
- Jeanie telefoniert mindestens einmal täglich mit Dave und säuselt und turtelt mit ihm, bis mir übel wird.

18.

Dienstag, 9 Uhr

Jeanie ist ausgegangen, um sich mit einer Schulfreundin zu treffen, die kürzlich nach Brooklyn gezogen ist. Jetzt bin ich ein Weilchen allein und habe Zeit, die Ereignisse des gestrigen Abends aufzuschreiben:

Um 18.30 klingelte es an der Tür, und ich dachte, oh Himmel, Brianna kommt sogar früher, um sich noch eine halbe Stunde länger über den VM auslassen zu können. Aber nein – es war Mrs. Gianopoulou in Begleitung ihres Neffen Alexis (ich hatte völlig vergessen, dass die beiden mit dem Brief vom Vermieter vorbeikommen wollten).

Ich will der Reihe nach berichten. Zunächst einmal: Alexis wirkte ausgesprochen nett – genau der Typ Lehrer, den man sich für sein zehnjähriges Kind wünscht. Er hat eine gewisse Ähnlichkeit mit Noah Wyle – oder besser gesagt, er sieht aus, wie Noah Wyle aussähe, wenn er eine griechische Großmutter hätte. Er hat klare, ein wenig schüchterne Augen, einen sonnengebräunten Teint und goldbraunes Haar, das er etwas länger trägt. Seine Kleidung war für einen Highschool-Lehrer ausgesprochen schick – er trug Diesel-Jeans und ein Hemd von Paul Smith. Ich wette, er ist der Schwarm aller Schülerinnen. (Ich wäre ja selbst fast ins Schwärmen geraten, nur dass es etwas problematisch ist, einen fremden Mann anzuhimmeln, wenn man ihn über den eigenen Bauch hinweg kaum sehen kann.)

Er reichte mir den Brief, und mir war ziemlich bald klar, dass er ihn weitaus besser verstanden hatte, als Mrs. Gianopoulou dachte. Es war ihm offenbar entsetzlich unangenehm, mich um Rat zu fragen; er verstand sofort, dass ich diese Leute nicht als Anwältin vertreten konnte, und als Mrs. G. kurz das Zimmer verließ, um auf die Toilette zu gehen, gestand er mir, er versuche schon seit Monaten, die Gruppe zu überzeugen, dass sie Geld für einen offiziellen juristischen Vertreter aufbringen sollten. Aber die alten Leute mögen sich nicht von ihren Ersparnissen trennen (wobei man fairerweise sagen muss, dass sie ohnehin nicht viel besitzen), und außerdem wollen sie nicht einsehen, warum Alexis es nicht im Alleingang mit der Immobiliengesellschaft aufnehmen kann.

Alexis, der auf der äußersten Kante unseres Ledersessels hockte, fuhr sich in einer Geste tiefer Verzweiflung durchs Haar. «Verstehen Sie mich nicht falsch, ich helfe wirklich gern», beteuerte er. «Aber diese alten Leute bilden sich ein, mit einer soliden amerikanischen Hochschulbildung müsse ich in der Lage sein, gegen die gesamte Randalls Corporation anzutreten. Sie denken, ich könnte dafür sorgen, dass sie in ihren Wohnungen bleiben dürfen, und ihnen allen einen glücklichen, zufriedenen Lebensabend garantieren. Ich versuche die ganze Zeit, ihnen begreiflich zu machen, dass das nicht so einfach ist – ich habe überhaupt keine juristische Ausbildung, ich vertraue einzig und allein auf meinen gesunden Menschenverstand –, und jetzt tun sie so, als wolle ich sie übers Ohr hauen. Ich weiß, es ist nicht fair, Sie damit zu belästigen, aber wenn Sie vielleicht den Brief lesen und mir ein paar Tipps geben könnten, mir sagen, wie Sie darüber denken – ich wäre Ihnen wirklich dankbar.»

Armer Mann, dachte ich. Welch eine Verantwortung. (In diesem Moment setzte er sich zurecht, und ich ertappte mich dabei, wie ich einen verstohlenen Blick auf die Beule in seiner schwarzen Jeans warf. Gleich darauf versetzte mir das Baby einen vorwurfsvollen Tritt, und meine winzige Hormonaufwallung verebbte lahm.)

Ich seufzte und überflog rasch den Brief. Randalls hatte im Dezember letzten Jahres Environment First, eine private Firma für Bau- und Umweltgutachten, beauftragt, den Schimmelbefall im Gebäude zu untersuchen. Eine Zusammenfassung des Abschlussberichts war dem Brief beigelegt. Environment First wies im gesamten Gebäude Stachybotrys atra (schwarzen Schimmel) nach, ebenso wie Aspergillus ustus und Penicillium funiculosum. Offenbar gab es im Laufe der letzten zehn Jahre eine Reihe größerer Wasserschäden, die den Schimmelbefall verursacht haben; zudem ist ein großer Teil der Baumaterialien, die man damals in den Vierzigerjahren verarbeitet hatte – Deckenplatten und so weiter – Cellulose-basiert, was das Gebäude besonders anfällig für die Ausbreitung des Schimmels machte. Praktisch keine der Wohnungen ist frei von Schimmel, und die Apartments im Erdgeschoss (wo sich vor etwa zwei Jahren ein Wasserrohrbruch ereignete) sind besonders stark betroffen. Den Schimmel zu bekämpfen wäre mit ziemlicher Sicherheit kostspieliger, als das gesamte Gebäude abzureißen und neu zu bauen, weshalb Environment First «die sofortige Räumung der Wohnungen und den anschließenden Abriss des Gebäudes» empfahl (diese Zeile aus dem Gutachten war in dem Brief fett und in 14-Punkt-Schrift zitiert).

In Anbetracht dessen, so schloss der Brief von Randalls, werden die Mietverträge nicht verlängert, und die Mieter werden aufgefordert, ihre Wohnungen binnen neunzig Tagen nach Beendigung des Mietverhältnisses zu räumen. Jedem Haushalt wird eine angemessene Abfindung gezahlt; darüber hinaus werden geeignete Wohnungen in anderen Gebäuden aus dem Besitz der Randalls Corporation angeboten. Mit freundlichen Grüßen, Coleman und Elgin Randall.

Neben dem Gutachten von Environment First war eine unscharfe Kopie eines Schreibens von der New Yorker Behörde für Wohnungsbau und Stadtentwicklung beigelegt, das bestätigte, dass Randalls eine Abrissgenehmigung für das Gebäude beantragt hatte.

Ich las all das und schüttelte betrübt den Kopf. Eigentlich konnte man es dem Hauseigentümer nicht einmal vorwerfen, dass er seine Verantwortung für den Zustand des Gebäudes so ernst nimmt. Außerdem muss man auch bedenken, welche Kosten ihm entstehen können, wenn die Mieter durch den Schimmel in ihren Wohnungen Gesundheitsschäden davontragen und Schadensersatz geltend machen, dachte ich. Pech für die Mieter, aber da ist nichts zu machen, dachte ich. Wenn das Haus abgerissen werden muss, dann muss es abgerissen werden. Weder ich noch irgendwer sonst kann das verhindern, ich kann ihnen allenfalls einen Anwalt empfehlen, der dafür sorgt, dass sie angemessen entschädigt werden.

Doch dann stutzte ich; in meinem Hinterkopf regte sich vage ein Gedanke und nahm dann langsam Gestalt an. Da fehlte doch etwas. Mietrecht ist zwar nicht mein Fachgebiet, aber – wo war denn eigentlich das Schreiben, in dem die Genehmigung zum Abriss tatsächlich *erteilt* wurde? Ich starrte in die Tiefen des braunen Umschlags von Randalls; ich las den Brief noch einmal gründlich durch, um festzustellen, ob an irgendeiner Stelle darauf Bezug genommen wurde. Nichts. Nachdenklich kaute ich an meinem Kugelschreiber, während Alexis mich hoffnungsvoll ansah. Environment First ist eine private Gutachterfirma, und private Gutachterfirmen sind nicht autorisiert, einen Abriss anzuordnen. Um ein Gebäude abreißen zu dürfen, in dem noch *mietpreisgebundene Wohnungen* bewohnt werden, muss Randalls sämtlichen Mietern eine Kopie der behördlichen Abrissgenehmigung zusenden.

Es war so simpel, so nahe liegend, dass ich es selbst nicht so recht glauben konnte. Ich erkundigte mich bei Alexis, ob er eine solche amtliche Genehmigung jemals zu Gesicht bekommen habe, was er verneinte; in diesem Moment kam Mrs. G. von der Toilette zurück, und er fragte sie auf Griechisch, ob sie etwas davon wisse. Sie zuckte die Schultern, zog die Mundwinkel herunter und erwiderte, nein, davon sei nie die Rede gewesen. «Tja», sagte ich, «damit können sie den Abriss vielleicht nicht dauerhaft verhindern, aber ohne die schriftliche Genehmigung von der DHCR – der Behörde für Wohnungsbau und Stadtentwicklung – kann Randalls Ihre Freunde nicht hinauswerfen. Vielleicht liegt eine solche Genehmigung bereits vor, vielleicht haben die Leute bei Randalls einfach nur vergessen, sie diesem Brief beizulegen. Aber wie dem auch sei – solange sie Ihnen nicht schriftlich vorliegt, können Sie zumindest einen Aufschub erwirken. Übrigens, Sie erinnern sich nicht zufällig, welche Anwaltskanzlei Randalls beauftragt hat?» Alexis schüttelte den Kopf und blickte dann Mrs. G. an, die die Nase kraus zog. «Ich glaube – da war Brief von Smith und – weiß nicht mehr, und Smith, hm, so komisch geschrieben», sagte sie zögernd. Ich nickte. «Smyth and Westlon, die kenne ich», sagte ich. «Sie bearbeiten eine Menge solcher Räumungs- und Kündigungsangelegenheiten. Also schön, am besten schicken Sie denen eine Kopie von Ihrem Brief, Alexis, das sollte hilfreich sein.»

Alexis nickte. Sein Gesicht hatte einen angespannten Ausdruck angenommen. «Sie meinen also, ich soll an Randalls und an die Anwälte schreiben und fragen, was mit dieser Genehmigung vom … DC … von der DH … also von dieser Behörde da ist? Wie hieß das noch mal? Augenblick, ich brauche was zu schreiben … Vielleicht könnten Sie mir auch noch sagen, was alles rein muss in diesen Brief …»

Ich beobachtete, wie er in der Tasche seiner Jacke, die er über die Sessellehne gelegt hatte, herumkramte. Mrs. G. beobachtete, wie ich ihn beobachtete. Ihr Blick war bedeutungsschwanger. Ich seufzte.

«Alexis, machen Sie sich keine Gedanken darum, okay?», sagte ich freundlich. «Ich werde Ihnen alles aufschreiben. Oder besser setze ich gleich einen Brief auf, in dem steht, dass die Mieter ihre Wohnungen nicht räumen werden, ehe sie Kopien der amtlichen Abrissgenehmigung erhalten haben. Sie können den Brief anschließend noch beliebig abändern, dann geben Sie ihn Mrs. G. zum Unterschreiben. Und die Adresse von Smyth and Westlon besorge ich Ihnen auch. Einverstanden?»

«Ach, das wäre wirklich ganz toll», erwiderte Alexis erleichtert und errötete ein bisschen vor Dankbarkeit. Dann verabschiedete er sich mit einem herzlichen Händedruck. Mrs. G. nickte nur sichtlich zufrieden. Gerade als die beiden auf dem Weg zur Tür waren, klingelte es erneut. Diesmal war es Brianna. Sie stieß auf dem Flur mit Alexis zusammen und musterte ihn von oben bis unten. Dann wurde sie rot, schlug die Augen nieder und strich sich eine lose Strähne ihres dunklen Haares aus dem Gesicht, wobei sie die Pfirsichhaut an ihrem Hals entblößte. Die Pheromone hingen noch in der Luft, nachdem sie schon längst wieder gegangen war.

19.

Mittwoch, 16 Uhr
Wir sind gerade vom Arzt zurückgekommen. Diese Woche hat Jeanie mich begleitet, sodass Tom sich im Büro nicht freizunehmen brauchte. Er arbeitet gerade die letzten Feinheiten für einen riesigen Immobiliendeal aus, ein 300-Millionen-Dollar-Angebot für Geschäftsräume in Midtown Manhattan (Crimpson hat eine der größten Immobilien-Abteilungen der Stadt). Das Wetter ist grässlich; die Wolken hängen bis auf die Straße herab, und alles ist in Nieselregen und schmutzig grauen Dunst gehüllt.

Als Erstes stand wie gewohnt Ultraschall bei Cherise auf dem Programm. Ich beobachtete ein paar Minuten lang das Baby auf dem Monitor, dann lehnte ich mich zurück und ließ den Blick durch das abgedunkelte Untersuchungszimmer schweifen. Cherise hat über der Liege ein Sammelsurium von Gegenständen angebracht, die offenbar Patienten jeglichen Alters und Geschlechts ablenken sollen – ein Mobile mit drei Hühnchen im Comicstil, vier Schwarzweiß-Postkarten von Harley-Davidson-Motorrädern und eine Seite mit «Do's und Don'ts» aus der *Marie-Claire* (wenn Sie runde Schultern haben, vermeiden Sie es, trägerlose Oberteile zu tragen; rückenfreie Tops lassen kleine Brüste größer wirken; lange Shirts helfen, eine kräftige Taille zu kaschieren. Mir fiel auf, dass nicht erwähnt wurde, wie man ein Doppelkinn und geschwollene Fußknöchel versteckt).

Nach zehn Minuten Stupsen und Rubbeln und Drücken teilte Cherise mir sachlich mit, mein Fruchtwasserindex sei niedriger als beim letzten Mal. Das musste ja kommen.

Dr. Weinberg blätterte gerade in einem Buch mit dem

Titel *Risikoschwangerschaften: Verlauf und Ausgang*. Sobald ich eintrat, ließ sie die *Risikoschwangerschaften* mit einem strahlenden – allzu strahlenden – Lächeln diskret unter der aktuellen Ausgabe der *Jewish Week* verschwinden.

«Ich möchte, dass Sie am Freitag zu einem so genannten Ruhe-CTG herkommen», verkündete sie übertrieben heiter. «Mit einem Ruhe-CTG wird überprüft, wie kräftig und wie regelmäßig das Herz des Babys schlägt; das ist keine große Sache. Reine Vorsichtsmaßnahme. Ich bin überzeugt, dass alles in Ordnung ist. Aber, sagen Sie», setzte sie in einstudiert beiläufigem Ton hinzu, «war Ihr Kleiner eigentlich in der vergangenen Woche aktiv? Tritt er noch kräftig?»

Natürlich war mir klar, worauf sie hinauswollte. Ist er gesund, wird er überleben? Ehrlich gesagt weiß ich nicht, ob ich da einen «aktiven Kleinen» im Bauch habe oder nicht. An manchen Tagen tritt er mich so fest, dass mir die Luft wegbleibt, an anderen Tagen merke ich fast nichts, nur einen ganz leichten Druck im Becken, eine kaum spürbare Bewegung unter den Rippen. Was hat das zu bedeuten?

Ich mache mir Sorgen, dass mein Fruchtwasserindex gesunken ist, weil ich – wenn ich ganz ehrlich bin – seit Jeanies Ankunft mehr auf den Beinen war als vorher. Sicher, ich lasse mir von ihr frisches Wasser und Frühstück und Mittagessen an die Couch bringen, aber am ersten Tag ihres Besuchs konnte ich der Versuchung nicht widerstehen, mit ihr einen kleinen Spaziergang um den Block zu unternehmen. Zuerst wollte sie es mir natürlich ausreden, aber ich spielte die «Ich bin deine große Schwester und weiß, was ich tue»-Karte aus. Es war ein ungewöhnlich warmer Tag, die letzten Reste von Schneematsch schmolzen unter einem klaren blauen Himmel dahin. Ich habe Jeanie die Bars, Restaurants und kleinen Lädchen in der Nachbarschaft gezeigt. Jetzt fühle ich mich selbstverständlich schuldig und fürchte, mit diesem zehnminütigen Stadtbummel das Leben unseres Babys aufs Spiel gesetzt zu haben. (Ich habe Tom noch nichts von dem Spaziergang erzählt, und die Sache liegt mir schwer auf der Seele – nachher, wenn ich ihm von dem Ergebnis der heutigen Untersuchung berichte, werde ich es beichten müssen. Er macht mir manchmal richtig Angst, wenn er wütend wird; er zieht dann diese gruselige Anwalt-im-Gerichtssaal-Nummer ab, die ich bis heute nicht richtig beherrsche. «Sie sehen hier Beweisstück A, eine leere Toilettenpapierrolle. Würden Sie mir bitte erklären, wie es dazu kam, dass diese leere Toilettenpapierrolle nicht durch Beweisstück B ersetzt wurde, die volle Toilettenpapierrolle, die sich, wie auf Abbildung C dargestellt, im Badezimmerschrank befand? Nun?»)

Bei Jeanie hatte ich bisher den Eindruck, dass sie die ganze Angelegenheit mit meiner Liegepflicht nicht recht ernst nahm. Seit wir heute bei Dr. Weinberg waren, scheint sie ihre Meinung jedoch geändert zu haben. Vor einer oder zwei Wochen sagte sie noch am Telefon fröhlich zu mir: «Weißt du, was ich glaube, Q? Vor hundert Jahren hättest du von diesem ganzen Oligo-Dingsda nie etwas erfahren und trotzdem in drei Monaten ein völlig gesundes Kind zur Welt gebracht.» Aber heute im Ultraschallraum, als wir das Baby auf dem Monitor sahen, eingezwängt wie in der Folterzelle «Little Ease» im Tower of London, hat sie nach meiner Hand gegriffen. Ich bemerkte ihren betroffenen Gesichtsausdruck. «Da auf dem Bildschirm steht, der Kopf liegt in der zwanzigsten Percentile», flüsterte sie mir einmal verunsichert zu. «Ist das okay?»

Morgen reist sie ab. Mir graut natürlich davor, wieder den ganzen Tag allein zu sein. Aber andererseits bin ich nicht *nur* traurig, dass sie geht. Ich möchte mich nicht ihretwegen zusammenreißen müssen – *sie* soll *mir* Mut machen, nicht umgekehrt. Als wir wieder zu Hause waren, versuchte sie immer wieder etwas Positives zu sagen, und wenn ich kurz davor war, mich besser zu fühlen, verdarb sie es gleich wieder, indem sie aus der Aussage eine Frage machte. «Die Ärztin erschien mir ganz zuversichtlich – findest du nicht?», sagte sie und betrachtete besorgt meinen Bauch. «Ich weiß, das Baby ist ziemlich klein, aber die Größe ist doch nicht so wichtig – oder etwa doch?» Und schließlich zögernd, mit leiser Stimme: «Es wird doch alles gut werden, nicht wahr, Q? Nicht wahr?» Das ist der Nachteil, den man als große Schwester hat: In solchen Situationen muss man immer der Erwachsene sein. Ich lächelte sie strahlend an. «Selbstverständlich wird alles gut werden», sagte ich mit fester Stimme. Selbstverständlich.

Und noch etwas Gutes hat Jeanies Abreise: Ich kann es nicht erwarten, Tom nachts in das andere Zimmer auszuquartieren, damit ich das Bett für mich allein habe. Meine Augen sind rot unterlaufen, und ich kann gar nicht mehr aufhören zu gähnen. Meine Beine schmerzen, meine Hüfte schmerzt, meine Knie schmerzen, mein Rücken schmerzt, mein Kopf schmerzt. Ich wünschte, ich könnte tausend Jahre schlafen.

20.

Freitag, 10 Uhr

Jeanie ist gestern Nachmittag um 16 Uhr zum Flughafen aufgebrochen. Am Abend habe ich Tom in das frei gewordene Zimmer verbannt, unser Doppelbett zur Schwangeren-Bequemlichkeitszone erklärt (für jeden Körperteil ein Extra-Kissen) und mich auf eine ungestörte Nachtruhe gefreut.

Leider ist nichts daraus geworden. Zwar konnte ich dank Toms Abwesenheit die Fenster weit aufreißen und die Minustemperaturen einer New Yorker Februarnacht genießen (mein schwangerer Körper scheint zu glauben, er befände sich in einer Hitzewelle in Guatemala), aber schlafen konnte ich trotzdem nicht. Der Druck an meiner linken Seite war trotz sämtlicher Kissen unerträglich. Taxis, Betrunkene und Straßenkehrmaschinen schienen sich verschworen zu haben, mich in einem halb wachen Zustand zu halten. Außerdem musste ich alle zwanzig Minuten eimerweise Wasser trinken, weil ich mich so ausgetrocknet fühlte, als hätte ich soeben die Sahara durchquert. Wann immer der Schlaf in greifbare Nähe rückte, musste ich entweder zur Toilette, oder ein Krankenwagen raste mit kreischender Sirene vorbei, und wieder lag ich wach, von Gliederschmerzen gequält, schwitzend und mit bleischweren Lidern.

Den größten Teil der vergangenen Nacht habe ich also damit zugebracht, die lavendelfarben gestrichenen Wände unseres Schlafzimmers anzustarren – oder vielmehr zu beobachten, wie in der Morgendämmerung das Grau dem Violett wich –, wie ich diesen langsamen Kampf der Farben eben seit endlosen Wochen jede einzelne Nacht beobachtet habe.

Immerhin wirkte Tom heute Morgen etwas menschlicher; er hat in den vergangenen paar Wochen geradezu gespenstisch ausgesehen, mit dunklen Rändern unter den blaugrünen Augen. «Na also, Q, das war doch mal eine Wohltat», bemerkte er fröhlich, während er Schal und Seemannsjacke aus dem Schrank holte. «Ohne dein Gestrampel habe ich tatsächlich ein bisschen Schlaf abbekommen. Vielleicht sollten wir einfach weiterhin getrennt schlafen, solange du schwanger bist», setzte er kaum weniger heiter hinzu und hauchte mir einen Kuss auf die feuchte Stirn. «Wenigstens können wir dem Kleinen dann ausgeruht entgegenblicken», schloss er mit einem wahrhaft sonnigen Lächeln, nahm seinen schweren, mit rötlichem Leder bezogenen Aktenkoffer und verschwand. Zurück blieb ein Geruch nach leicht angebranntem Toast und Marmelade, der schwer in der Luft hing.

Ich lag lange Zeit reglos da und starrte auf die Tür, die er eben hinter sich geschlossen hatte. Dass ich selbst noch immer aussehe wie ein Zombie, scheint meinem Mann völlig entgangen zu sein. Für *mich* hat er heute Morgen auch keinen Marmeladentoast gemacht («tut mir Leid, Schatz, wusste nicht, dass du schon wach bist, ich dachte, du wolltest ausschlafen.» Sehr witzig). Außerdem hat er – zum ersten Mal seit Beginn meiner Bettruhe – vergessen, mir ein Sandwich zum Mittagessen zurechtzumachen und etwas zu knabbern (d. h. Cookies, Kuchen, Schokolade) für zwischendurch hinzustellen. Und schließlich hat er mit keinem Wort erwähnt – ich weiß nicht einmal, ob er es vielleicht völlig vergessen hat –, dass er mich heute Nachmittag zum Ruhe-CTG in die Klinik bringen muss. Da waren wir gerade mal eine Nacht lang getrennt, und schon entgleitet er mir. Er ist *einer von denen* geworden, ein «normaler» Mensch, der morgens aufsteht und zur Arbeit geht, ein normaler Typ, der ein normales Leben führt. Während ich hier Stunde um Stunde liege und nichts habe, was die Eintönigkeit von Vor- und Nachmittagen, Wochenenden und Werktagen durchbricht. Ich habe mich noch nie so verlassen gefühlt.

Tom ist fort, Jeanie ist fort, und ich bin allein. Allein mit der Erinnerung an den schrecklichen, blöden Streit, den ich mit Jeanie hatte, kurz bevor sie gestern Nachmittag zum Flughafen musste. Es ist wieder der alte Streit zwischen uns gewesen, seit zwanzig Jahren derselbe, nur mittlerweile für Erwachsene. Sie hat vorgeschlagen, ich solle doch im Herbst eine Woche lang mit ihr und Dave in einem Cottage in Cornwall Urlaub machen, woraufhin ich ihr deutlich zu verstehen gab, ich gedächte nicht, auch nur einen Fuß in ein Haus zu setzen, in dem sich dieser Mann befindet. Sie wurde immer gereizter und entgegnete: «Du besuchst doch auch Alison, obwohl du Greg nicht leiden kannst, warum willst du dann nicht mit mir und Dave Urlaub machen?» Worauf ich konterte: «Weil Greg sich wenigstens wäscht und beim Fernsehen nicht in der Nase bohrt.» – Aber was ich im Einzelnen sagte, ist gar nicht erwähnenswert, denn eigentlich ging es mir nur darum, ihr wehzutun. Ich habe ihren gekränkten Blick gesehen und beobachtet, wie ihre Mundwinkel zu zittern begannen, und plötzlich war sie wieder sieben und ich zwölf, und wir spielten draußen hinter unserem Haus in Kent …

… Jeanie folgt mir auf Schritt und Tritt durch den Garten voller Rosen. Jeanie versucht meine Aufmerksamkeit auf sich zu ziehen. Jeanie bittet mich, mit ihr zu spielen – und stattdessen hake ich mich bei Alison unter und gehe mit ihr Teenagerheftchen lesen, drüben bei den Brombeersträuchern am Feldrand. Ich sehe den entgeisterten Ausdruck in den Augen meiner jüngsten Schwester, und als mir klar wird, dass ich jemand anderem das gleiche Gefühl geben kann, das meine Mutter *mir* gibt, wenn sie mich mit gleichgültigem Blick ansieht, genieße ich die Macht. «Du bist zu klein, du bist doch noch ein Baby, du kannst nicht mit uns Großen spielen.»

Tja, und jetzt ist Jeanie fort, und ich stehe vor der Aussicht, die nächsten zehn Wochen allein zuzubringen, Tag und Nacht. Geschieht mir recht.

Ich sollte eigentlich Tom anrufen, um ihn an den Termin zu erinnern. Aber vielleicht tue ich es nicht. Vielleicht bestelle ich mir stattdessen ein Taxi zur Klinik. Das geschähe *ihm* recht. Er wird sich furchtbar schuldig fühlen, wenn ich ihm heute Abend erzähle, wie ich mich ganz allein in Dr. Weinbergs Praxis geschleppt habe, matt in das grelle Tageslicht blinzelnd, eine hochschwangere Frau mit erschlaffenden Muskeln.

Mittag, 12 Uhr

Okay, das Obige bitte komplett streichen. Selbstmitleidiger Unfug. Ich hatte es schon markiert und wollte gerade auf den Button mit der Schere klicken, aber dann hielt mich mein zwanghaftes Bedürfnis, *alle* meine Gedanken in diesem Tagebuch festzuhalten, davon ab. Jedenfalls hat Tom gerade angerufen; er kommt in zehn Minuten, um mich abzuholen. Der Termin ist ihm noch mehr als rechtzeitig eingefallen. Außerdem hat er versprochen, mir zum Mittagessen ein Submarine mit Prosciutto und Artischockenherzen mitzubringen. *Und* einen Schoko-Cookie.

19 Uhr

Ich schreibe dies von einem Krankenhausbett aus.

Tom ist gerade losgezogen, um mir etwas zum Abendessen zu beschaffen. Neben mir steht auf einem kleinen Resopalnachttisch die Mahlzeit, die das Krankenhauspersonal um 17.30 serviert hat und die völlig ungenießbar aussieht. Eine glibberige Scheibe Hackbraten, dessen Saft in faserige grüne Bohnen sickert; dazu gibt es eine undefinierbare Gemüsesuppe, eine ziemlich bräunliche Banane und einen cellophanverpackten Cookie (wenigstens etwas Essbares). Tom und ich blickten uns über den rasant gelierenden Hackbraten hinweg eine Zeit lang betreten an, dann beschlossen wir, nicht tatenlos zuzusehen, wie unser Leben aus den Fugen gerät. Wenigstens auf das Essen können wir Einfluss nehmen. Eine große Pizza mit Tomaten und Basilikum sowie ein frischer Cäsarsalat sollten in etwa fünfzehn Minuten hier eintreffen.

Es ist mir ein Rätsel, warum die heutige Untersuchung ausgerechnet *Ruhe*-CTG heißt. Noch nie hat mich etwas so sehr aus der Ruhe gebracht.

Dabei fing alles ganz harmlos an. Ich habe mich auf die Untersuchungsliege im Ultraschallraum gewuchtet und mittlerweile ganz routiniert mein Hemd hochgezogen, um meinen Bauch zu entblößen. Cherise gab den üblichen satten Klecks durchscheinenden blauen Gels darauf, dann setzte sie sich und begann, die Lage des Babys und die Fruchtwassermenge zu überprüfen. Das Ergebnis war das gleiche wie beim letzten Mal. Prima, dachte ich. Das wird nicht allzu lange dauern. Bestimmt kann ich in einer halben Stunde wieder gehen.

Als Nächstes befestigte sie mit elastischen Gurten zwei runde Plättchen an meinem Bauch. Das eine (mit einem rosa Gurt befestigt) sollte den Herzton des Babys messen, das andere (mit dem blauen Gurt) diente dazu festzustellen, ob ich Muskelkontraktionen hatte. Anschließend gab Cherise mir einen Plastikbecher Orangensaft zu trinken, um dem Baby einen Zuckerschub zu verabreichen, und erteilte mir die Order, ruhig liegen zu bleiben und zu warten. Ich studierte wieder einmal die Seite mit den «Do's und Don'ts», die über der Liege hing: Maßgeschneiderte Hosen zu Shirts mit Lochstickerei tragen, um einen gleichermaßen seriösen wie femininen Look zu erzielen: ja. Perlenpullover tragen, wenn man reichlich Oberweite hat: nein.

Das Herzklopfen des Babys erfüllte den Raum. Ein gleichmäßiges Hintergrundrauschen, durchbrochen von rhythmischem Pochen: *pa-dap, pa-dap, pa-dap*. Auf dem Monitor blinkten grüne Leuchtziffern auf: 139, 142, 143, 145. Cherises gewohntes Pokerface wich einem plötzlichen, unerwarteten Lächeln. Das sind gute Werte, stellte sie anerkennend fest; der Herzschlag des Babys klingt kräftig. «Jetzt werden wir aufzeichnen, was passiert, wenn der Kleine durch den Zuckerschub anfängt zu strampeln. Dr. Weinberg will Schwankungen in der Herzfrequenz sehen, das ist ein Anzeichen dafür, dass das Baby gesund ist. Ich komme in zehn Minuten wieder, um nach Ihnen zu schauen», sagte sie und verschwand hinaus auf den Flur. Die große Tür schlug hinter ihr zu.

Tom und ich hielten uns im warmen Halbdunkel an den Händen und verfolgten angespannt das Auf und Ab der Zahlen auf dem Monitor. 135, 132, 138, 142. Tom klopfte den Rhythmus mit dem Fuß. («Das ist doch richtig nett hier, Q, ich weiß gar nicht, weshalb du dir solche Sorgen gemacht hast.») Schon nach wenigen Minuten spürte ich, wie das Baby anfing munter zu strampeln, sah die winzigen Beulen an meiner Bauchdecke, wo eine Hand oder ein Fuß von innen dagegenstieß, und beinahe im selben Moment stiegen die Werte auf 150, 155, 160, 165. «Na also, bestens, ich glaube, wir sind hier fertig. Geh doch schon mal Cherise holen», sagte ich zutiefst erleichtert zu Tom. Er nickte und machte sich auf den Weg.

Doch dann, Sekunden nachdem er den Raum verlassen hatte, geschah etwas. Wuuusch, wuuusch, *pa—dap; pa——-dap … pa——dap*; die Abstände zwischen den

Schlägen werden länger und länger, das Rauschen klingt wie ein immer langsamer fließender Sirupstrom. Und der Wert auf dem Bildschirm fällt rapide – 120, 118, 104, 97, 92.

Jetzt gerate ich in Panik, der Wert geht völlig in den Keller, und ich rufe nach Tom, während ich fieberhaft meinen Bauch massiere und den winzigen, festen Körper, der zusammengekauert unter meiner straff gespannten Haut liegt. Ich weiß selbst nicht, was ich mir von dem Massieren versprach, aber ich wollte Kontakt zu meinem Kleinen aufnehmen, ihm sagen, ich bin hier, halt durch, bitte! Halt durch!

Tom, der auf dem Flur gehört hatte, wie die Herztöne langsamer wurden, kam mit grünem Gesicht wieder hereingestürzt, dicht gefolgt von Cherise. Sie warf einen Blick auf den Monitor, dann herrschte sie mich an: «Drehen Sie sich auf die Seite, SOFORT! Das Baby muss von der Nabelschnur runter.» Ich hatte keine Ahnung, wovon sie redete, aber ich wälzte mich hastig herum, und im selben Moment setzten die Herztöne ganz aus. Es folgte die lauteste, bedrohlichste Stille, die ich je erlebt habe. Ich hörte mich selbst aufschreien: «Was hat das zu bedeuten? Ist er tot?» Cherise schob die Plättchen auf meinem Bauch herum, während ich zappelte wie ein Fisch auf dem Trockenen in dem verzweifelten Versuch, das kleine Herz wieder in Gang zu bringen (wie auch immer ich mir das vorstellte), und sie hantierte weiter mit diesen Plättchen auf meinem Bauch – bis sie mir schließlich deutlich befahl: «Nun halten Sie doch still! *Er ist nicht tot*, der Schallempfänger ist nur verrutscht, darum empfangen wir den Herzton nicht mehr. Sie müssen still halten, damit ich ihn wiederfinden kann.» Und dann war der Ton plötzlich wieder da, laut und klar und kräftig, und die grünen Ziffern blinkten uns beruhigend zu: 130, 135, 137, 135.

Tom sank erschöpft auf einen Plastikstuhl und vergrub

das Gesicht in den Händen; ich zitterte am ganzen Körper. Cherise atmete tief durch. «Bleiben Sie noch eine Weile auf der Seite liegen», wies sie mich an. «Wahrscheinlich ist alles in Ordnung, aber ich hole zur Sicherheit Dr. Weinberg. Ich bin gleich wieder da.»

Nachdem wir eine Minute gewartet hatten, trat Dr. Weinberg ein, lächelte uns flüchtig zu und studierte dann die Kurve auf dem langen Papierstreifen, den der Computer ausgespuckt hatte. Eine gezackte Linie bildete die Schwankungen in der Herzfrequenz des Babys ab; ich erkannte den starken Abfall, an dessen Ende die Linie abbrach. Erwartungsvoll sah ich die Ärztin an, hoffte inständig, sie möge mir sagen, das sei ganz normal, so etwas komme ständig vor.

Natürlich sagte sie nichts dergleichen. Sie setzte sich auf den Rand der Untersuchungsliege und nahm meine Hand; ich klammerte mich an sie wie eine Ertrinkende. Hören Sie mir zu, *mein bubeleh*, sagte sie sanft. Ich glaube, das Baby bekommt allmählich Probleme. Es scheint, als ob es sich selbst die Nabelschnur abdrückt, wenn es sich bewegt. Das Fruchtwasser dient gewissermaßen als Polster zwischen dem Baby und seiner Nabelschnur, und Sie haben nicht genügend davon, *versteh?* Der Abfall der Herzfrequenz zeigt, dass der Kleine nicht genügend Sauerstoff bekommt. Ich muss Sie in die Klinik einweisen.

Hier liege ich jetzt also in einem schmalen Bett, bin an einen Tropf angeschlossen und tippe auf meinem elektronischen Organizer (den ich Gott sei Dank vor einer halben Stunde in den Tiefen meiner Handtasche aufgestöbert habe, irgendwo zwischen einer zerdrückten Rolle Pfefferminzbonbons und zahlreichen Stiften ohne Kappe. Tom hat versprochen, mir morgen mein Notebook mitzubringen). In der Ecke des Zimmers blinkt ein Monitor. 130, 132, 145, 140.

21.

Samstag, 2 Uhr morgens
Bisher habe ich in dieser Nacht ganze zwanzig Minuten geschlafen.

Gerade als ich vor ein paar Minuten endlich weggedämmert bin, kam eine Krankenschwester namens Andrea herein, um nach mir zu sehen. *Blutdruck, Puls, Temperatur, und haben Sie Schmerzen? Beschreiben Sie den Schmerz auf einer Skala von eins bis zehn.* Ich schwöre, wenn ich hier rauskomme, werde ich mich nie wieder über mein Sofa beklagen. Ich werde mich nie wieder über Schlafmangel beklagen. Ich werde mich nie wieder darüber beklagen, auf der linken Seite liegen zu müssen. Bis heute wusste ich gar nicht, wie gut ich es hatte. Krankenhäuser sind *die Hölle.*

Gebannt, furchtsam starre ich auf den Monitor und die grün aufleuchtenden Zahlen in der Dunkelheit. Ich kann den Blick nicht davon losreißen. Jedes Mal, wenn die Werte sinken, werde ich stocksteif vor Angst.

3 Uhr
Eben ist die Herzfrequenz des Babys abgefallen. Ich hörte, wie die Töne immer langsamer wurden *(pa——dap, pa——dap)*, und drückte in Panik meinen Klingelknopf. Das rief Andrea auf den Plan, die mir besänftigend zuredete, ich solle mir keine Sorgen machen, sie halte vom Schwesternzimmer aus ein Auge auf meinen Monitor. «Ihre Werte sind nicht optimal, aber auch nicht bedrohlich», sagte sie mit einem leicht irischen Akzent. Dann versprach sie mir noch hoch und heilig, falls die Herzfrequenz zu stark abfallen sollte, würde sie sofort kommen und mir helfen, eine Lage zu finden, in der das Baby sich nicht die Nabelschnur

abdrückt. Aber Andrea erscheint mir ziemlich überlastet. Was, wenn sie sich im entscheidenden Moment gerade um die Frau mit den Drillingen in Zimmer 027 kümmert? Ich habe den Ton lauter gestellt, obwohl Andrea versucht hat, es mir auszureden. Auf diese Weise kann ich die Herzfrequenz überwachen, ohne mich immer zum Monitor herumzudrehen. Ich muss aufpassen, dass meinem Baby nichts zustößt, ich bin schließlich seine Mutter.

22.

Samstag, 4 Uhr morgens
In der Dunkelheit lausche ich seinem Herzschlag. *Pa-dap. Pa-dap. Pa-dap.*

In der Dunkelheit lauscht *er meinem* Herzschlag. *Pa-dap. Pa-dap. Pa-dap.*

23.

10 Uhr
Vor nicht einmal vierundzwanzig Stunden war ich noch zu Hause. Vor sechsunddreißig Stunden war Jeanie noch bei mir. Unglaublich. Es kommt mir vor, als läge ich schon seit mindestens einem Jahrhundert in diesem Krankenhaus. Mein Leben ist auf dieses eine kleine Zimmer zusammengeschrumpft, auf ein schmales Bett mit Metallgestell und einen piepsenden Monitor daneben, auf einen prallen weißen Bauch.

Gegen 8 haben sie mir Frühstück gebracht. Offenbar verliere ich allmählich den Verstand, denn ich bin mit wahrer

Begeisterung über das gummiartige Omelett und die Papptüte mit ultrahocherhitzter Milch hergefallen. Binnen schätzungsweise fünf Minuten war das gesamte Tablett leer geputzt. Ich bin eine sehr hungrige schwangere Frau, mehr habe ich zu meiner Entschuldigung nicht vorzubringen.

Als ich gerade das letzte Krümelchen kalter Bratkartoffel von der Gabel leckte, kam ein junger Assistenzarzt mit rundem, rasiertem Kopf herein und besah sich den Ausdruck des Herztonschreibers. Er zuckte die Achseln. «Gar nicht übel», teilte er mir mit. «Nur eine Phase mit verlangsamter Herzfrequenz, und danach ist der Wert ziemlich schnell wieder in den Normbereich gestiegen. Das erscheint mir recht unbedenklich. Möglicherweise können wir Sie in ein paar Tagen wieder entlassen», fügte er beiläufig hinzu, ehe er verschwand, um nach der Frau mit den Drillingen in Zimmer 027 zu sehen.

Ich starrte ihm mit offenem Mund hinterher. Die ganze Nacht hindurch habe ich mir die grauenhaftesten Dinge ausgemalt – Tod, Hirnschäden, lebenslange Behinderungen –, und jetzt kommt plötzlich einer daher und sagt, vielleicht wird das Baby doch gesund zur Welt kommen! Erleichtert rief ich Tom an, um ihm die frohe Kunde zu übermitteln. Er sagte, er versuche sich gerade für nachmittags eine Stunde freizuschaufeln, um mich zu besuchen. Er schien sehr stolz auf sich zu sein, weil er daran gedacht hatte. («Das ist gar nicht so leicht einzurichten, Q, aber ich habe Phil, dem Seniorpartner, mit dem ich an diesem Immobiliendeal arbeite, erklärt, dass es wirklich wichtig ist!») Ich kann mich nicht von dem Gedanken lösen, dass es das Mindeste ist, was er für mich tun kann. Partner hin und Partner her, ich will jemanden hier haben, der meine Hand hält.

11.30 Uhr

Vor zehn Minuten platzte jemand herein, der sich als «der Dienst habende Oberarzt» vorstellte. Noch ehe ich wusste, wie mir geschah, zeigten meine Knie auch schon zur Zimmerdecke, und ein fremder Mann hantierte da unten mit etwas herum, das aussah wie eine spitze silberne Gabel (und sich auch so anfühlte). Nach fünf extrem unbehaglichen, um nicht zu sagen peinlichen Minuten zog der Mann seine dünnen Latexhandschuhe, die vage sexuelle Assoziationen weckten, von den Händen und verkündete ohne Umschweife, er sei noch nicht überzeugt, dass der Zustand des Babys «unbedenklich» sei. Anders als der fröhliche Assistenzarzt teilt er nämlich Dr. Weinbergs Befürchtung, das Baby könne sich in seinen aktiven Phasen die Nabelschnur abdrücken, weshalb er die Monitorüberwachung fortsetzen will. Ehe er ging, förderte er aus der rechten Tasche seines wichtig aussehenden weißen Kittels noch ein Informationsfaltblatt über Steroidbehandlung zutage. Mir schwante nichts Gutes.

«Wenn wir den Eindruck gewinnen, dass sich das Baby im Mutterleib nicht mehr gesund entwickelt, werden wir die Geburt einleiten, auch wenn die Lunge Ihres Kindes wahrscheinlich noch nicht ganz ausgebildet ist», teilte er mir nüchtern mit. «Durch eine Steroidbehandlung kann man die Lungenentwicklung beschleunigen und so die Überlebenschance des Babys verbessern, aber es wird in jedem Fall noch ein paar Wochen auf der Intensivstation bleiben müssen.» (All das mit der Feinfühligkeit eines Menschen, der über die Notwendigkeit einer minder schweren Zehennagelbehandlung spricht.)

Nachdem er gegangen war, blieb ich einigermaßen verwirrt zurück. All diese unterschiedlichen Einschätzungen verunsichern mich; sieht so aus, als hätte hier jeder seine eigene Auffassung davon, wie es meinem Baby geht. Ehrlich gesagt gelange ich allmählich zu der Überzeugung, dass niemand wirklich weiß, was zum Teufel da drin eigentlich los ist. Warum ist diese Störung überhaupt aufgetreten? («Es gibt eine ganze Reihe möglicher Gründe», hat mich der Oberarzt belehrt. «Aber offen gestanden können wir nur raten.») Werde ich ein gesundes Kind zur Welt bringen? («Auch das lässt sich nicht mit Gewissheit sagen», hat er zugegeben.) Was ist mit meiner Gebärmutter nicht in Ordnung? Wird es bei einer weiteren Schwangerschaft wieder zu den gleichen Komplikationen kommen? («Fragen Sie das besser jemand anderen», hat er ratlos gesagt, bereits auf dem Rückzug in Richtung Tür.)

Eines konnte er mir allerdings sagen: dass mein Sohn, falls sie ihn noch in dieser Woche holen müssen, nicht ganz drei Pfund wiegen wird. Das ist weniger als mein Notebook.

Ich muss jetzt Ruhe bewahren.

Verdammt nochmal, Tom ist immer noch nicht gekommen. In meiner Verzweiflung habe ich meine Mutter angerufen. Was natürlich ein Fehler war.

«Jeanie hat mir von eurem Spaziergang erzählt», sagte sie gehässig. «Q, ich verzweifle noch an dir, wirklich. Wann hörst du nur endlich auf, dich selbst an erste Stelle zu setzen! Wann wirst du einsehen, welche Opfer Eltern für ihre Kinder bringen müssen …»

Das reicht, dachte ich, während sie weiter auf mich einredete. «Und welche Opfer hast *du* denn für *mich* gebracht?», falle ich ihr bitter ins Wort. «Wann genau hast du mich an erste Stelle gesetzt? Als ich sechs wurde und du mir erklärtest, es gäbe dieses Jahr keine Geburtstagsfeier für mich, weil du alle Hände voll zu tun hättest, dich auf ein Meeting mit den Gutachtern in der Bank vorzubereiten? Oder etwa als ich zehn war und du mich vom Ballettunterricht abgemeldet hast, weil du es leid warst, mich immer hinzufahren? Oder vielleicht als ich fünfzehn war und du vergessen hast, zur Endrunde des landesweiten Vorlesewettbewerbs zu kommen, und dann war angeblich deine Sekretärin schuld, weil sie dich nicht daran erinnert hat?»

«Ich habe sehr viele Opfer für dich gebracht», entgegnete sie mit einer Mischung aus Unglauben und Wut in der Stimme. «Ich hatte nun einmal nur einen Terminkalender, und den verwaltete meine Sekretärin. Natürlich war es ihre Schuld, dass ich deinen Wettbewerb vergessen habe, oder denkst du etwa, ich hätte ihn absichtlich verpasst? Ich kann es nicht fassen, dass du mir das *heute noch* vorhältst! Und was den Ballettunterricht angeht – was hätte ich denn tun sollen mit drei Kindern, von denen jedes etwas anderes wollte? Wenn es nicht Ballett war, dann war es Posaune oder meinetwegen Triangel, verdammt, ich konnte es doch nicht allen recht machen, und dein nichtsnutziger Vater hat nie den Führerschein gemacht ...»

«Himmelherrgott», schrie ich ins Telefon, «komm mir nicht mit solchen Ausflüchten! Für deine Sechzehn-Stunden-Tage im Büro hattest du schließlich Zeit, dann wäre wohl auch noch eine Viertelstunde drin gewesen, um mich zum Ballettunterricht zu fahren! Dad konnte nicht Auto fahren, na schön, aber wenigstens war er abends zu Hause und hat uns gebadet! An dem Tag, an dem du meine Geburtstagsfeier hast ausfallen lassen, hat er ganz allein eine Party für mich veranstaltet. Er hat sich als Clown verkleidet, und es gab grünen Wackelpudding und Eis und Törtchen. Das habe ich nie vergessen, es ist eine meiner schönsten

Kindheitserinnerungen. Und bilde dir ja nicht ein, dass *du* in irgendeiner davon die Hauptrolle spielst –»

In diesem Moment verstummte ich – dieser Streit war völlig entgleist. Ich konnte kaum fassen, was ich da gerade gesagt hatte, und ich glaube, meiner Mutter erging es ähnlich. Es blieb eine lange Zeit still in der Leitung.

«June Whitfields Tochter sagt, euer Krankenhaus hat eine hervorragende Entbindungsabteilung, und die Neugeborenen-Intensivstation soll ganz fantastisch sein», sagte sie plötzlich völlig unvermittelt. «Weltberühmt sogar, heißt es», fuhr sie fort, und ihre Stimme klang ein wenig belegt. «Es ist mir wirklich ein großer Trost zu wissen, dass du dort in so guten Händen bist, Q!»

Ich kann gar nicht ausdrücken, wie sehr mich diese Äußerung überraschte. Zum einen hatte ich eigentlich erwartet, auf der Stelle enterbt zu werden, und zum anderen hätte ich niemals damit gerechnet, dass meine Mutter irgendeine New Yorker Einrichtung anders beschreiben würde als a) korrupt oder b) inkompetent. Ich schwieg verblüfft.

Fünf Minuten später fand ich mich in einer überaus freundlichen Unterhaltung mit meiner Mutter wieder. Wir sprachen über mein Baby, über die medizinische Behandlung hier im Krankenhaus und über die Gebärmutter-Operation, der June Whitfields Tochter sich kürzlich unterzogen hatte. Aus unerfindlichen Gründen hatte meine Mutter diesmal einen Rückzieher gemacht. War es möglich, dass sie dieses eine Mal beschlossen hatte, Rücksicht auf meinen Zustand zu nehmen und nicht mit mir zu streiten? War es möglich, dass sie tatsächlich einmal mich und meine Bedürfnisse *an erste Stelle setzte*?

Mitternacht
Tom ist gerade gegangen. Er hat es heute Nachmittag doch nicht geschafft, sich eine Stunde freizunehmen (in letzter Minute bekam er den Auftrag, eine Klausel in dem Immobiliengebot umzuschreiben, wie er mir erklärte), aber um 22.30 Uhr stand er endlich doch an meinem Bett. Er hatte mein Notebook mitgebracht sowie drei große braune Einkaufstüten bis oben hin voll mit Junkfood – Pizza, Chips, Keksen und Kuchen. «Tut mir Leid, Q», rief er, als er ziemlich außer Atem hereingestürmt kam, «aber das hier wird dich ganz bestimmt aufheitern! Ich habe den Supermarkt an der Ecke geplündert. Lauter ungesundes Zeug, kein einziges Vitamin weit und breit.» Eine verlockende Vorstellung, nur dass mir jetzt, nach dreieinhalbtausend Kalorien in Form von Fett und leeren Kohlenhydraten, leider übel ist. Außerdem muss ich pinkeln, fühle mich aber außerstande, mich von dem Monitor abzustöpseln und mich mit meinem Infusionsständer über den kalten Flur zur Toilette zu schleppen. Außerdem habe ich Angst, es könnte etwas passieren, während ich nicht an dem Messgerät hänge – womöglich fällt die Herzfrequenz meines Babys ab, und ich bemerke es nicht.

24.

Sonntag, 4 Uhr morgens
Ich hatte gerade einen Albtraum. Ich habe geträumt, ich läge im Krankenhaus und ich müsste mein Baby zweieinhalb Monate zu früh zur Welt bringen. Als ich schweißgebadet aufwachte, war mein erster Gedanke: Ganz ruhig, Q, das war nur ein Albtraum, du bist zu Hause und in Sicherheit!

Dann hörte ich vom Flur her gedämpfte Geräusche, sah durch den Spalt unter der Tür das grellweiße Licht, spürte die Infusionsnadel in meinem Handgelenk und die Kunststoffplättchen, die fest an meinen Bauch geschnallt sind, und mir dämmerte die grässliche Erkenntnis, dass all das *wirklich* ist.

7 Uhr

Ich fühle mich scheußlich. Ich habe seit zwei Tagen nicht geduscht. Meine Haare sind fettig, mein Gesicht ist klebrig, und ich sehne mich nach einem Kleidungsstück ohne Schlitz auf dem Rücken. Außerdem habe ich es seit Freitag nicht geschafft, meinen BH loszuwerden, weil ich ihn nicht über den Infusionsständer bekomme. Gestern Abend habe ich einen Versuch unternommen. Es ist mir auch gelungen, ihn von den Schultern abzustreifen, über den Infusionsschlauch und den Beutel bis zur Spitze des Ständers zu fädeln und dann über die Stange nach unten, aber sosehr ich es auch versucht habe, ich brachte ihn beim besten Willen nicht über die vier Metallfüße des Ständers. Die Träger weigerten sich beharrlich, sich weit genug zu dehnen. Da hockte ich nun also verzweifelt auf dem gefliesten Badezimmerboden, BH-los, das Krankenhaushemd um die Fußknöchel, und hoffte verzweifelt, der Pfleger (Eddie) möge nicht ausgerechnet in diesem Moment auf die Idee kommen, meinen Blutdruck messen zu wollen.

Etwas Positives gibt es immerhin zu berichten: Dem Baby geht es so weit gut; die Herzfrequenz ist gegen 5 Uhr früh ein wenig abgefallen, aber die meiste Zeit bleibt sie (wie Eddie so schön sagt) «im grünen Bereich».

8 Uhr
Gerade war eine weitere «Dienst habende Oberärztin» hier und hat mir mitgeteilt, dass ich heute Morgen duschen gehen könnte.

Sie überprüfte die Computer-Ausdrucke und schien recht erfreut über die Ergebnisse. Wie sie mir erklärte, hatte Dr. Weinberg befürchtet, die Herzfrequenz des Babys fiele regelmäßig und auf immer tiefere Werte ab, was durch die Überwachung im Krankenhaus bisher jedoch nicht bestätigt wurde. Das Baby scheint also, wenn es sich bewegt, die Nabelschnur nicht allzu stark abzudrücken – gelegentliche Ausrutscher sind anscheinend legitim. Insgesamt sei man daher zu dem Schluss gekommen, der Zustand sei (schon wieder dieses Wort) «eher unbedenklich».

Ich bin sehr erleichtert, auch wenn die Oberärztin nicht ausschließen wollte, dass sie mich für die restliche Dauer der Schwangerschaft im Krankenhaus behalten. Auf diese Weise könnten sie rasch handeln, falls es für das Baby gefährlich werden sollte. Heute Morgen um 10 Uhr findet eine Besprechung statt, bei der über diese Möglichkeit diskutiert wird. Ich bin hin- und hergerissen – einerseits fühle ich mich richtig wichtig (eine ganze Besprechung nur *meinetwegen!* Lauter Weißkittel, die über *mich* reden!), andererseits ärgert es mich, dass diese lästige Spezies Mensch mit Götterkomplex eine Besprechung über mich abhält und ich nicht dabei sein kann. Und Tom natürlich auch nicht.

Etwa zehn Minuten nachdem die Oberärztin wieder gegangen war, rief Dr. Weinberg an. «Werde ich dieses Baby bis zum Geburtstermin austragen?», fragte ich sie. (Diese Krankenhausärzte meinen vielleicht, sie fänden meinen Zustand «unbedenklich», aber ich selbst habe noch eine ganze Menge Bedenken.) «Bis zum Termin? *Oy oy oy*, das bezweifle ich», erwiderte sie und stieß hörbar die Luft aus. «Ich wäre schon vollauf zufrieden, wenn Sie es bis zum Ende der 35. Woche schaffen. So, wie sich die Sache entwickelt hat, wird das Fruchtwasser früher oder später nicht mehr ausreichen, und dann geht es Ihrem Kleinen draußen besser, wenn nötig im Brutkasten. Aber wenn er nach der 35. Woche zur Welt kommt, kann er vielleicht schon selbständig atmen, und ganz bestimmt können Sie ihn stillen. Also versuchen wir, darauf hinzuarbeiten, einverstanden?»

Das ist jetzt also mein neues Ziel. Noch fünf Wochen – fünfunddreißig Tage, achthundertvierzig Stunden. Das ist gar nicht so schrecklich lange. Selbst wenn ich hier bleiben muss und an diesem Monitor hänge, ist es nicht allzu lange.

Ganz plötzlich ist das Baby in einer Weise real, wie ich es noch nie gefühlt habe, nicht einmal als ich es auf Cherises Ultraschallbildschirm mit seinen winzigen Beinchen strampeln sah. Das Geräusch seiner Existenz, seiner Lebendigkeit klingt mir in den Ohren. Wir liegen hier einträchtig beisammen und lauschen jeder dem Herzschlag des anderen. «Liebe zog dich auf, eine dicke goldene Uhr», sage ich zu ihm. Das ist von Sylvia Plath. Eines Tages werde ich dir alles über sie erzählen.

Im Augenblick ist seine Herzfrequenz erfreulich hoch; ich denke, ich kann es riskieren, mich loszustöpseln, um unter die Dusche zu gehen.

9 Uhr

Ich bin sauber, ich bin neu. Nie noch war ich so rein.

Das ist auch von Plath, wobei ich allerdings glaube, bei ihr wurde dieses Gefühl durch etwas anderes ausgelöst als durch eine Flasche Kiwi-Limetten-Shampoo und eine Gratisprobe Pfirsich-Sahne-Conditioner, die Eddie irgendwo im Stationszimmer aufgetrieben hat. Nachdem ich beides ausgiebig über mich verteilt hatte, fühle ich mich jetzt wie ein völlig anderer Mensch (auch wenn ich befürchte, ich rieche eher wie ein großer Obstsalat). Ich habe mein Gesicht mit Feuchtigkeitscreme gepflegt, mir die Haare geföhnt, schwarze Mascara aufgelegt (warum denn nicht) und ein sauberes Krankenhausnachthemd angezogen. Okay, es ist wieder so eins mit Schlitz am Rücken und kitschigem Blumenmuster, aber immerhin hat es gestärkte Rüschen und nicht den Schimmer eines Ketchupflecks (im Bett Pommes frites zu essen ist gar nicht so einfach). Und ich bin endlich diesen lästigen BH los; meine inzwischen mütterlich prallen Brüste hüpfen unter dem Nachthemd wie zwei Seehundbabys in einem Sack.

Mein Kleiner spürt offenbar die Wirkung des letzten Schoko-Cookies, denn er strampelt und tritt, dass sich mein Bauch bei jeder Bewegung ausbeult. Offenbar hat er die gleiche Vorliebe für Cookies wie seine Mutter.

16 Uhr

Tom ist soeben gegangen.

Er war etwa vierzig Minuten lang hier, dann rief einer der Partner aus der Kanzlei an und bestellte ihn sofort wieder ins Büro. Ich verfolgte das Telefonat («Wirklich? Kann das nicht –? Nein, verstehe. Okay. Aber ich meine – okay. Ja. Okay.»), und ich wusste, dass wieder etwas im Busch war, dass da etwas nicht stimmte; immer wieder hat Tom mich verstohlen angesehen und ist meinem Blick dann hastig wieder ausgewichen. Nachdem das Gespräch beendet war, klappte er das Handy zu und erklärte, noch immer ohne mir in die Augen zu sehen, er müsse möglicherweise in ein paar Wochen nach Tucson verreisen, um dort mit einem von Crimpsons größten Klienten den Abschluss einer Reihe neuer Hotelpachtverträge abzuwickeln.

Ich schnappte nach Luft. *Tucson?* Wenn sie mich hier entlassen, wie soll ich dann zu Hause allein zurechtkommen? Und wenn nicht, wie überstehe ich die Zeit hier im Krankenhaus ohne Tom?

Ich traute meinen Ohren nicht. Vage bekam ich mit, dass er vorschlug, seine Mutter könnte ja herkommen und sich um mich kümmern («Ich weiß, das ist keine ideale Lösung, Q, aber sie würde gern mehr Anteil an unserem Leben nehmen, und das wäre doch *die* Gelegenheit ...»), und ich wurde bleich; ausgerechnet *Lucille*, lieber Himmel, meinte er das ernst? Sekundenlang starrte ich ihn wortlos an. Dann verlangte ich, er solle alles versuchen, um diese Reise nach Tucson abzuwenden. Und noch ehe ich recht wusste, was ich sagte, hatte ich ihn auch schon gefragt, ob er wirklich unbedingt zum Partner aufsteigen müsse, ob er nicht vielleicht zu einer kleineren, weniger prestigeträchtigen Kanzlei wechseln wolle, einer, bei der man als Angestellter auch mal freie Wochenenden habe und rechtzeitig Feierabend, um mit seinen Kindern zu Abend zu essen.

Er stand am Fußende meines Bettes und fingerte an der Spitze seiner gestreiften Seidenkrawatte, wie er es immer tut, wenn er sehr angespannt ist. Während meine Worte in sein Bewusstsein drangen, hat er mich eine oder zwei Sekunden lang angesehen. In seinen Augen las ich Niedergeschlagenheit, Wut, Enttäuschung, Frustration – alles zugleich. Noch ehe ich ausmachen konnte, welches Gefühl da die Oberhand hatte, wich er meinem Blick schon wieder aus. Tom hat wunderschöne Augen, blaugrün wie das Meer, und als sie so unvermittelt auf mir ruhten, wurde mir wieder klar, dass ich ihn liebe, heiß und innig. Aber noch während mich diese heftige Gefühlsaufwallung überfiel, quollen auch schon die Worte wie von selbst aus meinem Mund, unaufhaltsam wie ein reißender Strom, und ich erklärte ihm, dass sich etwas verändert hat: Von nun an will ich das Gefühl haben, für ihn an *erster* Stelle zu stehen. Und wenn ich dies alles hier hinter mir habe, wenn das Baby auf der Welt ist, will ich dieses Gefühl immer noch haben können.

«Ich habe es satt, dich kaum zu Gesicht zu bekommen», schleuderte ich ihm entgegen. «Ich habe es satt, dass du mir im Vorbeigehen was zu essen hinwirfst und schon halb wieder zur Tür hinaus bist – ich bin deine Frau, kein Seehund. Soll ich vielleicht den Fisch runterschlingen und Applaus klatschen? Ich habe es satt, unsere Beziehung in die Viertelstunde am Morgen und die Viertelstunde am Abend zu zwängen. Ich will, dass wir wieder Wochenenden gemeinsam verbringen wie früher, als wir uns kennen lernten. Im Central Park spazieren gehen. Uns am Jones Beach in der Sonne braten. Viel zu große Martinis trinken und anschließend bei einem ausgedehnten siebengängigen Dinner im L'Espinasse flirten wie frisch verliebt.»

Nach einer Weile wandte Tom sich ab, trat ans Fenster und blickte über das nachmittägliche Manhattan. Die isolierverglasten Fenster halten den Verkehrslärm ab; hinter diesen Scheiben fühle ich mich von der geschäftigen Außenwelt abgeschirmt. Während sie draußen lautstark vorbeirast, liege ich hier drin in Ruhe und Stille. Bis jetzt habe ich die Ruhe und Stille immer nur als bedrückend empfunden, als deprimierend, als langweilig. Heute wird mir allerdings bewusst, wie angenehm das Gefühl eigentlich ist, hier mit meinem Baby wie in einem schützenden Kokon zu liegen. Natürlich mache ich mir Sorgen, natürlich langweile ich mich, aber mir gefällt es auch, mein Leben nicht in Zeitfenster einteilen zu müssen, in die Fünfzehn-Minuten-Blöcke eines übermächtigen großen, schwarzen, ledergebundenen Tisch-Terminkalenders. Und ich will, dass mein Mann etwas von diesem Gefühl mit mir teilt. Ich will wenigstens ein paar Stunden dieser quälend langen Tage damit zubringen, im gleichen Rhythmus wie er zu atmen und wieder zu lernen, seine Gedanken zu lesen.

Während ich das alles sagte, hörte Tom zu, das Gesicht halb verborgen in den länger werdenden Schatten eines nasskalten Märznachmittags. Ja, räumte er ein, er habe tatsächlich sehr wenig Zeit bei mir im Krankenhaus verbracht. Unvermittelt gestand er, es absichtlich vermieden zu haben, sich länger hier aufzuhalten. Die Sorge für und um mich im vergangenen Monat sei unglaublich zermürbend für ihn gewesen, erklärte er mit matter, angespannter Stimme. Zu wissen, dass ich im Krankenhaus versorgt sei und zu essen bekomme, sei eine Erleichterung, fügte er hinzu, und als er sich wieder zu meinem Bett umwandte, erkannte ich in seinem Gesicht einen Ausdruck abgrundtiefer Erschöpfung. «Es tut mir Leid, Q, ich weiß, dass das alles schwer für dich ist», fuhr er fort. «Aber lieber Himmel, für *mich* ist es nun mal auch schwer, morgens aufzustehen und zur Arbeit zu gehen, als ob nichts wäre, und obendrein noch dich zu versorgen. Was die Sache mit Crimpson betrifft – Q, hör mir zu, ich bin seit *zehn Jahren* hinter diesem Job her. Jetzt stehe ich kurz davor, zum Teilhaber in einer der größten und bedeutendsten Anwaltsfirmen der Stadt aufzusteigen. Es geht hier um mein größtes Lebensziel. Verlange nicht von mir, dass ich das aufgebe, Schatz, bitte …»

Ich starrte ihn an. In meiner Magengrube schien langsam ein Eisklumpen zu schmelzen. Plötzlich ließ Tom sich auf die Bettkante sinken und fasste meine Hand. «Q, ich liebe dich», sagte er ernst zu meinen Fingern. «Ich liebe dich *von ganzem Herzen*, das weißt du. Aber als wir uns für ein Kind entschieden haben, war uns doch klar, dass das alles nicht einfach wird, nicht wahr? Wir haben vereinbart, es gemeinsam irgendwie zu schaffen, weißt du noch? Und um nichts anderes bitte ich dich jetzt. Lass uns tun, was wir uns vor ein paar Monaten vorgenommen haben …»

Vor fünf Minuten haben Mark und Lara angerufen, um ihren Besuch heute Abend anzukündigen. Ich kann die beiden nicht ausstehen, aber wenigstens werden sie mich von all dem hier etwas ablenken.

20 Uhr

Etwas Außerordentliches ist geschehen.

Es hat mit Mark und Lara zu tun und –

Halt, ich will alles der Reihe nach erzählen.

Mark und Lara kamen um 18 Uhr. Lara sah in ihrem unifarbenen Hosenanzug von Chanel unglaublich elegant aus. Bei ihrem bloßen Anblick welkten die Rüschen meines geblümten Krankenhausnachthemds dahin.

«Du weißt ja sicher längst, dass ich schwanger bin», begann sie, ließ sich auf dem Stillsessel neben meinem Bett nieder und streifte ihre hauchzart-rosa Wildlederstiefeletten mit Pfennigabsätzen von den Füßen. «Ende des dritten Monats», setzte sie mit einem ach-so-beiläufigen Blick auf ihren ach-so-flachen, Couture-bedeckten Bauch hinzu. Der selbstzufriedene Ausdruck in ihren Augen entging mir nicht. Als ich so weit war wie sie, konnte ich bereits nichts anderes mehr tragen als Synthetikröcke mit Elastikbund aus dem Supermarkt.

«Ja, ich habe davon gehört», versetzte ich säuerlich. (Was

soll das werden?, dachte ich. Tag des Gehässigkeitsbesuchs bei der Risikoschwangeren im Krankenhaus?)

«Natürlich ist der Zeitpunkt ungünstig», fuhr sie fort, schwang ihre Beine von der Fußstütze des Sessels und setzte einen gewichtig-ernsthaften Ausdruck auf. «Uns ist derzeit wahrhaftig nicht nach Feiern zumute.»

Ich stutzte, ein bisschen peinlich berührt. «Ihr braucht euch von meinem Zustand wirklich nicht – ähm – abhalten zu lassen, ich meine …», begann ich unbeholfen.

Lara ließ ein glockenhelles Lachen vernehmen. «Aber nein, Q», sagte sie belustigt, «ich meine doch nicht *deinetwegen*. Ich meine» (Pause, um gewichtig-ernsthaften Ausdruck wieder aufzusetzen) «wegen meines *Vaters*. Weißt du, sein Zustand ist noch immer sehr kritisch. Ja, meine Familie macht gerade eine schwere Zeit durch. Dieser Besuch hier im Krankenhaus – nun, ehrlich gesagt, das erinnert mich sehr an das ganze Elend. Ich glaube, ich werde mein Kind in einem Geburtshaus zur Welt bringen; ich ertrage dieses Krankenhaus-Karma nicht, nach allem, was ich durchgemacht habe …»

Während sie lebhaft über Gebärzimmer, Doulas und so weiter plauderte, kramte ich angestrengt in meinem Gedächtnis. Ich erinnerte mich vage an ein spätabendliches Telefonat, in dem Mark Tom gefragt hatte, ob er einen Herzspezialisten empfehlen könne (Toms Vater ist Chirurg am Johns Hopkins). Laras Vater hatte soeben einen Herzinfarkt erlitten, und Mark wollte wohl irgendetwas Hilfreiches beitragen.

«Es war ein entsetzlicher Schock für mich», hörte ich Lara sagen. «Seit meine Mutter es mir mitteilte, stehe ich unter Antidepressiva. Mein Arzt sagt, dass die Medikamente das Baby in keiner Weise beeinträchtigen, und das Wichtigste sei, dass ich zur Ruhe komme. Ich finde, er hat Recht, meinst du nicht auch? Schließlich kann ich keine gute Mutter sein, wenn ich nicht eins mit mir selbst bin …»

Mark stand genau dort, wo Tom vorhin gestanden hatte, und starrte aus dem Fenster. Ich bemerkte die lichter werdende Stelle an seinem Hinterkopf, rosa schimmerte zwischen dem schütteren, borstigen Haar die Haut hindurch. Tom behauptet, Mark habe früher sehr gut ausgesehen. Es fällt mir schwer, das zu glauben; so alt sind wir doch schließlich noch nicht, er kann allenfalls in den frühen Dreißigern sein –

Draußen war es bereits völlig dunkel. Aus den Baumwipfeln entlang der Straße beleuchteten weiße Lichterketten das geschäftige Treiben unten auf den Gehwegen.

Lara redete noch immer.

«Wobei, wenn ich ehrlich bin – mal ganz unter uns, so von Frau zu Frau: Wäre die Sache mit meinem Vater nicht passiert, dann würde ich jetzt wohl kein Kind von Mark erwarten. In diesem Fall folgt auf den Regen also tatsächlich ein Sonnenschein. Du weißt schon!» Sie setzte ein widerwärtiges Grinsen auf.

Ich blinzelte. «Wie bitte?», stieß ich verdutzt hervor. «Ich fürchte, ich verstehe nicht –»

Mark stand noch immer schweigend da, die Hände tief in den Taschen seiner Jeans vergraben. Er schien überhaupt nicht zuzuhören. Laras Blick ging kurz zu ihm hinüber, dann lehnte sie sich zu mir herüber.

«Ich meine, das Baby wurde *in derselben Nacht* gezeugt», raunte sie mir mit verschwörerischem Lächeln zu. «In der Nacht, nachdem mein Vater den Herzinfarkt hatte. Ich kann dir sagen, das war eine Nacht – ich hätte nicht gedacht, dass Mark mich von etwas so Furchtbarem ablenken könnte, aber er war so, nun ja, so *fordernd*, das war – mmmmm – das hat mir völlig den Kopf verdreht …»

Und sie begann im Flüsterton allerlei Details ihrer sexuellen Aktivitäten in besagter Nacht zu berichten, sie erwähnte diese Fantasie, die Mark schon so lange hatte, dass er sie in einer roten Samtkorsage in den nächtlichen Straßen von Manhattan auflesen wollte, und wie sie seinem Wunsch in jener Nacht plötzlich nachgegeben hatte …

Es dauerte einige Sekunden, bis die letzten Worte bei mir ankamen. *Eine rote Samt- …* gütiger Himmel! «Ja», fuhr Lara fort, die mein ersticktes Japsen missdeutet hatte, «ich weiß schon, was du jetzt denkst. Ich gestehe gern, dass ich selbst die ganze Sache ziemlich *verdorben* fand, aber nach meinem Visavis mit dem Tod kannte ich keine Hemmungen, und ehrlich, Q, es war der überwältigendste Sex, den wir jemals hatten. Ich sage dir, Mark war in Fahrt …»

«Lara, also ehrlich!», fiel Mark ihr ins Wort; er hatte offenbar gerade erst mitbekommen, welche Wendung unsere Unterhaltung genommen hatte. Wütend stemmte er die Hände in die Hüften. «Was zum Teufel erzählst du denn da?», protestierte er finster.

Lara stieß noch einmal ihr affektiertes Lachen aus, dann lehnte sie sich genüsslich in dem Sessel zurück. «Ach, *Baby*, nun sei doch nicht so schüchtern! Ehre, wem Ehre gebührt.» Dabei schob sie (das ist keine Erfindung von mir!) den kleinen Finger in den Mund und knabberte in einer Weise, die sie selbst vermutlich für teuflisch sexy hielt, an ihrem Fingernagel.

Mark verschränkte energisch die Arme vor der Brust. «Ich kann mir nicht vorstellen, dass Q an Berichten über unser Intimleben interessiert ist, Lara, und mir ist das unendlich peinlich, also lass uns bitte das Thema wechseln, ja?» Seine Körperhaltung verriet, dass er innerlich kochte. Lara zuckte nur die Schultern und warf mir einen amüsierten Blick zu. Ich vermied es geflissentlich, ihr in die Augen zu sehen.

Die beiden blieben noch etwa zehn Minuten, aber ich erinnere mich an kein Wort von dem, was in dieser Zeit gesprochen wurde. Sätze wiederholten sich endlos in meinem Kopf. Sätze, die ich beim ersten Hören selbstverständlich als Klischee abgetan hatte, die nun jedoch ganz plötzlich einen Bezug zur Wahrheit bekamen: «Meine Frau nimmt Antidepressiva …» «Sie ziert sich immer so …» «Nachdem ihr Vater den Herzinfarkt hatte …» «Ich muss um der Kinder willen bei ihr bleiben …» Und dann diese Geschichte mit der roten Samtkorsage, die der armen Brianna solche Seelennöte bereitet hatte!

Kein Zweifel: *Mark ist Briannas VM!* Die beiden müssen sich kennen gelernt haben, als Brianna im Büro des Assistant US Attorney in Manhattan gearbeitet hat. Der Gedanke ist mir noch nie gekommen, aber wenn ich es mir recht überlege, müssen die beiden zur selben Zeit im selben Büro angestellt gewesen sein – und Brianna *hatte* mir erzählt, ihr Lover sei ein Jurist mit einem auffallenden Mangel an sozialem Gewissen …

Wenn mein Verdacht zutrifft, wette ich, dass Mark die Affäre nicht allein wegen der Schwangerschaft abgebrochen hat, sondern auch, weil Lara plötzlich ihre Haltung gegenüber seinen kleinen Sex-Fantasien geändert hat. Die arme Brianna muss auf einmal ziemlich lahm gewirkt haben neben einer Lara in Samt und Zobel. Welcher Mann will schon eine Geliebte, die sexuell zurückhaltender ist als seine Frau?

Und jetzt? Soll ich Brianna anrufen und ihr eröffnen, was

ich gerade entdeckt habe? Soll ich Mark zur Rede stellen? Oder soll ich Lara alles erzählen? Letztere Option bitte streichen, ich habe nicht die Absicht, Mark und Brianna an Lara zu verraten. Brianna nicht, weil wir befreundet sind, Mark nicht, weil ich mich außerstande sehe, ihm einen Vorwurf daraus zu machen, dass er dieser Zimtzicke mit dem flachen Bauch und dem knackigen Hintern untreu war. Es ist wirklich eine Ironie des Schicksals; ich habe Brianna für die dämlichste Mätresse der Welt gehalten, weil sie Sätze wie «meine Frau versteht mich nicht» geschluckt hat, aber nach dem, was ich heute erfahren habe, bin ich gar nicht mehr so sicher, ob all das nicht haargenau der Wahrheit entspricht!

Tom versucht mich schon seit Jahren davon zu überzeugen, dass Marks zwanghafter Drang, unglücklichen armen Würstchen mit zwei Gramm Crack in der Hosentasche das Leben noch schwerer zu machen, eigentlich völlig seinem Charakter zuwiderläuft. Als Jurastudent an der NYU hat er sich sogar außerordentlich für Menschenrechte engagiert; seine Metamorphose in einen verbohrten stellvertretenden Staatsanwalt begann erst nach der Hochzeit mit Lara. Früher hatte Mark seinen Ehrgeiz darauf gerichtet, wieder zurück in seine Heimatstadt im ländlichen Kalifornien zu ziehen, eine eigene Kanzlei zu eröffnen und armen Bürgern rechtlichen Beistand zu leisten, notfalls gegen Bezahlung in Naturalien. Aber davon wollte Lara nichts wissen. Sie dachte nicht daran, Manhattan zu verlassen, und ohnehin hat sie wenig für Drogengeschädigte übrig («die sollen sich gefälligst mal zusammenreißen und lernen, richtig Sport zu treiben, das ist *meine* Art, high zu werden»). Mit den Jahren scheint Mark sich ihr angepasst zu haben, wobei Tom jedoch immer fand, in seiner Verwandlung in die Sorte

Mensch, die er früher verachtet hätte, läge etwas, das verdächtig wie Selbsthass aussah.

Toms Menschenkenntnis ist mitunter beeindruckend.

Tom – Tom. Ich habe seit fast drei Stunden nicht mehr an ihn gedacht. Die Eheprobleme zwischen Lara und Mark haben mir ein heimliches Vergnügen verschafft, ich habe mich (wenn ich ehrlich bin) ziemlich überlegen gefühlt, weil *mein* Mann nicht irgendetwas hinter meinem Rücken anfängt. Jetzt wird mir plötzlich bewusst, dass das in gewisser Weise *doch* der Fall ist. Wenn ich mir ansehe, wie wenig Zeit und Aufmerksamkeit er momentan für mich aufbringt, könnte er ebenso gut eine Affäre haben. Seine Arbeit ist für ihn offenbar das Wichtigste, vor mir, vor dem Baby.

25.

Montag, 3 Uhr morgens

Bin elend müde, kann aber nicht schlafen. Ich habe gestern Nachmittag viel über Tom und unser Gespräch nachgedacht. Vielleicht bin ich ungerecht. Es stimmt schon: Als wir uns für ein Kind entschieden haben, war uns bewusst, dass wir uns damit eine Menge aufbürden. Mir ist auch immer klar gewesen, dass Tom ungemein ehrgeizig ist. Genau genommen war das sogar eine jener Eigenschaften an ihm, in die ich mich verliebt habe. Schon an dem Tag, an dem wir uns kennen lernten, hat er mir erzählt, dass er es bei Crimpson bis zum Teilhaber bringen wollte; das war vor vier Jahren an einem warmen Sonntagnachmittag im Frühherbst (so einem Nachmittag, der einem lange im Gedächtnis bleibt, wenn einem die Hitze von den Gehwegen bis zu den Knien hinaufkriecht wie die Zunge eines Löwen, während der Atem eines Eisbären einem durch die Haare fährt). Er *bemüht* sich auch, zum Abendessen bei mir zu sein, selbst wenn er anschließend noch einmal ins Büro muss. Er widmet mir alle Zeit, die er hat; was kann ich noch mehr verlangen?

Und ich weiß, dass er ständig an mich denkt und sich Sorgen macht. Sein Gesicht wird ganz angestrengt, wann immer er sieht, wie ich versuche, mich zu beschäftigen – mit nichts als einem Notebook, ein paar zerfledderten Zeitschriften und einem Teller Essen zur Ablenkung. «Ich wünschte, ich könnte dir das abnehmen», hat er einmal mit leiser, brüchiger Stimme zu mir gesagt. «Ich wünschte, ich könnte das Baby für dich austragen.» Manchmal denkt er sich auch Nettigkeiten und kleine Überraschungen aus, um mich aufzuheitern. Einmal, als er abends besonders lange arbeiten musste, ließ er mir per Kurier einen Strauß gigantischer asiatischer Lilien nach Hause bringen, zarte, weißgoldene Sterne mit leuchtend roten Staubgefäßen. Ein anderes Mal hat er mir eine Schachtel saftiger, schokoladiger Brownies geschickt; «Etwas Süßes für meine Süße» stand in seiner krakeligen Juristenhandschrift auf der Karte.

Männer wie ihn trifft man nicht alle Tage, wirklich nicht.

3.30 Uhr

Aber man muss auch praktisch denken. Wir werden ein Kind haben. Soll ich mich allein um das Baby kümmern, wenn es mitten in der Nacht weinend aufwacht und Tom noch arbeitet?

4 Uhr
Ich mache mir vorschnell Sorgen; natürlich *gibt* es eine völlig praktikable Lösung. Zunächst einmal gehe ich nach der Geburt ohnehin nicht gleich wieder arbeiten, also ist es nur recht und billig, dass ich in der ersten Zeit das Baby versorge. Später werden wir dann für tagsüber eine Betreuung organisieren, und nachts sollte der Kleine bis dahin bereits durchschlafen. Damit wäre alles geregelt.

Wir werden eben Kompromisse eingehen müssen, Toms Bedürfnisse und meine gegeneinander abwägen. (Wird das nicht permanent in Zeitschriften und Talkshows gepredigt? Kompromissbereitschaft und Kommunikation, dann lösen sich alle Probleme wie von selbst.) Ich werde von ihm verlangen, abends mit unserem Sohn gemeinsam zu essen, den Rest kann er entscheiden.

4.15 Uhr
Die Sache hat nur einen Haken: Laut meinen Freundinnen ist Durchschlafen für Eltern wie der Heilige Gral. Es kann durchaus sein, dass ich keine ruhige Nacht haben werde, bis das Kind ein Jahr alt ist. Wenn Tom mit seinen Arbeitszeiten nicht kürzer tritt und seinen Anteil an nächtlichen Verpflichtungen übernimmt, sobald ich wieder arbeite, wird das Ganze damit enden, dass ich eines Morgens auf dem Weg zu Schuster vor lauter Übermüdung unter eine Straßenkehrmaschine gerate.

Und was das gemeinsame Abendessen betrifft – das wird wohl nur klappen, wenn unser Kleiner seine Spaghetti gern um Mitternacht isst. Tom *sagt* zwar immer, er käme in einer halben Stunde, aber dann läuft er doch wieder Phil oder Ed oder Ian über den Weg, und aus der halben Stunde werden drei. So sieht unsere Realität nun einmal aus. Im Übrigen ist mir nicht klar, wie *ich* es jemals zur Teilhaberin bringen soll, wenn neunzig Prozent der Arbeit mit dem Kind an mir hängen bleiben. Bei Schuster geht es zwar nicht ganz so heftig zu wie bei Crimpson – man steht nicht ständig derart unter Hochdruck, es ist eine weniger elitäre Firma –, aber wenn man seine Überstunden ernsthaft reduziert, wenn man, wie Brianna Fay einmal verächtlich sagen hörte, die «Mummy-Schiene» fährt, bekommt man irgendwann auf rätselhafte Weise nur noch die langweiligsten, obskursten Fälle der Kanzlei zugeteilt. Wenn ich es bei Schuster zu etwas bringen will, wenn ich echte Befriedigung aus meiner Arbeit ziehen will, werde ich mich wieder beinahe so sehr ins Zeug legen müssen wie vor meiner Verbannung aufs Sofa.

Unter den Teilhaberinnen meiner Kanzlei gibt es nur eine, die Mutter ist, und die hat eine Vollzeit-Nanny. Die Kinder zum Fußballtraining bringen? Keine Chance. Sie bestellt ihnen ein Taxi.

4.30 Uhr

Wenn man sich einmal ansieht, was für ein Leben wir führen, sind wir doch im Grunde beide als Eltern völlig ungeeignet. Wir haben einfach keine Zeit, ein Kind großzuziehen. Was in aller Welt haben wir uns nur gedacht? Warum haben wir uns auf so etwas eingelassen? War es nur dieser lange, beängstigende Artikel über die Risiken einer späten Schwangerschaft, den Toms Mutter uns geschickt hat? War es die Tatsache, dass ich jedes Mal, wenn ich an einem Geschäft mit Babysachen vorbeikam, einen Kloß im Hals hatte (diese niedlichen winzigen Strampelanzüge …)? Oder war es dieses unterschwellige Gefühl, das sich wie von selbst einschleicht, wenn man verheiratet ist und auf die Dreißig zugeht – das Gefühl, jetzt wird es allmählich Zeit?

Inzwischen bin ich zu der Überzeugung gelangt, dass wir besser noch gewartet hätten. Bei unseren Lebensgewohnheiten, unseren Verpflichtungen, unseren beruflichen Ambitionen drängt sich mir die Frage auf: Wie um alles in der Welt sollen wir einem Kind gerecht werden?

26.

15 Uhr
Heute ist ein freundlicher, sonniger Tag; der Himmel ist klar, wolkenlos, unendlich blau. Von hier aus betrachtet, durch dreifachverglaste Fenster, könnte man beinahe denken, es sei Sommer – lässt man die dürren, kahlen Bäume am Straßenrand, das blasse, gräuliche Licht, die in Pelzmänteln und Daunenjacken vermummten Fußgänger außer Acht. Aber der Himmel hat tatsächlich etwas Frühlingshaftes – das Blau ist tiefer, intensiver, als es zu Beginn meiner Bettruhe war, letzten Monat, im Februar.

Eine Krankenschwester namens Jamala hat mir soeben mitgeteilt, die Ärzte hätten beschlossen, mich nun doch nach Hause zu entlassen, da die Herzfrequenz in den letzten vierundzwanzig Stunden nicht nennenswert abgefallen sei. Für die restliche Dauer der Schwangerschaft werde ich ambulant betreut.

Ich weiß nicht recht, ob ich erleichtert sein soll oder nicht. Mich beängstigt noch immer die Vorstellung, es könnte etwas schief laufen und ich würde es nicht bemerken. Andererseits fühle ich mich hier drin der Geburt schon gefährlich nahe. Solange ich in einem schmalen Krankenhausbett liege, bin ich ein Problem, das es zu lösen gilt; das Personal beäugt mich prüfend, quasi stündlich wird darüber diskutiert, ob *jetzt* der richtige Zeitpunkt sei, Maßnahmen zu ergreifen, die Geburt einzuleiten, das Kind zu holen.

Als ich ungefähr sechs war, hatten wir eine Katze namens Mirror, die eines frühen Sommermorgens plötzlich spurlos verschwunden war. Ich fand sie ein paar Tage später eingerollt in einer dunklen Ecke in der Garage, einen Wurf getigerter Kätzchen unter dem runden, rosigen Bauch. Jetzt fühle ich mich so, wie Mirror sich damals gefühlt haben muss: Ich würde mich am liebsten verkriechen, mir ein ruhiges Plätzchen suchen und ein Nest für mein Kind bauen.

Ob es nun der richtige Zeitpunkt ist, ein Kind in die Welt zu setzen, sei jetzt mal dahingestellt, aber mir ist in den letzten paar Tagen deutlich bewusst geworden, wie sehr ich es mir wünsche. Ich sehne mich danach, meinen Kleinen im Arm zu halten, sein Gewicht zu spüren und seine Wärme.

Beim Mittagessen habe ich meine Tagebucheinträge von letzter Nacht noch einmal durchgelesen; ich bin wirklich furchtbar aufgewühlt gewesen, mit Magenkrämpfen vor Angst und Frustration. «In der Stunde vor Tagesanbruch sieht alles schlimmer aus, als es ist», hat Mummy immer zu mir gesagt, wenn ich nachts nicht schlafen konnte, weil mich meine Teenager-Seelennöte gerade besonders schlimm plagten. Aber das hier war nicht bloß ein Hirngespinst, ein nächtlicher Albtraum; wenn ich hier wieder draußen bin, werden Tom und ich ein ernstes Gespräch führen müssen. Hand aufs Herz: Die Kluft zwischen uns wird *größer*.

16 Uhr

Das Baby tritt im Augenblick besonders heftig, beinahe als wollte der Kleine mich wissen lassen, dass es ihm gut geht. Und gerade eben hatte er einen gewaltigen Schluckauf, was – wie meine neue beste Freundin Jamala lächelnd bemerkte, während sie mein mit einem Schutzbezug aus Kunststoff versehenes Kissen aufschüttelte – ein hervorragendes Zeichen für «fetales Wohlergehen» ist. Während die Oberärztin meinen Entlassungsschein unterschrieb, sagte sie, das Baby werde zwar voraussichtlich eine Frühgeburt werden, sie seien jedoch mittlerweile sehr zuversichtlich, dass es gesund zur Welt kommt. Das beruhigte mich sehr – so sehr, dass ich Jamala sogar gestattete, den Monitor abzuschalten. Stille breitet sich im Zimmer aus. Warm und sonnendurchflutet, ist es ein äußerst friedvoller Ort.

21 Uhr
Ich schreibe dies auf *meinem* gelben Liberty Print Sofa, unter *meiner* blaugrau gemusterten Decke, in *meinem* gelb gestrichenen Wohnzimmer, hinter *meiner* Wohnungstür. Wahrscheinlich werde ich mich in den nächsten fünf Wochen nicht von hier fortbewegen. Aber wenigstens bin ich zu Hause.

27.

Dienstag, gegen Mittag
Mrs. Gianopoulou ist vorhin vorbeigekommen und hat mir deftige Würstchen, selbst gebackenes Brot und rote Peperonipaste zum Mittagessen mitgebracht. Während ich diese Zeilen tippe, zieht der Duft des noch warmen Brotes durch die Wohnung und mischt sich köstlich mit der frischen, sonnigen Luft, die durch das offene Fenster gegenüber meinem Sofa hereinströmt.

Sobald ich Mrs. G. vor der Tür stehen sah, fiel mir mein Versprechen wieder ein, für sie einen Brief an die Immobilienfirma zu verfassen. Mist. Das hatte ich über der Krise am vergangenen Wochenende völlig vergessen. Als ich mich für mein Versäumnis entschuldigen wollte, winkte Mrs. G. nur ab. Bitte, bitte, sagte sie. Kein Problem. Baby ist wichtiger. Ich versprach ihr aber, das Schreiben gleich heute Nachmittag aufzusetzen, und wir vereinbarten, dass sie und Alexis morgen Abend vorbeikommen, um es gemeinsam durchzugehen. Prima, dachte ich, wenigstens fällt bei der Sache ein bisschen Augenschmaus für mich ab. Ich bin gespannt, ob er wieder diese enge schwarze Jeans tragen wird.

Später rief Brianna an und entschuldigte sich dafür, dass sie mich nicht im Krankenhaus besucht hatte (ich hatte mich schon gefragt, was mit ihr los sein könnte – es sah ihr absolut nicht ähnlich, so gar nichts von sich hören zu lassen). Wie ich erfuhr, ist ihre Großmutter krank geworden. Brianna ist übers Wochenende hingefahren, um nach der alten Dame zu sehen. Ich glaube, es hat ihr gut getan, für ein paar Tage aus der Stadt herauszukommen. Sie wirkt ruhiger, ausgeglichener, scheint Mark nicht mehr so furchtbar nachzutrauern – beziehungsweise «dem VM», wie wir ihn unter uns weiterhin nennen (ich habe ihr noch nicht verraten, dass ich inzwischen weiß, um wen es sich handelt). Dass Bri die Trennung von Mark allmählich überwindet, könnte allerdings auch daran liegen, dass sie ein Auge auf Alexis geworfen hat. Jedenfalls erkundigte sie sich während des Telefonats – natürlich ganz beiläufig – danach, ob mein «umwerfend scharf aussehender Nachbar» eigentlich häufiger zu Besuch kommt. Zufällig wird er morgen Abend hier sein, erwiderte ich, um einen Brief abzuholen, den ich für ihn und seine Tante aufgesetzt habe. «Ach, tatsächlich», sagte sie. «Ja, tatsächlich», sagte ich. «A-*ha*», erwiderte sie bedeutungsschwanger.

Vor einer halben Stunde kam dann noch ein Anruf von Alison, die verkündete, sie wolle mich besuchen kommen. Das glaube ich allerdings erst, wenn sie vor mir steht, denn im nächsten Atemzug berichtete sie, Gregory stehe kurz vor einer Beförderung und intensiviere derzeit den persönlichen Kontakt zu seinem Chef. Demnächst steht ein gemeinsames Golf-Wochenende mit «Alan und Sue» auf dem Programm, und diesen Samstag gibt Alison für die beiden eine kleine Dinnerparty, ganz privat im kleinen Kreis, in der Wohnung in Pimlico (mit Catering von Fortnum's). Ich kann mir nicht vorstellen, dass sie sich irgendwann in absehbarer Zeit aus dem Dunstkreis des Alan «Ich-bin-mit-einem-Duke-verschwägert» Atkins entfernt. Ich bin ihm einmal bei einer von Alisons Ausstellungen begegnet und fand ihn durch und durch abstoßend. Er ist der typische Londoner Banker: Eliteschul-Absolvent, feist, rotgesichtig, und wenn er mit jungen Frauen spricht, geht er ein bisschen zu sehr auf Tuchfühlung. Sue scheint ebenfalls einem vertrauten Klischee entsprungen: hager und kantig, ergrauendes, krauses Haar, hektische Sprechweise und eine merkwürdige Schwäche für Laura Ashley. Greg ist auf dem besten Weg dazu, in zwanzig Jahren ein Alan zu werden, Alison jedoch wird sich – Gott sei Dank – kaum jemals in Sue verwandeln. Ich frage mich, wie sich dieser Umstand auf die Ehe der beiden auswirken wird.

15 Uhr

Fay, die Seniorpartnerin bei Schuster, der ich unterstellt bin, war hier zu Besuch! Höchst außergewöhnlich. Sie hat sich tatsächlich die Zeit genommen, um zum Lunch vorbeizukommen, und – was ich wirklich originell von ihr fand – einen Laib Sauerteigbrot mitgebracht sowie drei Gläser

«Delikatess-Konfitüre» von Balducci («La famille Honoré Saint-Juste stellt seit sechs Generationen feinste Konfitüren her … Jede einzelne Beere wird von Hubert Honoré Saint-Juste persönlich, dem letzten Nachfahren des in der Haute Provence ansässigen Geschlechts der Saint-Justes, einer strengen Qualitätsprüfung unterzogen …»). Ich habe mich bereits halb durch das Glas mit Schwarzkirschen gearbeitet und den Vorrat an Miel Noisette auch schon deutlich dezimiert.

Das Außergewöhnlichste an diesem außergewöhnlichen Besuch war jedoch die Tatsache, dass Fay – die sonst so zugeknöpfte, reservierte Fay – mir ihre privaten Seelenqualen enthüllte. Ihre Exfreundin Julia ist kürzlich wieder in die Stadt gezogen, nachdem sie mehrere Jahre lang als Kamerafrau bei einer Sitcom in Los Angeles gearbeitet hat. Nun geht sie offenbar davon aus, sie könne ihre Beziehung wieder aufnehmen. Fay gestand mir in einem verblüffenden Anfall von Mitteilsamkeit, sie habe fast zwei Jahre gebraucht, um über die Trennung hinwegzukommen. Jetzt hat sie es wirklich nicht eilig, einer Frau um den Hals zu fallen, die, so begehrenswert sie auch sein mag, keinen Hehl daraus macht, dass sie postwendend wieder nach L. A. verschwinden würde, sobald dort ein neuer Job winken würde.

Es ist eigenartig, wie viele Menschen sich einer Frau anvertrauen, die das Bett hüten muss. Brianna, Lara, Fay, in gewisser Weise sogar Mrs. G. scheinen das Bedürfnis zu empfinden, der ans Bett gefesselten Q ihr Herz auszuschütten. Vielleicht denken sie, ich hätte ohnehin nichts Besseres zu tun; vielleicht weckt eine Schwangere in düsterer Abgeschiedenheit auch tiefe Erinnerungen an weise Frauen und mystische Seherinnen.

Wie es der Zufall will, fühle ich mich heute ganz besonders weise. Während ich mir anhörte, welches Unrecht Julia Fay angetan hatte, fiel mir ein, dass Paola, eine Schulfreundin von Tom, sich kürzlich ebenfalls von ihrer Freundin getrennt hat. Sie wäre die ideale Partie für Fay: Beide lieben die Oper (was ich nie von Fay gedacht hätte, aber gerade hat sie erwähnt, sie habe Karten für La Forza Del Sowieso am Samstag in der Met). *Und* beide halten Perserkatzen (bäh), *und* beide waren unlängst in Peru. Wir haben einen Tontopf von irgendeinem Künstler aus den Anden auf der Fensterbank stehen, ein Mitbringsel von Paola. Ich lenkte geschickt Fays Aufmerksamkeit darauf, kam wie beiläufig auf Paola zu sprechen und erwähnte, dass sie letzten Sommer über die Inkaroute nach Machu Picchu gereist ist. Fays Augen begannen zu leuchten; ich sehe, wie sie danach lechzt, sich mit jemandem über die Flora und Fauna des Amazonasbeckens austauschen zu können. Ich machte ein angemessen orakelhaftes Gesicht und deutete an, dass Paola uns möglicherweise in der nächsten oder übernächsten Woche besuchen wird. Es ist eigentlich mal an der Zeit, eine kleine Party zu veranstalten. Ich werde von meiner Couch aus darüber regieren wie eine Königin. «Rauschende Partys veranstalten» und «einsame, alleinstehende Freundinnen verkuppeln» sind zwei Punkte auf der Liste *Was die Frau von heute vor dreißig erledigen sollte*, die man unbedingt abgehakt haben muss.

28.

Mittwoch, 8.30 Uhr

Um 3 Uhr früh bin ich schweißgebadet und völlig panisch aus dem Schlaf hochgeschreckt. Mir ist gerade etwas bewusst geworden: In fünf Wochen werde ich ein Baby zur Welt bringen. Nicht in zehn Wochen, wie geplant, sondern in fünf. Und ich habe kein Bett, in dem es schlafen kann. Ich habe keine Wippe, in der es liegen kann. Ich habe nicht einmal – Augenblick mal, was brauchen Babys eigentlich sonst noch? Und wo soll es spielen – brauchen Neugeborene wirklich diese hässlichen, grellbunten Matten, auf denen sich die Babys meiner Freundinnen räkeln wie winzige, auf den Rücken gefallene Käfer? Werde ich meinem Kind wichtige sensorische Eindrücke vorenthalten, wenn ich nicht vom Tag der Geburt an Lamaze-Greifwürfel bereithalte?

Als ich erfuhr, dass ich schwanger bin, habe ich sämtliche Angebote, eine so genannte «Baby-Shower» für mich zu veranstalten, kategorisch abgelehnt. «Das ist bei uns in England nicht üblich», sagte ich und winkte so hochmütig ab, dass meine amerikanischen Freundinnen und Kolleginnen betreten schwiegen; *ganz und gar nicht* üblich.

Mir scheint, das könnte ein Fehler gewesen sein.

9 Uhr

Ich habe Rettung im Internet gesucht. Unter babyfocus.com findet man eine Auflistung der kompletten Erstausstattung, die man für ein Neugeborenes benötigt. Die Liste ist in Kategorien unterteilt. Ich kann mir kaum all die unterschiedlichen Kategorien merken, geschweige denn die einzelnen

Artikel *innerhalb* der Kategorien. Eines steht jedoch fest: Wir haben *keinen einzigen* der Ausstattungsgegenstände aus *irgendeiner* dieser Kategorien. Nada. Nil. Zip. Zero. Zeit zu handeln, Q. Ich kann zwar nicht shoppen gehen, aber wir leben schließlich im einundzwanzigsten Jahrhundert, einer schönen neuen Welt: Alles, was ich brauche, ist nur einen Mausklick weit entfernt. Ich kann übers Internet einkaufen und mir die Sachen bis ins Haus liefern lassen. Schon bald werde ich bestens gerüstet sein. Wenigstens in materieller Hinsicht.

10 Uhr

Wäre die Lage nicht so angespannt, dann wäre ich jetzt überwältigt. Ich wäre sprachlos angesichts der Unterschiede zwischen Stubenwagen, Moseskörbchen, Wiege, Gitterbettchen und Krippe (wobei erschwerend hinzukommt, dass die meisten dieser Gegenstände in England anders bezeichnet werden). Ich würde in Panik geraten über die Feinheiten der Matratzenbeschaffenheit und die Verantwortung, jenes Schreckgespenst namens plötzlicher Kindstod fern zu halten. Das unüberschaubare Sortiment an Kinderwagen hätte mich in heillose Verwirrung gestürzt, ganz zu schweigen von der Wichtigkeit schwenk- und feststellbarer Vorderräder und den jeweiligen Vorzügen von 3- beziehungsweise 5-Punkt-Sicherungsgurten. Aber ich habe keine Zeit für Überwältigung, Panik oder Verwirrung, und so reagiere ich gefasst und mit kühlem Kopf auf die unermessliche Auswahl an Babyausstattung.

Ich werde das Problem Schritt für Schritt bewältigen. Jeden Tag nehme ich mir eine Kategorie vor. Die heutige Babyausstattungs-Kategorie lautet «Windeln» – amerikanisch «diapers», während wir sie in England «nappies» nennen, was ich für eine wesentlich freundlichere Bezeichnung halte. Bei dem Wort «nappy» denke ich an weichen, weißen, kuscheligen Stoff. «Diaper» hingegen klingt nach etwas, das eher in einen Werkzeugkasten als ins Kinderzimmer gehört. Was immer man sonst noch kauft oder nicht kauft, Windeln – *nappies* – sind zweifellos ein Muss, sodass es mir ratsam erscheint, damit anzufangen.

13 Uhr

Aber wie sich herausstellt, birgt der Erwerb von Wickelutensilien unerwartete Tücken.

Ich hatte gerade eine geschlagene Stunde damit zugebracht, mir bei diversen Anbietern Wickeltische in unterschiedlichsten Ausführungen anzusehen, als ich entdeckte, dass es auch Kommoden mit einem «Wickelaufsatz» darauf zu kaufen gibt. Das erscheint mir vernünftig, insbesondere für unser beengtes Upper-East-Side-Apartment. Die nächste Stunde habe ich logischerweise der Suche nach Kommoden mit Wickelaufsätzen gewidmet, nur um herauszufinden, dass es auch Kombinationen aus Gitterbett *und* Kommode mit passendem Wickelaufsatz gibt. Zusätzlich zu Wickeltischen und -kommoden suche ich nun also auch nach Gitterbettchen, wodurch meine Kategorien völlig durcheinander geraten – ich suche jetzt plötzlich nach Dingen, die eigentlich für Freitag und Samstag eingeplant waren, dabei ist heute erst Mittwoch –, und ich komme endgültig ins Schleudern, weil Bettchen allerlei Sicherheitsanforderungen erfüllen müssen und ich nicht weiß, ob diese Kombi-Angebote genauso sicherheitsbewusst konstruiert sind wie die Einzelartikel. Dabei wollte ich doch heute eigentlich nur eine Vorratspackung Pampers und eine Tube Hautcreme kaufen …

Und auch die Entscheidung bezüglich der Vorratspackung Pampers fällt nicht so leicht, wie ich es mir vorgestellt hatte, den es gibt da allerlei unterschiedliche Modelle und Größen und Qualitätsklassen, und überhaupt, brauche ich eigentlich Markenwindeln? Oder werde ich hier in Versuchung geführt, viel Geld für einen teuren Namen auszugeben, obwohl die No-Name-Produkte ebenso gut sind? Was wiederum die Hautcreme betrifft – brauche ich Pflegeöl oder Hautberuhigungscreme, und wenn ich schon dabei bin, soll ich nicht gleich das Zwei-zum-Preis-von-einem-Angebot bei allamummyneeds.com nutzen und eine Tube Lanolin gegen wunde Brustwarzen kaufen? Aber die Kategorie «Stillen» steht für nächsten Montag auf dem Plan, und im Augenblick habe ich keine Ahnung, was Lanolin eigentlich ist und ob ich es brauche. Ich bin völlig erschöpft. Es war einmal eine Zeit, da nähte man, wenn man ein Kind erwartete, einfach ein paar Baumwollhemdchen und holte die Familienwiege vom Dachboden. Heutzutage ist das Leben so viel komplizierter. Wenn ich weiter in diesem Tempo vorankomme, werde ich kaum rechtzeitig zur Geburt meines Sohnes alles beisammen haben. Mir scheint, es ist ein wahres Glück, dass ich nicht aufstehen darf.

29.

Donnerstag, 19 Uhr
Windeln, Teil II

- 1 Packung Einwegwindeln für Neugeborene, 1 Packung Einwegwindeln in der Größe «Mini» ☑
- 1 Spezial-Windelschlucker mit bequemer Einhandbedienung ☑
- 4 Spezial-Windelschlucker-Beutel-Nachfüllkassetten ☑
- 4 Packungen Öltücher, unparfümiert ☑
- 2 Tuben vitaminangereicherte Hautlotion ☑
- 1 Dose Wundschutzcreme ☑
- 1 Wickelauflage, ergonomisch geformt ☑
- 4 Wickelauflagen-Bezüge (Stretch-Frotté, marineblau) ☑
- 1 Wickeltisch-Aufbewahrungs-Kombi mit Schubladenordnungssystem aus Stoff ☑

GESAMTSUMME: $ 304,98

30.

Freitag, 20.15 Uhr
Alexis und Mrs. G. waren eben hier, um den Brief an Randalls zu lesen, den ich für sie geschrieben habe. Ich sonne mich im warmen Schein ihrer Dankbarkeit. Für die Mutterrolle mag ich unzureichend gerüstet sein, aber wenigstens bin ich imstande, einen Brief zu verfassen, der Dschingis Khan das Fürchten lehren könnte. Alexis lächelte mir unter seinem dunkelgoldenen Haarschopf mit bewunderndem Blick zu; Mrs. G. betrachtete mich mit einem Ausdruck mütterlichen Stolzes. Ehrlich gesagt

weiß ich nicht, was von beidem mich glücklicher machte.

Brianna glänzte durch Abwesenheit, was mich überraschte – sie wird doch nicht wieder in ihre Sehnsucht nach Mark zurückverfallen sein? Ich will es nicht hoffen. Wenn sie sich Alexis durch die Lappen gehen lässt, ist ihr wirklich nicht mehr zu helfen. Mag ja sein, dass er ein paar Zentimeter kleiner ist als ich, aber wenn ich nicht eine verheiratete Frau mit einem gewaltigen Babybauch wäre, würde ich schon längst sonnengereifte Erdbeeren aus seinem Bauchnabel essen.

31.

Montag, 9 Uhr

Ich habe gerade den Status meiner Paketsendungen überprüft, und laut fedex.com bin ich voraussichtlich am Mittwoch im Besitz von:

- 1 Moseskörbchen mit Birkenholzrahmen und batteriebetriebenem Mobile mit Spieluhr,
- 1 Gitterbett mit 4 Baumwolllaken, 1 Kopfschutz mit Märchenmotiven und 3 passenden Decken,
- 1 Stillsessel,
- 1 Stillsessel-Fußhocker (45 Dollar extra, aber was soll's),
- 1 Wickeltisch-Kommoden-Kombi.

Das Windelzeug wird vielleicht schon morgen Vormittag geliefert.

Allmählich bekomme ich mein Leben wieder in den Griff.

Gestern Abend habe ich in meinem Freundeskreis herumtelefoniert und ein paar Leute für Freitagabend zu einer Party eingeladen. Die meisten waren einigermaßen überrascht, von mir zu hören.

«Tatsächlich, eine Party? Ach – äh – dann darfst du also wieder aufstehen? Ich habe mich so lange nicht gemeldet, weil ich dachte, du bist, na ja, du weißt schon, sozusagen aus dem Verkehr gezogen.» Das war Pattys Kommentar, ebenfalls Exilbritin, mit der ich früher zusammen ins Fitnessstudio gegangen bin. Sie ist die Cousine einer meiner besten Freundinnen aus der Studienzeit und ist vor etwa zwei Jahren in die USA gekommen, um hier eine Stelle bei einem Verlag anzutreten.

Ich erklärte mit dem Hauch arktischer Frostigkeit, nein, ich dürfe nach wie vor nicht aufstehen, aber mein Zustand hindere mich nicht daran, zu Hause Gäste zu empfangen. Wie sich gezeigt habe, sei das Leben *wirklich ziemlich langweilig*, wenn man rund um die Uhr auf der linken Seite liegen müsse. Ein wenig Gesellschaft sei da durchaus willkommen. Diesen Freitag. Abends um acht. Punkt acht.

«Oh, ach so, ja», sagte Patty. «Gut. Also dann, Freitagabend um acht.»

Tatsächlich sagten fast alle, die ich anrief, zu, nachdem sie sich meinen kurzen Vortrag über die Einsamkeit der Bettlägerigen angehört hatten. Schuldgefühle können doch äußerst nützlich sein. (Meine Mutter war mir in dieser Hinsicht eine gute Lehrerin.)

Paola reist aus New Jersey an und wird bei einer Freundin übernachten, und Fay hat zugesagt, sich für meine Party ein paar Stunden freizunehmen. Sieht ganz so aus, als ob mein kleiner Plan wunderbar aufgeht. Sie werden sich zur selben Zeit im selben Raum aufhalten, und mit ein paar wohlgezielten Bemerkungen über die Rätsel des Inkareiches werde ich es bestimmt arrangieren können, dass die beiden noch dieses Wochenende zusammen im Bett landen. Außerdem, wenn ich schon einmal dabei bin, Amor zu spielen, kann ich auch gleich Brianna mit dem reizenden Alexis verkuppeln. Allerdings gibt es da ein kleines Problem: Tom will auch Mark und Lara für Freitagabend einladen («es geht einfach nicht, dass ich Mark nicht zu unserer Party einlade, Q, das weißt du doch»). Anfangs habe ich mich gesträubt, aber dann fiel mir ein: Wenn Brianna Mark mit Lara zusammen sieht, wird sie sich bestimmt erst recht für Alexis interessieren. Um ihrem Ex zu beweisen, dass sie ihm nicht nachtrauert, wird sie sich mit ziemlicher Sicherheit dem nächstbesten Mann an den Hals werfen, der zu haben ist. So sehr habe ich mich nicht mehr auf eine Party gefreut, seit ich zum ersten Mal in die Disco durfte, damals im Gemeindesaal von Little Stonham im Jahr 1985.

10 Uhr

Es wird einen Überraschungsgast auf meiner Party geben. Gerade hat Alison noch einmal angerufen.

«Q, Liebes, ich habe versprochen, zu kommen und dir zu helfen, während du im Bett bleiben musst, und ich werde mein Versprechen halten», verkündete sie in einem selbstgefällig-aufopferungsvollen Ton, der mich zur Weißglut trieb. «Natürlich werden die Kinder mich vermissen. Gregory wird mich vermissen. Und ja, ich werde einen Empfang zum Thema ‹Frauen, die Bildhauerinnen des Lebens› beim Arts Council verpassen. Aber meine Schwester geht für mich vor. Ich habe mir soeben ein Ticket nach New York gekauft, Q. Freitagnachmittag bin ich bei dir.»

Sie klang nicht sonderlich erfreut, als sie von der Party

hörte. Anfangs deutete sie an, ich könne sie ihretwegen ruhig absagen; sie machte jedoch einen Rückzieher, nachdem ich meinerseits andeutete, was sie meinetwegen alles könne, wenn sie sich einbildete, ich würde auf meine erste soziale Aktivität seit viereinhalb Wochen verzichten. «Nein, wirklich, Q, wie reizend», sagte sie schließlich zähneknirschend. «Ich freue mich schon sehr darauf – ähm – Mike und Laura kennen zu lernen und – äh – Bryony, so hieß sie doch? – und all deine anderen New Yorker Freundinnen und Freunde. Das wird sicher ein ganz entzückender Abend. Und es ist wirklich schön zu hören, dass du deine Kontakte noch so rege pflegst», fügte sie mit unüberhörbarem Groll hinzu. «Ich dachte, du seist womöglich furchtbar gelangweilt und einsam, ganz allein dort in einem fremden Land. Aber das ist offenbar nicht der Fall.»

Ich beschloss, gegenüber Alison nicht die Einsamkeits-Nummer abzuziehen, sie konnte ruhig glauben, ich stünde quasi im Mittelpunkt der New Yorker Gesellschaft. Ich plapperte schamlos über Fay und Julia, die Kamerafrau aus L.A., um den Eindruck zu erwecken, ich lebte hier in einer Episode von *Sex and the City*, auch wenn das vermutlich ein Fehler war, denn schließlich wird sich meine Schwester am Freitag selbst davon überzeugen können, was für ein lahmer Haufen unsere Freunde in Wirklichkeit sind. Ich schilderte Fay – den kleinen Workaholic mit Plattfüßen und hängenden Schultern – als umwerfend aussehende, Lippenstift tragende Lesbe, bei deren Anblick Hetero-Frauen reihenweise in Ohnmacht fallen, und verwandelte (nachdem ich nun einmal in Fahrt gekommen war) Brianna (die arme, brave Brianna) in die Zuleika Dobson Amerikas. Es geschähe mir ganz recht, wenn Alison mir diesmal ausnahmsweise tatsächlich zugehört hätte.

Ich kann es noch immer nicht glauben, dass sie tatsächlich herkommt. Warum tut sie das? Um sich selbst (und allen anderen) zu beweisen, wie mitfühlend und aufopfernd sie doch ist, eine Frau, die alles stehen und liegen lässt und um die halbe Welt reist, um ihrer leidenden Schwester beizustehen? Oder will sie mich nur daran erinnern, wie haushoch sie mir als Mutter überlegen ist? *Meine Kinder sind sozusagen einfach so rausgeflutscht, Q, ich begreife gar nicht, warum du so große Probleme hast. Vielleicht bist du nicht fürs Kinderkriegen gebaut – hahahahahahaha …*

32.

Meine erste Erinnerung an Alison stammt von dem Tag, an dem meine Mutter mit ihr aus dem Krankenhaus nach Hause kam. Ich war erst zweieinhalb, aber ich weiß noch genau, wie ich ungläubig dieses runzlige Gesicht anstarrte, ihre dunklen Augen, die hässlich lila Speckhändchen. Meine Mutter blickte mich über Alisons unsäglich winzigen Körper hinweg an und teilte mir mit, von jetzt an sei ich nicht mehr das Baby. Von jetzt an, sagte sie, sei es meine Aufgabe, ihr dabei zu helfen, das *neue* Baby zu versorgen («von deinem Vater habe ich nicht viel zu erhoffen, Liebes»). Ich schloss daraus treffsicher, dass meine Kindheit hiermit beendet war. Besonders lange hatte sie nicht gedauert.

Als ich Anfang zwanzig war, habe ich ein paar Sitzungen zur «Angstbewältigung» gehabt. In der zweiten Woche bat mich der Therapeut, ein schlanker junger Mann mit auffallend buschigem Bart, ein Foto von Alison mitzubringen. Ich entschied mich für ein Bild, das ungefähr von 1979 stammt und uns beide in einem Familienurlaub in der Bretagne zeigt. Wir stehen am Strand, haben einander die Arme um die Taille gelegt und tragen den gleichen violetten Badeanzug mit goldenen Ringen an den Trägern. Jeanie hockt zu unseren Füßen am Boden und spielt ganz vertieft mit einem Paar rosa Badeschlappen. Meine Mutter ist nicht mit auf dem Bild, man sieht nur ihren langen Schatten, den die Spätnachmittagssonne auf den Sand wirft. Mein Vater hat das Foto aufgenommen. In der rechten oberen Ecke ist es etwas verschwommen, weil er mit dem Zeigefinger vor die Linse gekommen ist.

Der Therapeut fragte mich, warum ich gerade dieses Foto ausgewählt hätte. Ich erklärte, der Grund sei, dass der Badeanzug Alison ausgezeichnet stand, mir hingegen ganz und gar nicht. Ich war damals sehr wütend auf meine Mutter, weil sie darauf bestand, für uns beide den gleichen zu kaufen. (Es war ihr zu umständlich gewesen, mich noch einen anderen anprobieren zu lassen; sie tat allerdings, als sei das Ganze eine Lektion in Charakterstärke. «Es erstaunt mich wirklich, dass du dir solche Gedanken über dein Aussehen machst. Generationenlang wurden Frauen nach ihrem Äußeren beurteilt, Liebes. Heutzutage müssen wir danach streben, nach unserem Verstand und unseren Leistungen beurteilt zu werden.» «Von mir aus», sagte ich, «danach werde ich in ungefähr fünfzehn Jahren streben, aber kann ich *jetzt* den roten Badeanzug da haben, den mit dem Röckchen und den Polkatupfen?»)

Allerdings war das nur die halbe Wahrheit. Ich mochte den Therapeuten nicht darauf hinweisen – schließlich war es doch wohl sein Job, selbst darauf zu kommen –, dass Alison mich mit ihrem rechten Daumen und Zeigefinger sehr fest in die Taille kniff. «Kommt schon, ihr zwei», hatte mein Vater zu uns gesagt, «nun rückt mal ein bisschen näher zusammen, wir wollen doch ein hübsches Foto von den Schwestern machen, nicht wahr?» Alison und ich blickten einander in verstohlener Feindseligkeit an, aber wir stellten uns gehorsam dichter nebeneinander (wir gehorchten meinem Vater eigentlich immer, ich weiß selbst nicht, warum; vielleicht weil er uns Leid tat). Ich fühlte, wie Alisons Arm sich um meine Taille schob, ich legte meinen um ihre – und dann erst spürte ich, wie sie eine Hautfalte dicht über dem Hüftknochen fasste und kräftig hineinkniff. Es tat ziemlich weh. In der Sekunde, nachdem mein Vater auf den Auslöser gedrückt hatte, boxte ich nach ihr, und zur Strafe strichen meine Eltern mir für zwei Wochen das Taschengeld. Weshalb ich mir den bretonischen Streifenpullover nicht kaufen konnte, der es mir so angetan hatte, und die Pastellkreiden in Regenbogenfarben mit Holzschatulle auch nicht. Wie man sieht, war dieser Kniff wirklich folgenschwer.

Ich habe das Foto im Bücherregal stehen, und bisher ist der einzige Mensch, der Alisons Boshaftigkeit bemerkt hat, Tom. (Ein Grund mehr für mich, ihn zu heiraten.) Er nahm es eines Tages aus dem Regal, betrachtete es stirnrunzelnd und bemerkte schließlich: «Da hat sie dich aber ordentlich erwischt, wie? Dieses kleine Luder!» Der Therapeut warf nur einen flüchtigen Blick auf das Bild und machte eine blödsinnige Bemerkung darüber, wie hübsch ich in dem verhassten Badeanzug aussähe. Danach bin ich nicht mehr hingegangen.

33.

Ich erinnere mich daran, dass ich an der Uni, in einem Seminar über feministische Theorien, ein Buch darüber gelesen habe, warum Frauen anscheinend so viel engere Beziehungen zu anderen Frauen pflegen als Männer zu anderen Männern. In den meisten westlichen Gesellschaften werden Kinder von ihren Müttern erzogen, behauptet die Autorin, und Mütter empfinden sich selbst als ihren Töchtern ähnlich und ihren Söhnen unähnlich. Jungen wachsen also mit dem Gefühl auf, anders zu sein, abgesondert, autonom, wohingegen Mädchen sich selbst als gleich, verbunden, abhängig wahrnehmen. Diese frühe Eltern-Kind-Dynamik prägt unsere Beziehungen zu Freunden, Partnern und Familienangehörigen ein Leben lang.

Meine Mutter fand durchaus nicht, ich sei wie sie. Ehrlich gesagt wünschte ich, sie hätte es so empfunden. Während des größten Teils meiner Kindheit hat sie mir deutlich zu verstehen gegeben, ich sei *nicht* wie sie. «Als ich in deinem Alter war, Liebes», pflegte sie zu sagen, «da war ich ein Trendsetter, kein Trendnachläufer. Die Mädchen in der Schule blickten zu mir auf, ach, was sage ich, sie hätten alles darum gegeben, mit mir zu tauschen. Was ist nur los mit dir?»

Alison indessen wurde zur Schulsprecherin gewählt, und zwar mit der überwältigendsten Mehrheit seit Bestehen der Schule, und auch in Oxford verbreitete sich ihr Ruf schon in den ersten Monaten ihres Studiums. Meine Mutter muss die erste Frau der Weltgeschichte sein, die ein heimliches Vergnügen an der Zigarettensucht ihrer Tochter empfand. Ihrer Ansicht nach sah Alison umwerfend cool aus in ihrem schwarzen Rollkragenpullover, wenn der Rauch einer glimmenden Camel durch ihre langen Wimpern in ihr wirres, schmutzig blondes Haar zog. Ich habe einmal gehört, wie sich die beiden über Zauberpilze unterhielten. «Solange du rechtzeitig damit aufhörst, in den frühen Zwanzigern, aber spätestens bevor du Kinder bekommst, finde ich nichts Schlimmes daran, Liebes», sagte meine Mutter in aller Ernsthaftigkeit. «Die Jugend ist so schnell dahin. Nutze deine Möglichkeiten, solange du sie hast. Wirklich, ich wünschte, ich hätte nach diesem Prinzip gelebt.»

Alison mag Tochter Nummer zwei gewesen sein, aber sie holte ziemlich schnell auf. Inzwischen hat sie bereits die meisten Punkte auf der Liste *Was die Frau von heute vor dreißig erledigen sollte* abgehakt, und dabei ist sie gerade erst sechsundzwanzig.

34.

Freitag, 19 Uhr
In einer Stunde beginnt meine Party. Die Caterer sind gerade im Wohnzimmer beschäftigt. Und meine Schwester hält im freien Zimmer ein Nickerchen. Sie ist vor einer Stunde eingetroffen, und zwar in provokant frischer und munterer Verfassung. Wenn ich aus einem Flugzeug steige, habe ich schlaffes, strähniges Haar, rote Augen und raue, trockene Haut. Alison gehört zu der Sorte Frau, die sich für solche Gelegenheiten ein elegantes Schminktäschchen packt, an dem eine Elster ihre helle Freude hätte: einen azurblauen Wasserzerstäuber, ein Töpfchen Lippencreme in kühlem Pink mit Champagner-Rhabarber-Aroma und eine Tube schillernder Mango-Guaven-Feuchtigkeitscreme.

Tom, der, Wunder über Wunder, früher Feierabend gemacht hatte, um mit mir die Vorbereitungen für die Party zu beaufsichtigen, machte ihr die Tür auf. Er führte sie ins Wohnzimmer, und sie küsste mich auf die Wange, streifte ihre flachen italienischen Schuhe ab und machte es sich im Schneidersitz auf dem Boden neben meinem Sofa bequem. «Wie war dein Flug?», fragte ich mit unverhohlenem Desinteresse.

Alison quittierte aus dem Augenwinkel meine säuerliche Miene, schwieg kurz und setzte dann ihr charmantestes Lächeln auf. «Q, Liebes, sei nett zu mir», sagte sie und rieb meine Hände mit ihren kostspielig manikürten Fingern. «Ich freue mich wirklich, hier zu sein, und es macht mich *so* glücklich zu sehen, wie gut es dir geht. Geben wir uns doch Mühe, miteinander auszukommen, ja?»

Typisch für sie. Sie muss immer die Gute sein.

«Ich weiß gar nicht, wovon du sprichst», konterte ich. «Ich habe nur gefragt, wie dein Flug war.»

Advantage Q.

Alison lachte ihr geziertes Lachen, das neue, das sie sich zugelegt hat, seit sie die Ehefrau des ehrwürdigen Gregory Farquhar und damit eine Dame der hehren Gesellschaft ist. «Ach, das ist Q, wie sie leibt und lebt – und wie wir sie lieben», sagte sie mit nachsichtiger Herablassung, was mich schier zur Weißglut trieb. «Deine Schwester ist um die halbe Welt gereist, um dich zu sehen, und du schmollst immer noch, hm? Komm her, Süße, ein paar Mitbringsel werden dich schon aufheitern. Hier ist eine Kleinigkeit von Gregory und mir, und das hier ist von Mummy.» Sie überreichte mir zwei Päckchen, eines in steifem Geschenkpapier mit extravagantem Muster, das andere in einer zerknitterten braunen Papiertüte. Ersteres enthielt ein Kosmetiktäschchen von Kate Spade, das zweite ein Weizenkeim-Lavendel-Kissen. Unschwer zu erraten, welches von wem war.

«Ach – Kate Spade», sagte ich in unverbindlichem Ton. «Ja, das ist eins ihrer gelungeneren Designs, nicht wahr? Sie ist ein wenig in den 90ern hängen geblieben, findest du nicht? Aber dieses Täschchen ist nett, wirklich nett», fügte ich hinzu, wobei ich mir selbst vorkam wie in einer Familienkomödie. Ich würde ihr schon zeigen, dass ich mir meine eigenen Designer-Accessoires leisten kann, vielen Dank auch.

Alison blinzelte zwei- oder dreimal. «Du brauchst es nicht zu behalten, wenn es dir nicht gefällt», sagte sie hörbar gekränkt (ein Treffer! Ein handfester Treffer!). «Ich wollte dir etwas Hübsches mitbringen, Q, und ich weiß, wie frustrierend es ist, wenn die Leute einem entweder Kleider schenken, die aussehen wie Zelte, oder welche, die man noch mindestens ein Jahr lang nicht tragen kann. Ich dachte, eine kleine Kosmetiktasche wäre ein guter Kompromiss.» Sie verstummte und schniefte kläglich.

Ich blickte in ihr hübsches, gerötetes, niedergeschlagenes Gesicht und fühlte mich wie das letzte Aas. Diese Runde ging eindeutig an meine Schwester. «Es war eine sehr hübsche Idee», sagte ich widerstrebend, ein Eingeständnis meiner Niederlage. «Viel besser als dieses lächerliche Weizenkeim-Kissen. Was hat Mummy sich nur dabei gedacht – meint sie, ich bin eine schwangere Wüstenrennmaus oder so?», setzte ich hinzu, ein (zugegebenermaßen erfolgloser) Versuch, die Sache ins Komische zu ziehen. Alisons Miene hellte sich augenblicklich auf, und sie kicherte pflichtgemäß, ihres Sieges gewiss. «So gefällst du mir schon besser, Q.» Sie tätschelte mir gnädig das Knie. «So gefällst du mir schon *viel* besser.» Ich lächelte verkrampft und bewegte mein Knie drei Millimeter nach links.

Jetzt schläft sie im Zimmer nebenan. Und ich frage mich, wie ich diesen Abend überstehen soll, ganz zu schweigen von der nächsten Woche. Ich bin kaputt. Zeit mit Alison zu verbringen macht mich fertig. Und was Partys betrifft – ich hasse es, Partys zu geben. Warum habe ich mir das nur angetan? Ich hasse es, mich dafür verantwortlich zu fühlen, dass andere Leute sich amüsieren.

35.

Samstag, 17 Uhr
Die Party war wirklich ein Ereignis. Meine diversen Pläne sind gründlich gescheitert, meine Fehlschläge und Niederlagen waren zahlreich. Die ersten drei, die mir einfallen, sind – in beliebiger Reihenfolge – diese:

Paola hat sich nicht im Mindesten für Fay interessiert. Dafür verstand sie sich prächtig mit Alison; die beiden haben sich intensiv über Kunst unterhalten. Gegen zehn Uhr, nachdem Alison und Paola beinahe zwei Stunden lang über die Endausscheidung zum Turner-Preis im vergangenen Jahr gesprochen und dabei sämtliche anderen Gäste völlig ignoriert hatten, beauftragte ich Tom, Fay herzuholen und sie in das Gespräch zu integrieren. Paola und Fay sprachen ganze sieben Minuten miteinander, bis Fay begriff, dass sie überflüssig war, und sich entschuldigte. Sie hockte noch eine Viertelstunde in einer Ecke und guckte miesepetrig, dann verschwand sie, ohne sich zu verabschieden. Paola und Alison indessen trennten sich unter Versprechungen ewiger Freundschaft.

Brianna und Alexis sind sich gar nicht erst begegnet, weil sie die Party fünf Minuten vor seiner Ankunft verließ. Sie konnte es offenbar nicht ertragen, sich im selben Raum aufzuhalten wie Mark. Sobald er mit Lara am Arm eintrat, wurde ihr Gesicht auffallend gräulich grün, sie verschwand für zehn Minuten im Bad und ergriff dann die Flucht, wobei sie den unverkennbaren Gestank nach Erbrochenem hinterließ. Ich fühlte mich, als hätte ich soeben einen Wurf verwaister Kätzchen ermordet.

Beim Frühstück sagte Alison mit einem Funkeln in den Augen, dem ihr Jetlag nichts anhaben konnte: «Meine Güte, Q, nach deinen Erzählungen hatte ich den Eindruck, deine Freunde seien entsetzlich – nun ja – degeneriert, wenn nicht richtiggehend verdorben. Dabei sind sie im Grunde eine ziemlich nüchterne Truppe, was? Die Hälfte hat nicht einmal etwas getrunken. Meine Güte, wenn ich daran denke, wie viel Alkohol Gregorys Freunde bei unseren kleinen Dinnerpartys konsumieren und wie die sich dann benehmen …»

Ich muss leider gestehen, dass sie Recht hat. Meine Party war hoffnungslos bieder. Ich bin keine großartige viktorianische Gastgeberin, keine Ottoline Morrell. Ich kann nicht behaupten, extravagante Mäzene mit halb verhungerten Poeten zusammengebracht zu haben. Es wurden keine gewichtigen Worte gesprochen, Opium glänzte durch völlige Abwesenheit, und ich bezweifle ernsthaft, dass irgendjemand gestern meine heiligen Hallen verließ und anschließend Selbstmord beging. (Ich weiß nicht, ob irgendetwas davon auf Ottoline Morrells Partys jemals passiert ist, aber sie wäre wohl kaum so berühmt geworden, wenn ihre Gäste sich systematisch durch ein paar Tüten Salzbrezeln gearbeitet und dabei Notizen über ihre Eingaben verglichen hätten.)

Und schließlich, was verheerender ist als alles zuvor Erwähnte: Tom und ich hatten heute in den frühen Morgenstunden einen ganz furchtbaren Streit. Um Mitternacht wuchtete ich mich vom Sofa und verdrückte mich augenreibend und unter Berufung auf meinen Bauch ins Schlafzimmer; zwei Stunden später erwachte ich von «Bridge over Troubled Waters», schaumig vorgetragen von einem Mund voller Zahnpasta. Zu viel Lagavulin, dachte ich bei mir, während ich zusah, wie Tom bedächtig seine Zahnbürste im Wäschekorb versenkte und die Unterwäsche im Abfalleimer. Die Party war bieder, das wohl, aber das hinderte meinen überarbeiteten Gatten nicht daran, eine Dreiviertelflasche doppelt destillierten Scotch zu vernichten.

Kurz darauf kam er schwerfällig aus dem Bad ins Schlafzimmer getorkelt und blinzelte in die Dunkelheit. Ich stützte mich auf einen Ellenbogen und sah ihn kopfschüttelnd an. «Du bist betrunken», stellte ich fest.

Er spähte angestrengt in meine Richtung. «Ach, da bist du ja – *daaling*», sagte er in diesem gekünstelten englischen Akzent, den er gern annimmt, wenn er die zum Autofahren zulässige Promillegrenze um das Dreifache überschritten hat. Mein Mann lebt in der fürchterlich falschen Überzeugung, sein englischer Akzent sei a) treffend und b) charmant. In Wahrheit ist er einfach nur entsetzlich nervtötend.

Das Gesicht zu einem Clownsgrinsen verzogen, setzte er hicksend hinzu: «Unn, Schass, wie isses?»

«Herr im Himmel, komm ins Bett und schlaf, ja?», fauchte ich verärgert und legte mich wieder hin. «Ich brauche meine Ruhe.» Ich gähnte demonstrativ.

Zerknirscht hockte sich Tom auf die Bettkante und blickte mich ernst an. «Bissu böse mit mir? Warum bissu böse? Sollsu nich, bitte …» Er verstummte und raufte sich mit einer tragischen Geste das Haar. Fast bedauerte ich ihn.

«Na gut», sagte ich mit einem tiefen Seufzer und wälzte mich zur Seite, um ihm unter der Decke Platz zu machen. «Ich bin nicht böse, okay? Und jetzt leg dich hin und erzähl mir von der Party. Mit wem hast du dich unterhalten?» Er grinste selig, schlug die Decke zurück, ließ sich ins Bett plumpsen, zog mein Hinterteil zu sich hin und schmiegte sich in «Löffelstellung» an mich.

«Party war okay, nette Leute, Mark is ganz glücklich, Lara weiß ich nich genau, glaub, Patty is ziemlich nervig …» Er verstummte wieder, sein Atem wurde regelmäßiger, und für einen Moment dachte ich, er sei eingeschlafen, aber dann:

«Dieser Alexis iss'n Idjot», sagte er plötzlich.

Ich schlug die Augen auf und starrte verblüfft in die Dunkelheit. «Was?»

«Alexis, so heißt er doch? Hübscher Junge, Haare so ziemlich blond, bisschen längerer Pony? Idjot», wiederholte er nachdrücklich. «Totaler Idjot.»

«Und warum?», fragte ich.

Tom kuschelte das Gesicht an meinen Nacken. Ich spürte seinen Atem auf meiner Haut, warm und rauchig. «Du has' so gut ausgesehn, Q, so richtig wie 'ne Königin da auf deinem Sofa, und ich mag das, wie deine Haare glänzen in letzter Zeit. Mmmm, und die riechen so gut … Wo war ich noch gleich – ach ja, Alexis. Er hat mir von dem Haus gegenüber erzählt, von dem Ab-Ab-Abriss. Odaso. Du weisschon. Hat gesagt, sie wolln das verhindern. Schwachkopf. Das schaffen die nich. Totaler Schwachkopf, echt», sagte er in einem Ton, als habe er die Situation gerade erst wirklich erfasst. «Die alten Leute müssen da raus. Da geht's um 'n Haufen Geld. Mietpreisbindung is total out. Hab ich ihm gesagt. Hab gesagt, er weiß ja gar nich, was er da macht.» Ich erstarrte, was Tom jedoch nicht zu bemerken schien; stattdessen gähnte er ausgiebig und schob seine Hand behaglich über meine rechte Brust. «Jedenfalls, ich hab ihm gesagt, Randalls iss'n riesiger Konzern, massenhaft Beziehungen, gute Anwälte, keine Chance, dagegen anzukommen. Weißt du was», er kicherte, «das hab ich ihm zwar nich gesagt, aber *wir* vertreten die bei ihren Entwicklungsprojekten. Ich glaub, Smyth and Westlon sind für die Räumungssachen zuständig. Ich arbeite selbst an dem Entwicklungspor-por-por'folio von denen, Phil hat's mir erst letzte Woche übertragen ...»

Er ließ die Finger träge um meine Brustwarze kreisen. Ich schob sie energisch weg und setzte mich kerzengerade auf.

«Wie bitte?», stieß ich hervor. «Du tust *was*?»

Er blickte mich glasig an. «Was?», wiederholte er völlig verständnislos. «Was meinssu?»

«Ihr vertretet Randalls?», fragte ich anklagend.

«Ja», bestätigte er, «klar, ich mein, wir sind so ziemlich die besten Immobilienanwälte in der Stadt, na und? Ich mein, was iss'n dabei?»

«Was dabei ist? Verdammt nochmal, Tom, nur zu deiner Information, ich weiß zufällig, dass die bei Randalls absolute *Mistkerle* sind. Die versuchen, diese alten Leute aus ihrem Haus zu vertreiben, wo sie seit vierzig Jahren leben. Mag sein, dass Mietpreisbindung der Vergangenheit angehört, aber diese Menschen verlieren ihr Zuhause, da wird eine ganze Gemeinschaft auseinander gerissen! Sag mal, das findest du auch noch *komisch*?»

Denn Tom lachte tatsächlich. Er lachte, als sei alles, was ich gesagt hatte, einfach nur unsäglich albern. «Schatz, wach auf! Randalls ist ein Unternehmen, die wollen bauen, dafür sind sie da, also worüber regst du dich so auf? Hat doch nichts mit dir zu tun, du kennst diese Leute ja sowieso kaum.»

Ich starrte auf ihn runter, völlig außer mir, entsetzt, wütend, verwirrt. Wieso liegt mir an dieser Geschichte eigentlich so viel? Weil Randalls ebenso unangreifbar wie skrupellos ist? Weil Mrs. G. so viel für mich getan hat und ich mich revanchieren will? Oder liegt es an meinem schrecklichen Mitgefühl für diese Leute, die das System nicht verstehen, denen die nötige Bildung fehlt, um ihre Interessen zu wahren?

Tom blickte noch immer entgeistert zu mir auf, als hätte er soeben festgestellt, dass er aus Versehen mit der falschen Frau im Bett lag. «Q, das ist doch lächerlich, niemand hält Mietpreisbindung mehr für vernünftig, du denkst einfach zu britisch, vielleicht begreifst du es deshalb nicht …» Er streckte die Hand aus, um mir einen Stups unters Kinn zu versetzen. «Komm schon, lass den Quatsch, leg dich wieder hin und sei ein bisschen lieb zu mir …»

Tom vertritt Randalls. *Tom vertritt Randalls.* Die Vorstellung, mit ihm zu schlafen, widerte mich plötzlich an. «Du machst wohl Witze», versetzte ich wütend und stieß seine Hand fort. «Mein Gott, ich habe das Gefühl, ich *kenne* dich überhaupt nicht mehr.» Wie viel ich mit diesen Worten aufs Spiel setzte, war mir im Augenblick egal. «In letzter Zeit hast du nichts anderes mehr im Kopf als deine Karriere, deine Firma, Geld – um Himmels willen, Tom, bist das überhaupt noch *du*?», schleuderte ich ihm entgegen (jetzt wieder mit dem Gefühl, mich auf weniger dünnem Eis zu bewegen). «Du denkst nur noch an *dich* und daran, ob du es zum Partner bringst, das macht mich krank, es macht mich einfach *krank*. Du denkst nicht an mich, nicht an die Nachbarn, nicht an das Baby, überhaupt an niemand anderen als an dich selbst. Verpiss dich, hast du gehört? *Verpiss dich.* Du kannst meinetwegen auf dem verdammten

Fußboden schlafen.» Damit kehrte ich ihm den Rücken zu und zog die Decke fest um mich.

Es folgte ein langes, sehr langes Schweigen. Hinter mir hörte ich Tom schwer atmen. Mit einer immensen Anstrengung zwang ich mich, ruhig und tief zu atmen, so, als schliefe ich schon halb. Nicht sehr überzeugend. Schließlich hörte ich ein leises, erbost gezischtes «*Verstehe*», dann verriet mir ein plötzlicher Ruck in der Matratze, dass mein Mann das Bett verlassen hatte. Aus den folgenden Geräuschen schloss ich, dass er ein paar Decken und die Yogamatte aus dem obersten Fach des Kleiderschranks zerrte und auf den Boden warf. Kurz darauf wurde eines der Kissen, die ich mir in den Rücken gesteckt hatte, unsanft fortgerissen (woraufhin mir unwillkürlich ein Protestlaut entfuhr) und hörbar auf die Matte geworfen. Tom richtete sich auf seinem schmalen, harten Lager ein. Und dann lagen wir beide schweigend da und starrten an die graue Zimmerdecke.

Als ich heute Morgen wach wurde, war Tom verschwunden, ebenso die Yogamatte und die Decken. Ich hörte, wie jemand in der Küche hantierte, mit Tellern klapperte, die Kühlschranktür zuschlug, und ich rief nach ihm – aber im nächsten Moment erschien zu meinem Unmut Alisons Gesicht in der Tür. «Ah, du bist wach», stellte sie fest, trug geschäftig ein Tablett herein und stellte es auf meinem Nachttisch ab. Ich zog die Decke bis ans Kinn hoch und wünschte sie zurück auf die andere Seite der Hemisphäre. «Hier, ich habe Croissants und Kaffee für uns beide zurechtgemacht, für dich natürlich koffeinfreien. Tom ist um halb acht ins Büro verschwunden, er sagte, es gebe einen Notfall. Genauer gesagt, er ist hier rausgestürmt mit einer Miene wie ein Donnerwetter und Augen wie glühenden Kohlen.

Ihr hattet wohl Krach, was?», setzte sie mit geheuchelter Besorgnis hinzu, während sie es sich am Fußende des Bettes bequem machte und mich forschend musterte.

Unnötig zu erwähnen, dass ich behauptete, es sei alles in schönster Ordnung, und mich in einem wenig überzeugenden Monolog darüber erging, wie eng die Schwangerschaft uns doch zusammengeschweißt habe.

36.

Tom und ich haben uns vor vier Jahren kennen gelernt, an einem warmen Sonntagnachmittag gegen Ende September. Wir trafen uns in einem Café nahe dem Washington Square. Ich war erst zwei Monate zuvor nach Manhattan gezogen und versuchte mir gerade ein neues Leben aufzubauen, indem ich mich durch eine Liste von Freundinnen und Bekannten arbeitete, die hier lebten. Whitney war die Cousine einer Studienfreundin, sehr sympathisch, eine fröhliche Werbefachfrau mit geflochtenem Haar und einem winzigen Diamantstecker im rechten Nasenflügel. (Ich habe sie nie wieder gesehen, denn in dieser Nacht schlief ich mit Tom und vergaß alles andere. Ein halbes Jahr später fand ich ihre Telefonnummer in meinem Portemonnaie wieder, zusammengefaltet zwischen einem Kassenzettel und einer alten Fahrkarte, aber da war die Gelegenheit, eine Freundschaft zu knüpfen, schon verstrichen.)

Whitney und ich saßen in der goldenen Nachmittagssonne und tranken gerade genüsslich unseren Milchkaffee, als ein Mann in den späten Zwanzigern mit Bürstenhaarschnitt, viel zu weißen Zähnen und allzu deutlich definiertem Bizeps uns ansprach. Ob er und sein Freund sich zu uns setzen dürften, fragte er und rückte siegesgewiss einen Stuhl heran. Whitney erwiderte etwas – ich erinnere mich nicht mehr, was sie sagte, aber es war die perfekte Abfuhr. Der Mann zuckte die Achseln, schob den Stuhl wieder zurück und murmelte etwas im Stil von «verklemmte Zicken», während er sich an den Nachbartisch fläzte. Sein Begleiter – ein ruhig wirkender, schlanker Mann mit schwarzen Locken, meerwasserfarbenen Augen und einem maßgeschneiderten Sportjackett, das ihm hervorragend stand – schien wie vom Donner gerührt, und als Mr. Bizeps aufstand, um ein Päckchen Zigaretten zu holen, kam er an unseren Tisch, um sich hastig zu entschuldigen.

Whitney nickte ihm unverbindlich zu, während er sprach; ich glaube nicht, dass sie überhaupt mitbekommen hatte, wer er war. Ich hingegen hatte ihn seit Bizeps' Auftritt verstohlen über den Rand meines Glases hinweg beobachtet. Er war nicht ganz mein Typ – jedenfalls nicht der Typ, mit dem ich in den letzten Jahren ausgegangen war; ich blickte auf eine Reihe von Beziehungen mit jungenhaft aussehenden blonden Männern zurück, die in der Regel etwa zwei Zentimeter kleiner und ein halbes Jahr jünger als ich waren. Dieser Mann war dunkelhaarig, groß und ganz offensichtlich erwachsen; seine Kleidung war stilvoll, korrekt gebügelt und unübersehbar teuer. Er konnte nicht älter als dreißig sein, aber er hatte es offensichtlich schon zu etwas gebracht. Geschäftsmann oder Rechtsanwalt, überlegte ich eine Weile, ehe ich mich schließlich für Rechtsanwalt entschied. Er hatte das ansatzweise dekadente, intellektuelle Aussehen eines Mannes, der eine akademische Laufbahn in Erwägung gezogen, sich dann jedoch vernünftigerweise für die Karriere entschieden hatte – und ich lag richtig.

Das erfuhr ich ein paar Stunden später auf einer Bank

auf dem Washington Square. Whitney und ich hatten uns am Eingang zur U-Bahn-Station an der West 4th Street getrennt, nachdem wir einander versprochen hatten, Kontakt zu halten und Freundinnen zu werden. Dabei hatte ich sie bereits hintergangen, als ich behauptete, ich müsse an der Bleecker Street die Linie 6 in Richtung Norden nehmen. Als Whitney außer Sichtweite war, machte ich kehrt und ging zu dem Café zurück in der Hoffnung, ihn dort noch anzutreffen – und die Götter waren mir hold: Er setzte gerade mit einem Montblanc-Füller schwungvoll seine Unterschrift auf die Rechnung. Als er aufblickte und mich drei Meter entfernt herumstehen sah, erhob er sich und ging auf mich zu, als seien wir verabredet. «Ich heiße Tom», stellte er sich vor und streckte mir in einer attraktiven Mischung aus Selbstbewusstsein und höflicher Zurückhaltung die Hand entgegen. «Sie sehen bezaubernd aus. Dürfte ich Sie um einen Spaziergang bitten?»

Ich weiß noch, wie Bizeps verblüfft nach Luft rang; ich erinnere mich noch an die Berührung von Toms Hand im Rücken, als er mich über die Straße zum Washington Square geleitete. Ich erinnere mich, wie wir an den schweigenden Schachspielern vorbeigingen, die um den Eingang zum Park herumstanden, an das wilde Gebell von drei Dutzend Hunden, die Runde um Runde über den Hundeplatz rannten. Ich erinnere mich an die Kinder, die am Springbrunnen herumtollten, den kühlen Lufthauch, der im golden schimmernden Laub der Baumwipfel spielte. Ich erinnere mich, wie ich verstohlene Blicke auf die sonnengebräunte Haut meines Begleiters warf, seine langen Wimpern, seine schlanken, geschmeidigen Hände.

Wir setzten uns auf eine Bank nahe eines Spielplatzes und beobachteten die Kinder, wie sie auf ihren Schaukeln hoch in die Luft schwangen, die nervösen Mütter in ihren engen Gucci-Jeans, wie sie in Grüppchen am Zaun standen. Tom setzte zu einer weiteren Entschuldigung an. Bizeps war ein alter Studienkollege aus Harvard, erklärte er, früher mal ein guter Freund, der jetzt bei McKinsey, dem Management-Consulting-Unternehmen, arbeitete. Normalerweise würde er seine Zeit nicht mit solchen oberflächlichen Leuten verbringen, versicherte er mir. Als er Daryl zuletzt gesehen habe, sei er noch ein schüchterner Mathematik-Nerd gewesen, aber Geld und Rang hatten offenbar einen völlig anderen Menschen aus ihm gemacht. Tom sagte, er werde den Kontakt zu Daryl abbrechen, und ich glaube, in diesem Moment verliebte ich mich in ihn. Es war wegen der anrührenden Ernsthaftigkeit und Strenge in seinen Augen.

Als der Abend anbrach, wusste ich bereits alles über die Beziehung zu seiner Familie (freundlich), seine Erfahrungen am College (gut), seine Ambitionen (ernsthaft), seine letzte Freundin (verheiratet), und alles, was ich erfuhr, bestätigte meinen ersten Eindruck. Er war reif, arbeitsam, gesellschaftlich und beruflich etabliert und Single – alles, was eine erwachsene Frau bei einem Mann sucht. Und auch alles, was sie sich von ihm wünscht. Die ersten drei Nächte vergingen in einem Rausch aus heißem Sex mit einem Hauch von S&M, der mir zwar im Nachhinein peinlich war, mich jedoch unglaublich scharf machte. Toms Zähne hinterließen Abdrücke an meinem Hals, meine rund um seine Oberschenkel. Dann, in der vierten Nacht unserer Beziehung, wurde er zärtlich. Als ich am nächsten Morgen erwachte, stand für mich fest, dass ich seine Frau werden wollte.

Ich weiß noch, wie ich ihn am Ende unserer ersten gemeinsamen Woche beim Frühstück mit schwarzem Kaffee und Blaubeerpfannkuchen anblickte und mir sagte, obendrein ist er auch noch *Amerikaner*. Zu dem Zeitpunkt war mir selbst nicht recht klar, warum mir das so viel bedeutete, nur *dass* es wichtig war. Monate später erzählte ich in angetrunkenem Zustand einer Freundin, einer der großen Vorzüge meines Freundes sei der Umstand, dass er weit (weit, weit, weit) entfernt von meiner Mutter lebte.

Wir heirateten zwei Jahre später unter Umständen, die darauf ausgerichtet waren, sie so gründlich wie möglich zu verärgern. Der Richter, bei dem Tom Referendar gewesen war, hielt die Zeremonie in seinen Räumen ab, ansonsten waren nur die beiden Trauzeugen anwesend (Mark und eine alte Schulfreundin von mir, die gerade zu Besuch war). Anschließend gingen wir fünf zum Brunch in unser Lieblingslokal im West Village und genossen vor einem prasselnden Feuer French Toast mit Zimt. Das war für meine Mutter natürlich bei weitem nicht romantisch genug. Wenn es nach ihr gegangen wäre, hätten wir entweder gemeinsam durchbrennen müssen, am besten noch verfolgt von einer verlassenen ersten Ehefrau, oder es hätte ein rauschendes Fest geben müssen, bei dem sie dann umherstolziert wäre und wichtig ausgesehen hätte. Letzteres hatte Alison ihr geboten mit ihrer aufwendigen Hochzeit in St. Margaret's Westminster, und ich hege den starken Verdacht, dass Jeanie Ersteres leisten wird, wobei ich jedoch ernsthaft bezweifle, dass meiner Mutter so etwas in der Realität tatsächlich gefällt. Wenn sie an Durchbrennen denkt, dann denkt sie an Gretna Green und einen adligen verstoßenen Tunichtgut, nicht an einen pockennarbigen Blödmann namens Dave im Standesamt von Camden.

Meine Mutter wusste von Anfang an nicht recht, wie sie auf Tom reagieren sollte. Solange sie ihm nicht persönlich begegnet war, tat sie, als existiere er nicht. Dann, als wir sie in London besuchten und seine leibhaftige Anwesenheit diese Taktik unbrauchbar machte, tat sie einfach so, als sei er Engländer. Und als Tom sich nicht auf das Spiel einließ, sondern unbeirrt über Kongressentscheidungen und mögliche Nominierungen für ein Richteramt am Supreme Court sprach, erklärte sie ihm den Krieg und begann eine massive Kampagne, um mich dazu zu bewegen, mich von ihm zu trennen. «Ich weiß nicht, Q, ich hätte nie gedacht, dass du mal derartige *Kompromisse* eingehst», sagte sie großäugig und mit geheuchelter Besorgnis. «Ich habe dich für ein Mädchen gehalten, das wartet, bis der Richtige daherkommt. Da tickt doch nicht etwa die biologische Uhr, wie, mein Liebes?»

Ihr Feldzug scheiterte natürlich, und wir heirateten. Allerdings ist mir etwas von dem, was sie damals sagte, in den letzten Wochen häufiger durch den Kopf gegangen. «Er sieht wirklich gut aus, aber wird er dir auch Raum zum *Wachsen* lassen?», fragte sie, als ich sie anrief, um ihr mitzuteilen, wir hätten soeben geheiratet. «Ich bin sechsundfünfzig und entdecke erst jetzt, wer ich eigentlich bin, Q. Ich hatte in meiner Ehe keine Zeit zur Selbstfindung, dein Vater war zu sehr damit beschäftigt, seinen eigenen Träumen nachzulaufen, als dass ihm jemals in den Sinn gekommen wäre, mich dabei zu unterstützen, meine zu verwirklichen. Ich weiß, du denkst, ich hätte meinen Beruf über meine Kinder gestellt, aber jemand musste ja dafür sorgen, dass Geld ins Haus kommt. Tja, meine Liebe, jetzt hast du dir dein Bett bereitet, und ich kann nur sagen: Ich hoffe, dein Mann wird ein offenes Ohr für deine Träume haben.»

37.

Montag, 14 Uhr

«Wie sehen denn deine Träume eigentlich aus, Q?» Diese Frage stellte mir Alison gestern Abend beim Dinner, das leider *à deux* stattfand, weil Tom die Nacht durchgearbeitet hat.

Alison und ich aßen die Reste von der Party (ein todsicheres Mittel, um schlechte Laune zu kriegen), und sie erzählte mir von einem Preis, den sie kürzlich für die abstrakte Skulptur einer Katze bekommen hatte. (Das Ding sieht selbstverständlich einer Katze in keiner Weise ähnlich. Um sie zu ärgern, sagte ich, es erinnere eher an ein Kaninchen, doch darauf entgegnete sie, um *mich* zu ärgern, ich hätte ganz richtig erkannt, dass das Werk das Wesen der Jäger-Beute-Beziehung an sich problematisiere.)

«Ich meine, du warst von Anfang an so völlig auf dem High-School-Universität-Juristen-Trip und hast anscheinend nie darüber nachgedacht, etwas anderes zu machen. Manchmal frage ich mich, ob es überhaupt wirklich dein Wunsch ist, Rechtsanwältin zu sein. Du bist hierher in die Staaten gezogen, praktisch ans andere Ende der Welt; ich denke manchmal, du willst dich nur vor uns verstecken, damit wir nicht mitbekommen, dass du im Grunde nicht weißt, was du mit deinem Leben anfangen sollst. Oder täusche ich mich?» Sie sah mir in die Augen, und ich bemerkte ihr herausforderndes Funkeln.

Gleichgültig begegnete ich ihrem Blick. «Wie um alles in der Welt kommst du auf den Gedanken, ich wollte keine Anwältin sein?», fragte ich kühl.

«Nun, zum Beispiel scheint es dir nichts auszumachen, dass du wegen der Bettruhe nicht zur Arbeit gehen kannst. Ich meine, ich kann ja verstehen, dass man mal eine Pause braucht, mal aus der Tretmühle rauswill, aber wenn ich mich nicht meiner Bildhauerei widmen könnte – du brauchst gar nicht verächtlich zu gucken, Q, das steht dir nicht –, das wäre wirklich frustrierend für mich. Mummy würde verrückt werden, wenn sie nicht unterrichten könnte, Jeanie ist völlig versessen auf ihren Master-Abschluss, und ich glaube, Tom würde sich seine schönen Locken ausraufen, wenn er nicht mehr als Rechtsanwalt arbeiten könnte. Er scheint völlig in seinem Job aufzugehen. Aber du – ich glaube, du scherst dich keinen Deut darum, meine Liebe. Du scheinst in letzter Zeit nicht einmal an deine Arbeit zu denken. Und daraus schließe ich, dass du mit der Laufbahn, für die du dich entschieden hast, nicht glücklich bist.»

Wie man sich unschwer vorstellen kann, hatte ich mittlerweile den Siedepunkt erreicht. Ich war buchstäblich außer mir. «Jetzt hör mir mal zu, mein liebes Schwesterlein», fuhr ich sie an. «Nicht jede hat einen Mann, der sie aushält. Es gibt auch Leute, die für ihren Lebensunterhalt arbeiten müssen. Ja, stell dir das mal vor. Und nur weil ich keinen Schickimicki-Künstlerberuf habe, bedeutet das noch lange nicht, dass mich meine Arbeit nicht erfüllt. Immerhin helfe ich Menschen, und das ist mehr, als man von dir behaupten kann mit deinen Katzen, die aussehen wie Kaninchen, und deinen Töpfen, die das Wesen der Beziehung zwischen Arbeit und verdammter Nutzlosigkeit problematisieren. Ha! Was sagst du *dazu*?», schleuderte ich ihr verächtlich entgegen. Sie zuckte die Achseln und setzte zu einer Erklärung darüber an, wie ihre Kunst angeblich die Grenzen des Normalen erweitert, aber ich wechselte das Thema. Ich wollte mir diesen Unsinn nicht länger anhören.

38.

15 Uhr

Es ist nicht wahr, dass ich nicht an die Arbeit denke. Brianna hält mich über meine alten Fälle auf dem Laufenden, Fay berichtet mir von den neuen, und ich habe der Initiative «Mieter gegen den Abriss» bei ihrem Kampf gegen den Hauseigentümer geholfen. Also bitte.

Es stimmt allerdings, dass die Arbeit bei Schuster nicht jeden Winkel meiner gepeinigten Seele beherrscht, so, wie es bei Tom der Fall ist, aber das liegt bloß daran, dass ich ausgeglichener bin. Ja, genau das ist es – ich habe eine sehr ausgewogene Einstellung zum Leben. Genau das werde ich Alison sagen, wenn sie dieses Thema noch einmal anspricht.

16 Uhr

Alison bestreitet, dass ich eine ausgewogenere Einstellung zum Leben habe. «Sei nicht albern, Q. Du arbeitest neunzig Stunden in der Woche. Das kann man doch beim besten Willen nicht als ausgewogen bezeichnen. Aber du könntest mich davon überzeugen, dass es wenigstens *sinnvoll* ist – wenn du nur den Eindruck erwecken würdest, du fändest es spannend, wenn nur erkennbar wäre, dass es einen Reiz auf dich ausübt. Aber ich kann nichts dergleichen feststellen. Also, meine Liebe, was ist da los?»

Ich habe ihr mitgeteilt, dass ich ihre blöden Töpfe abscheulich finde.

Dienstag, 1.30 Uhr,
geschrieben im Lichtschein meines Laptop-Displays
Tom und ich haben uns rein technisch soeben versöhnt. Ich sage «rein technisch», weil ich, als ich vor einer Stunde seinen Schatten in der Tür sah, mich im Bett aufsetzte und mit einer Stimme, die selbst in meinen Ohren gekünstelt klang, sagte: «Es tut mir Leid wegen Freitagnacht, ich habe da wohl überreagiert.» Und er erwiderte förmlich, kühl, zweideutig: «Ja, mir tut es auch Leid.»

Es folgte eine Pause. Ich überlegte, was ich sagen sollte, um die Sache wieder ins Reine zu bringen, ohne nachzugeben, ohne die Wahrheit zurückzunehmen, das Herzstück, den Kern des Streits. Und dann sagte er plötzlich: «Schau mal, Q, ich bin hundemüde, ich habe keine Zeit für große Gefühlsausbrüche zwischen uns, okay? Ich habe seit zwei Tagen kaum geschlafen. Ich lege mich heute Nacht einfach wieder mit der Matte auf den Boden, so störe ich dich nicht, und du störst mich nicht.»

«Okay», erwiderte ich ebenso kühl, «tu, was du willst», und ließ mich mit einer theatralischen Geste aufs Bett zurücksinken. Dann lag ich wach und hörte mit zugeschnürter Kehle und kribbelnden Fingern zu, wie er sein Mattenlager zurechtmachte.

Jetzt liegt er also auf dem Boden, anderthalb Meter von mir entfernt, das Gesicht vom Bett abgewandt, sodass nur sein schwarzer Haarschopf unter der Decke hervorschaut. Während der letzten halben Stunde habe ich zugesehen, wie er schläft, verpackt in einen Körper, der nicht mehr zu mir zu gehören scheint.

39.

Mittwoch, 13 Uhr

Heute ist es ungeheuer windig, und der Himmel ist schwer und wolkenverhangen. Eine der alten Frauen im Haus gegenüber versucht, an einer provisorischen Leine, die über ihren kleinen Balkon gespannt ist, Wäsche aufzuhängen. Ihre angestrengten Bemühungen, die Hemden an der Leine zu befestigen, sind das heutige Ablenkungsprogramm für eine matte, von Herzeleid gequälte Q.

Alison hat gestern gefragt, ob sie die Babyausstattung ansehen dürfe, die ich eingekauft habe, woraufhin Tom zu meiner Überraschung hinter einem Bücherstapel zum Vorschein kam und verkündete, er wolle sie auch sehen. Also trugen er und Alison die Pakete aus dem Kinderzimmer herüber (auch bekannt als Alisons parfümierte Höhle); Tom holte zwei Scheren, und die beiden schlitzten und zerrten und rissen, bis das Wohnzimmer schier überquoll von Möbelstücken, Wäsche, Hautpflegeprodukten, Spielzeug und einer Million blassblauer Styroporchips. Alison lobte meine Errungenschaften in höchsten Tönen, und selbst Tom schien gerührt zu sein beim Anblick des winzigen Moseskörbchens aus Seegras. Aus dem Augenwinkel sah ich, wie er eines der weichen blauen Laken sanft an die Wange hielt. Kaum vorstellbar, dass unser kleiner Sohn in wenigen Wochen auf diesen Laken liegen wird.

Nach dem Dinner brachte Alison wieder das Thema Beruf zur Sprache. Der Zeitpunkt hätte nicht ungünstiger sein können; die Beschäftigung mit den Baby-Einkäufen hatte eine warme Brise in die Atmosphäre zwischen Tom und mir gebracht, einen kleinen Schritt zurück in Richtung Vertrautheit bewirkt. Es war nicht viel, aber mir wurde trotzdem leichter ums Herz, als Tom mich angrinste, während er einen Teddybären mit eingebauter Spieluhr in Augenschein nahm, die ein Schlaflied spielt, wenn man den Bären an den Ohren zieht. Tom schien ganz begeistert von dem Plüschtier und strich während des Abendessens immer wieder durch seinen krausen goldenen Pelz.

Das Thema Karriere bewirkte eine sofortige Abkühlung.

«Tom, glaubst du eigentlich, dass Q Spaß an ihrem Job hat?», erkundigte sich Alison und beobachtete Tom scharf, während sie an einem Glas mit himbeerfarbenem chilenischem Rotwein nippte.

Tom, der auf der Fensterbank hockte, wurde sehr still. «Wie meinst du das?», erwiderte er vorsichtig. Ich sah, wie die Fingerknöchel seiner Hand, mit der er die Kaffeetasse hielt, weiß wurden.

Alison schürzte die rot geschminkten Lippen. «Hat sie dir nicht von unserer Unterhaltung erzählt?», fragte sie, und ihr Blick ging zwischen uns beiden hin und her. Ich wusste, was sie dachte. Ich wurde wütend.

«Alison hat mir gestern einen Vortrag über meine Berufswahl gehalten, und sie scheint sich fälschlicherweise einzubilden, ihre Standpauke sei es wert, dass ich dir davon berichte, Schatz», sagte ich zu Tom, während ich meine Schwester mit Blicken wie Dolche erstach. «Was selbstverständlich Unsinn ist. Ich würde dir doch nichts wirklich Wichtiges verschweigen», fügte ich laut hinzu, damit sie es nur ja nicht überhörte.

Alison zuckte die Achseln und blickte Tom forschend ins Gesicht. «Ich habe Q gesagt, ich glaube nicht, dass das, was sie tut, sie wirklich erfüllt. An der Schule und in Oxford hat sie ihre Arbeit so sehr geliebt, aber jetzt scheint sie kaum mehr einen Gedanken daran zu verschwenden. Sie bestreitet das, aber ich wüsste gern, wie du darüber denkst. Du kennst sie besser als irgendjemand sonst, besonders in letzter Zeit», sagte sie mit einer leichten, aber doch hörbaren Betonung auf den letzten drei Wörtern, als wollte sie sagen, *uns anderen ist sie ein Rätsel.*

Tom starrte erst Alison, dann mich an. «Ehrlich gesagt weiß ich nicht, ob sie *erfüllt* ist», erwiderte er nach einer Weile vorsichtig. «Ich glaube, sie könnte sicher auch mit einem anderen, weniger belastenden Job glücklich werden.»

Alison nickte energisch. Offenbar glaubte sie, auf der richtigen Spur zu sein. «Das ist höchst interessant, Tom; wirklich *äußerst* interessant, dass du das sagst», bemerkte sie mit einem bedeutungsvollen Blick zu mir. Sie strich mit der Fingerspitze nachdenklich über den Rand ihres Glases, wobei ein leiser, singender Ton entstand. «Und wie steht es mit dir?»

Tom stutzte. «Wie bitte?», fragte er höflich. Seine Stimme schien von irgendwo am anderen Ende der Stadt zu kommen.

«Nun, wie ich bereits zu Q sagte: Es ist offensichtlich, wie viel dir dein Beruf bedeutet, aber du arbeitest wirklich zu *unmöglichen* Zeiten. Ehrlich gesagt ist mir schleierhaft, wie Q zurechtkommen soll, wenn das Baby erst da ist. Ich glaube, das wird ziemlich anstrengend für sie. Darum wollte ich wissen, ob *du* mit einem, wie du es ausgedrückt hast, weniger belastenden Job glücklich werden könntest?»

Ich schnappte entgeistert nach Luft. Jetzt dachte er bestimmt, die Idee dazu stammte von *mir*, ich hätte mich bei meiner impertinenten, überlegenen kleinen Schwester über ihn beklagt, hätte sie gebeten, ein Wort für mich einzulegen …

Es folgte eine längere Stille. Draußen tobte der Wind immer heftiger; ich hörte, wie ein Zeitungsautomat über den Gehweg geschleudert wurde, von fern den entrüsteten Ruf eines Fußgängers, dem es offenbar den Hut vom Kopf geweht hatte. Nach einer Weile stand Tom auf und stellte seine Espressotasse sehr behutsam auf die winzige Untertasse aus zartem Porzellan. Er strich seine Hose glatt, warf mir einen kurzen Blick zu – lag darin ein Vorwurf? Zorn? Traurigkeit? –, dann schaute er demonstrativ auf die Uhr. Als er wieder aufsah, war sein Gesicht ausdruckslos.

«Unmögliche Zeiten hin oder her, ich muss heute Abend im Büro noch etwas fertig schreiben. Ich fürchte, ihr werdet diese kleine Unterhaltung ohne mich fortsetzen müssen», sagte er mit einem Anflug von Boshaftigkeit und einer Kälte, die mir das Blut ins Gesicht trieb. «Hilfst du Q bitte beim Zubettgehen? Und sorge dafür, dass sie genügend Wasser in Reichweite hat, ja? Wir sehen uns morgen früh», setzte er hinzu und drückte mir einen flüchtigen Kuss auf die Stirn. Zehn Sekunden später schlug die Wohnungstür zu, und er war verschwunden, hinaus in den Equinoktialsturm.

Alison sah mich erwartungsvoll an. Ich sagte nichts. Es gab nichts, das ich hätte sagen können, ohne das volle Ausmaß unseres Problems zu offenbaren, das plötzlich ... *gewaltig* schien, ein Keil, geschmiedet aus den aufgestauten Spannungen der vergangenen Monate (oder waren es Jahre? Waren diese Probleme womöglich immer schon da, vom ersten Tag, der ersten Nacht an, hatten sie sich angesammelt und geteilt und vermehrt wie Krebszellen?). Einen furchtbaren Moment lang fürchtete ich, sie würde mich fragen, was mit uns los sei. Aber sie hat sich zusammengerissen. Sie stellte behutsam ihr Weinglas ab und kam zu mir, um mich vom Sofa hochzuwuchten. «Ich fülle dir gleich den Wasserkrug nach», war alles, was sie sagte, während sie mir half, ins Schlafzimmer zu schlurfen.

40.

Donnerstag, 12 Uhr mittags
Tom ist heute früh nach Tucson abgereist. Auf dem Rückweg wird er in Baltimore einen Zwischenstopp einlegen, um seine Eltern zu besuchen. «Alison ist ja hier, um sich um dich zu kümmern», hatte er rasch gesagt, zu rasch, als er von ihrem bevorstehenden Besuch erfuhr, «also gibt es doch keinen Grund, weshalb ich nicht fahren sollte, oder?» Ich schüttelte mit gespielter Gleichgültigkeit den Kopf. «Ich denke nicht», sagte ich und dachte, wenn dir von selbst kein Grund einfällt, werde ich den Teufel tun, dir einen zu nennen. (Irgendwo in meinem Inneren hörte ich das eintönige ‹Pling› des Keils, Stahl auf Stahl.)

Nicht dass Alison sich besondere Mühe gibt, mich zu versorgen; genau genommen ist sie gerade auf einem Einkaufsbummel. Heute Morgen hat sie in der Zeitung von einer eintägigen Sonderangebotsaktion bei Bloomingdale's gelesen und daraufhin eine Hektik an den Tag gelegt, wie ich sie bei ihr noch nie gesehen habe. Im Hausflur vor der Tür ist sie mit Mrs. G. zusammengestoßen. «Q, hier ist deine Freundin, sie kann dir Gesellschaft leisten», verkündete sie großartig, als hätte sie persönlich Mrs. G.s Besuch arrangiert. «Bis zu deinem Arzttermin heute Nachmittag bin ich längst zurück», rief sie noch. «Und Mittagessen mache ich dir auch», fügte sie extra laut hinzu, offenbar in der Hoffnung, Mrs. G. zu zeigen, welch beispielhafte Schwester ich habe.

Wobei ich dazu sagen muss, dass Mrs. G. nicht in der Verfassung war, irgendetwas wahrzunehmen. Sie war völlig aufgelöst. Ich habe sie noch nie so verzweifelt gesehen, und ihr Akzent war vor lauter Aufregung stärker denn je. Ich verstand kaum ein Wort von dem, was sie sagte. Erst nachdem ich sie überredet hatte, zwei Gläser von Toms Scotch zu trinken, hatte sie sich so weit beruhigt, dass sie mit mir kommunizieren konnte.

Der Brief, den ich aufgesetzt hatte, muss bei Randalls eingeschlagen haben wie eine Bombe, denn das Immobilienunternehmen hatte plötzlich zu völlig absurden, um nicht zu sagen unmoralischen Mitteln gegriffen, um die Mieter gefügig zu machen. Wie es scheint, wurde binnen vierundzwanzig Stunden nach Zustellung des Briefes jemand beauftragt, die persönliche und finanzielle Vorgeschichte der Mieter zu recherchieren. Diese Person (nach Angaben von Mrs. G. ein kleiner, dicker Mann, der aussieht wie ein Schweinswal) hat Verwandte befragt, sich Einsicht in polizeiliche Akten verschafft und buchstäblich seine Nase in die Mülltonnen gesteckt, um eine Möglichkeit zu finden, die Mieter zum Auszug zu «überreden». Wer jemals auch nur ein Knöllchen wegen Falschparkens nicht bezahlt hatte, dem wurden drastische Sanktionen angedroht; die Hausbewohner munkeln von geheimen Treffen in dunklen Tiefgaragen, von einer Furcht einflößenden, heiseren Telefonstimme, die Abschiebung und Geldstrafen in Aussicht stellte. Offenbar hat der Schweinswal-Mann den Mietern gedroht, wenn sie Mrs. G. auch nur ein Sterbenswörtchen von diesen Unterredungen erzählten, würde er ihnen das FBI auf den Hals hetzen. Und die CIA. Und das Ministerium für Innere Sicherheit. Die arme Mrs. G. konnte gar nicht begreifen, warum ihre Freunde von der Mieterinitiative plötzlich absprangen wie die Lemminge von einer Klippe und verkündeten, sie würden die ursprünglichen Bedingungen von Randalls nun doch annehmen; und ob sie wohl etwas dagegen hätte, die Sache auf sich beruhen zu lassen?

Ein Hoch auf Mrs. G., die erwiderte, ja, sie hätte in der Tat etwas dagegen und was in aller Welt denn eigentlich los sei? Der Schweinswal-Mann mochte Furcht einflößend sein, aber ich glaube, Mrs. G. kann einem noch größere Angst einjagen. Gestern Abend hat sie jedenfalls ein armes altes Ehepaar so lange bearbeitet, bis die beiden ihr die ganze Geschichte gestanden. Die Schwiegertochter der beiden hatte vor fünf Jahren einmal drei Monate lang illegal als Kellnerin gearbeitet, und Schweinswalgesicht hatte den beiden eingeredet, er würde dafür sorgen, dass sie keine Green Card mehr bekäme und ihren kleinen Sohn nie wieder sähe, der letztes Jahr im Mount Sinai Hospital zur Welt gekommen und ein waschechter Amerikaner ist. Das alte Ehepaar knickte ein wie ein Zelt im Wirbelsturm. Laut Mrs. G. waren sie gestern drauf und dran, einen Mietvertrag für eine Wohnung zu unterschreiben, die nur ein Viertel so groß wie ihre jetzige und fünfzig Straßenblocks weiter nördlich gelegen ist.

«Das kann nicht richtig sein», erklärte sie hitzig, «das *kann nicht* richtig sein.» Ich musste ihr zustimmen. Das kann nicht richtig sein.

Während ich ihren Bericht anhörte, starrte ich durchs Fenster hinaus ins Leere und dachte angestrengt nach. Crimpson vertritt Randalls – zwar nicht in der Räumungssache, aber immerhin in Entwicklungsinteressen. Wenn ich Mrs. G. in dieser Angelegenheit unterstütze, wenn ich ihr helfe, die unlauteren Machenschaften von Randalls aufzudecken, bedeutet das, aktiv gegen Tom zu arbeiten – gegen seine Kanzlei, gegen seinen Klienten und, wenn man es recht bedenkt, gegen seine gesamte Weltanschauung.

«Mrs. G.», sagte ich kurz entschlossen, ehe ich es mir anders überlegen konnte, «ich helfe Ihnen, okay? Sie sind in dieser Sache nicht allein, das verspreche ich Ihnen. Ich werde ein paar Nachforschungen anstellen und die Einzelheiten Ihrer rechtlichen Situation klären. Wir werden diese Dreckskerle schlagen. Ich kann Ihnen nicht versprechen, dass Ihre Freunde ihre Wohnungen behalten können, aber ich werde verdammt nochmal dafür sorgen, dass diese Typen bei Randalls kriegen, was sie verdienen, und Ihre Freunde alles bekommen, was ihnen zusteht – sowohl an Geld als auch an rechtlichem Beistand.»

Mrs. G. nickte langsam, und die Erleichterung ließ die scharfen, dunklen Linien um ihren Mund weicher werden. «Du bist liebes Mädchen», war alles, was sie sagte. «Du bist ganz feines Mädchen.» Ich streckte die Hand aus und berührte sie sachte an der Schulter, erfüllt von dem angenehmen Gefühl, mit jemandem zusammenzuarbeiten, ein Team zu sein. Sie braucht mich, und ich bin in der Lage, ihr zu helfen.

Nachdem jedoch die Tür hinter ihr ins Schloss gefallen war, überkam mich nackte Panik. Ich habe mich soeben verpflichtet, einer Gruppe zu helfen, die sich gegen den Klienten meines Mannes stellt – und das in einer Situation, in der mein Mann und ich ohnehin kaum noch miteinander reden, ich hochschwanger bin und zudem um der Gesundheit des Babys willen im Bett liegen muss. Was habe ich getan? Um Himmels willen, was habe ich da nur getan?

41.

15 Uhr
Wenigstens machte das Baby heute beim Ruhe-CTG und beim Ultraschall einen guten Eindruck. Dr. Weinberg war bei unserer Abschlussbesprechung bemerkenswert guter Dinge. «Diesmal gebe ich ihm die volle Punktzahl», teilte sie mir herzlich mit. «Ehe Sie sichs versehen, wird er summa cum laude seinen Abschluss in Yale machen, oder war es Harvard, wo Ihr Mann studiert hat? Harvard, richtig, jetzt erinnere ich mich, es war Harvard. *Oy oy oy*, er kommt ganz nach seinem Vater, dieser Kleine, wenn ich mir das Urteil erlauben darf», fügte sie mit einem gutmütigen Augenzwinkern hinzu.

Ich lächelte sie verkrampft an und schwieg. Nach dem Termin bei Dr. Weinberg wartete ich in der Eingangshalle, während Alison ein Taxi rief, dann schob ich mich langsam hinaus in die Vorfrühlingssonne. Während ich zum Taxi schlurfte und in das klare, harte Licht blinzelte, erblickte ich mein Spiegelbild in der Windschutzscheibe. Sechs Wochen ohne körperliche Betätigung tun dem Körper nicht besonders gut. Mein Hals ist breiter geworden, mein Gesicht hat sich gerundet, Brust und Bauch scheinen sich zu einer einzigen gewaltigen Wölbung verbunden zu haben. Tränen brannten mir in den Augen, und ich spürte, wie mir das Blut in die Wangen schoss. Ich erkannte mich selbst kaum wieder.

Früher war ich das, was andere als «schlank» bezeichneten. «Schlank» ist eines dieser Worte, die man verwendet, um andere zu beschreiben; es klingt sehr seltsam, wenn man es auf sich selbst anwendet, es sei denn, man formuliert eine Kontaktanzeige. «Attraktiv» ist auch so ein Wort. Zufällig bin ich auch das, was andere «attraktiv» nennen.

Meine Freundinnen an der Uni haben sich oft gewundert,

warum jemand wie ich – groß, schlank, attraktiv – die meiste Zeit Single war. Mir selbst ist das nie merkwürdig vorgekommen. Ich bin hübsch, durchaus, aber mir fehlt das gewisse Etwas – was ist es? Sexappeal? Vielleicht. Meine Schulfreundin Lynn hatte es. Dabei trug sie eine Zahnspange und hatte Akne am Kinn, aber man brauchte ihr nur einmal beim Tanzen zuzusehen. Sie hatte völliges Vertrauen in ihren Körper, als gehorchte er ihr ganz und gar, als hielte er keine Geheimnisse für sie bereit. Ich dagegen habe meinen Körper immer mit einer gewissen Ratlosigkeit betrachtet. Trotzdem – auch wenn ich nie ein Mädchen war, das Männern den Kopf verdreht, war Tom dennoch nicht der Erste, der ein Auge auf mich geworfen hat. Immerhin bin ich groß und schlank; und als mir der Wert dieser Eigenschaften bewusst wurde, gab ich mir alle Mühe, meine Leidenschaft für alles Süße streng im Zaum zu halten. Und so bezeichneten mich die meisten Leute als «attraktiv». Nicht schön – das hat nur Tom gefunden –, aber durchaus attraktiv.

Jetzt hingegen … tja. Schlank bin ich nicht mehr, und nicht nur wegen meines gewaltigen Bauchs. Ich rede ja nicht einmal von dem Doppelkinn, das ich mir in den letzten Wochen angefuttert habe. Schon ganz zu Beginn der Schwangerschaft wurde meine Gier nach Essen unstillbar. Eigentlich war ich immer in der Lage, meinen Appetit zu zügeln, aber sobald mein Körper das neue Leben bemerkte, schrie er vehement nach Keksen, nach Kuchen, Chips und überhaupt nach allem, was dick macht. Und so addierten sich die Pfunde; bei meinem monatlichen Termin bei Dr. Weinberg sah ich schon gar nicht mehr hin, wenn ich auf der Waage stand, und hätte mir am liebsten die Ohren zugehalten, wenn die Arzthelferin murmelte «70», «73», «77». Dann kam auch noch die Bettruhe, und vorbei war es mit meinen Spaziergängen in der Mittagspause, meinen Ausflügen in den Park am Wochenende, ganz zu schweigen von meinen Gängen ins Fitnessstudio, wo ich alle Jubeljahre mit Patty trainiert hatte. Ich bin jetzt bestimmt 20 Kilo schwerer als vor meiner Schwangerschaft und keineswegs mehr «attraktiv» – um das festzustellen, brauche ich nicht erst mein Spiegelbild in der Scheibe eines Taxis zu sehen. Arme und Kinn sind wabbelig, meine Haut hat die Farbe von Schneematsch im Winter, und mein welliges Haar ist auf der linken Seite ganz platt gedrückt von diesen endlosen Tagen auf dem Sofa. Ich bin völlig aus dem Leim gegangen, und nur ein beschämend kleiner Teil dieser Körpermasse ist Kind. Wenn ich so weitermache, werden die Rettungsringe bis zu meinem dreißigsten Geburtstag den Umfang von Lastwagenreifen erreicht haben.

Ist es ein Wunder, dass mein Mann neuerdings die Nächte im Büro verbringt?

18.30

Gerade hatte ich überraschend Besuch von Mark. Ich lag auf dem Sofa und tippte die letzten Zeilen, die Hände halb unter unserer kratzigen blaugrauen Wolldecke verborgen, als jemand an die Tür klopfte.

Alison hatte ihre Meinung bezüglich eines Kleides von Bloomingdale's geändert und war noch einmal losgerannt, um es umzutauschen («Ich glaube, ich brauche doch Größe 4, Liebes, sieh dir nur diese überschüssigen Falten an»), ich war also allein in der Wohnung.

«Q, ich, ähm, ich hoffe, ich störe nicht», entschuldigte sich Mark unbehaglich, während er aus seiner schwarzen Lederjacke schlüpfte, sich des gelben Kaschmirschals entledigte und sich in den Ledersessel sinken ließ.

«Ganz und gar nicht», erwiderte ich, mit den Gedanken noch nicht ganz in der Gegenwart angekommen. Der Besuch machte mich stutzig: Mark kommt normalerweise nur her, um Tom zu besuchen, nicht um mich zu sehen. «Was gibt es?»

«Ich kam gerade vorbei und dachte, ich schau mal rein ...», setzte er an, dann verstummte er und atmete tief durch. «Nein, das ist nicht wahr. Ich bin aus einem konkreten Grund hergekommen. Wahrscheinlich sollte ich einfach damit rausrücken.»

«Rausrücken – womit?», half ich nach und dachte, bring es hinter dich und verschwinde. Ich kann dich nicht leiden.

Ich schwieg erwartungsvoll. Sekunden vergingen; er sagte nichts. Er starrte mich an wie ein verstörtes Kaninchen, den Mund leicht geöffnet. Ich bemerkte, dass einer seiner Schneidezähne ein wenig verfärbt ist.

«Die Sache ist die. Die Sache ist – also Folgendes», begann er zögernd, dann platzte er auf einmal heraus: «Q, ich hatte eine Affäre.»

Ich seufzte und musste mich beherrschen, um nicht zu erwidern, ja, ich weiß. Es schien mir geschickter, mich vorerst bedeckt zu halten. «Tatsächlich», sagte ich stattdessen und bemühte mich, überrascht zu klingen.

«Ja, und die Sache ist die, sie, meine ... Geliebte war auf deiner Party. Letzten Freitag. Gleich als ich hereinkam, habe ich sie gesehen, aber dann, dann ist sie verschwunden. Sie hat langes, dunkles Haar und ganz reizende Sommersprossen, und sie hatte ein rotes Kleid an mit schmalen Trägern, und ihr Name ist, ihr Name ist –»

«Bri-*anna*?», ergänzte ich fragend, so, als dämmerte es mir erst in diesem Moment.

«Genau.» Er nickte mehrmals hastig.

Wieder entstand eine Pause.

«Mir ist nicht ganz klar, warum du mir das erzählst», sagte ich schließlich in das Schweigen hinein.

«Weil ich hoffe, dass du mir helfen kannst, sie wieder *zurückzugewinnen.*» Die Worte sprudelten nur so hervor, und während er sprach, stand er auf und begann hin und her zu laufen, wobei er den Rand des persischen Kelim umschlug. «Ich habe seit letztem Freitag andauernd versucht sie anzurufen, dreimal täglich, aber sie geht nicht dran. Das macht mich wahnsinnig. Ich liebe sie, Q. Ich will wieder mit ihr zusammen sein. Ich werde Lara sagen, dass ich die Scheidung will. Ich glaube, ich möchte Brianna heiraten. Wirst du mir helfen?», schloss er und drehte sich mit einem flehentlich-hoffnungsvollen Ausdruck zu mir um.

Ich muss gestehen, ich halte von dieser Beziehung überhaupt nichts. Während ich ihn ansah, wurde mir plötzlich bewusst, dass ich wütend war. Nicht bloß ein bisschen ärgerlich, sondern richtig, richtig wütend.

«Hast du da nicht eine Kleinigkeit vergessen?», versetzte ich bissig. «Die Kleinigkeit von zwei Kindern und einer schwangeren Frau?»

Mark fuhr sich hilflos mit den Fingern durch das schütter werdende Haar. «Ich weiß, ich weiß, und ich mache mir ihretwegen auch schreckliche Vorwürfe. Aber Q, ich kann nicht in dieser Lüge leben», fuhr er in öligem Tonfall fort. «Ich kann Lara nicht länger vormachen, dass ich sie liebe. Sie ist in letzter Zeit so *steif*, Q, das kannst du dir gar nicht vorstellen. Brianna ist warm und weich und liebevoll. Ich kann einfach nicht dagegen an!»

«Du kannst nicht dagegen an? Komm mir nicht mit solchen Sprüchen!», unterbrach ich ihn wütend. Und noch ehe ich wusste, wie mir geschah, strömten die Worte aus mir heraus wie aufgestaute Lava aus einem Vulkan. Ich weiß kaum noch, was genau ich gesagt habe, aber sein entgeisterter Gesichtsausdruck wird mir auf ewig im Gedächtnis bleiben. Das Gespräch endete damit, dass er türenknallend die Wohnung verließ, nachdem er geflucht hatte, er könne sich nicht erklären, warum er sich mir anvertraut habe – er habe noch nie eine weniger einfühlsame Frau gekannt, und Tom müsse ein Heiliger sein, es mit mir auszuhalten.

Die Wohnungstür krachte. Ich lauschte, wie der Knall im Apartment nachhallte. Das tue ich neuerdings häufiger.

Das Telefon durchbrach die Stille. *Piiiep.* Pause. *Piiiep.* Pause. Dieses typisch amerikanische Geräusch. Es war meine Mutter, deren typisch englische Stimme von jenseits des Atlantiks herüberdrang.

«Q, ich habe eine Überraschung für dich», begann sie verheißungsvoll.

«Ja?», erwiderte ich matt. Ich war emotional völlig ausgelaugt.

«Ist das alles, was dir dazu einfällt?», fragte sie gekränkt. Ich atmete tief durch, riss mich zusammen und erkundigte mich pflichtbewusst, was für eine Überraschung es denn sei.

«Ich komme dich besuchen und bleibe, bis das Kind geboren ist!», verkündete sie. Ich ließ vor Verblüffung tatsächlich den Hörer fallen. Er glitt mir buchstäblich aus den tauben Fingern. Ich starrte das Telefon an, ein Haufen schwarzes Plastik, der auf der Sofakante lag, und rang mit mir, ob ich es wieder aufheben oder einfach die «Aus»-Taste drücken sollte, damit sie weg war, womöglich für immer.

Natürlich drückte ich die Taste nicht. Stattdessen schloss ich kurz die schmerzenden Augen, dann hob ich es wieder auf. «Entschuldige, da war wohl eine Störung in der Leitung», behauptete ich wenig überzeugend. «Erzähl weiter.»

Sie klang argwöhnisch, beleidigt und eifrig zugleich. «Ich hoffe doch, du freust dich, Q. Es war ein Albtraum, genügend Lehrer aufzutreiben, die mich im Studio vertreten, aber dann sind doch einige eingesprungen, und ich konnte alle Termine abdecken. Ich reise am 19. an. Dann ist, mal überlegen, die 34. Schwangerschaftswoche vorbei, und ich kann mindestens zwei Wochen bleiben, also werde ich da sein, wenn das Baby zur Welt kommt!», schloss sie begeistert.

Sie will mich hier besuchen? In Amerika? In New York? Ich konnte nicht glauben, was ich da hörte. Und plötzlich empfand ich etwas, das ich seit Jahren nicht gefühlt hatte, eine unbeschreibliche Sehnsucht nach ihr. *Meine Mutter.* Hier. Endlich. Doch alles, was ich sagte, war, toll. Danke. Ich freue mich darauf, dich zu sehen.

Eine halbe Stunde später kehrte Alison mit einem winzigen Kleidchen und frisch manikürten, pfirsichfarben lackierten Fingernägeln zurück. Bei einer Tasse Tee erzählte ich ihr von dem geplanten Besuch unserer Mutter. Sie bestätigte, Mum habe schon seit einiger Zeit nach Lehrern gesucht, die in den letzten drei Wochen meiner Schwangerschaft den Unterricht in ihrem Yogastudio übernehmen könnten. «Sie hat mich gebeten, dir nichts davon zu sagen, solange sie nicht alles organisiert hatte. Sie wollte dich überraschen», erklärte Alison und fügte schmollend hinzu: «Mich hat sie nach Serenas Geburt nur für *zwei* Tage besucht. Sie hat behauptet, sie könne nicht länger von ihrer Arbeit wegbleiben, dabei hatte sie es bis zu mir nach London doch wirklich nicht weit. Aber deine Schwangerschaft ist ja auch so problematisch verlaufen, ich nehme an, das ist der Grund …»

Ich betrachtete Alison über meinen Earl Grey hinweg und fragte mich, ob wir wohl jemals erwachsen werden.

42.

Freitag, 13 Uhr

Als ich heute Morgen wach wurde, fiel mein Blick als Erstes auf die leere Betthälfte neben mir. Das weiße Laken starrte unschuldig zurück, trotz all der bitteren Gedanken, die sich in den Tiefen meines noch schlaftrunkenen Geistes regten. Es fällt schwer, auf ein kahles weißes Laken wütend zu sein.

Dann wanderte mein Blick durch das Zimmer zu dem Holzstuhl hinüber, der neben der Tür zum Bad steht. Auf dem gepolsterten Sitz lag eine Calvin-Klein-Unterhose, achtlos hingeworfen, die Beinausschnitte zuoberst, eine ungleichmäßige Acht aus grauer, zerknitterter Baumwolle. Komm her, heb mich auf und steck mich in den Wäschekorb, rief sie mir gereizt zu, und beeil dich, ich liege hier schon seit zwei Tagen. Du liegst den ganzen Tag nur herum, während ich aufstehe, zur Arbeit gehe und lauter wichtige Sachen mache. Nun los doch, du kannst ruhig auch mal eine Kleinigkeit tun für deinen Unterhalt.

Scher dich zum Teufel, knurrte ich sie mürrisch an, während ich mich aus dem Bett wuchtete, du findest den Weg schon selbst, ich habe zufällig selbst genug zu tun. Du bist hier nicht der Einzige, der arbeitet.

Nach dem Frühstück klappte ich das Notebook auf und machte mich ans Werk. Zeit für ein paar Recherchen.

Es gab einmal eine Zeit, da beschaffte man sich Informationen über Mietregulierung, Wohnungsförderung und die Voraussetzungen für den Abriss von Gebäuden in New York City, indem man einen ganzen Tag lang in einer muffigen Bibliothek stöberte, zwischen Regalen von Schwindel erregender Höhe, angefüllt mit gewaltigen Folianten mit Goldprägung auf dem Lederrücken, Seiten wie Papiertaschentüchern und mikroskopisch kleiner Schrift. Heutzutage kann eine bettlägerige Frau, bewaffnet mit einem praktischen Westlaw-Passwort, binnen etwa drei Stunden eine erstaunliche Menge in Erfahrung bringen.

Die erste Entdeckung ließ nicht lange auf sich warten. Ich kopierte die entsprechende Textstelle und fügte sie in ein Word-Dokument ein: *Das Gesetz verbietet jegliche Ausübung von Druck auf Bewohner von Sozialwohnungen. Hauseigentümer, denen nachgewiesen wird, dass sie vorsätzlich derartige Maßnahmen ergriffen haben, um einen Mieter zur Räumung seiner Wohnung zu bewegen, können sowohl zivil- als auch strafrechtlich belangt werden. Eigentümer, die der Nötigung von Mietern für schuldig befunden werden und deren Taten am oder nach dem 19. Juli 1997 begangen wurden, werden mit Geldstrafen in Höhe bis zu $ 5000 für jeden dieser Verstöße bestraft.* Ich speicherte den Absatz in ein eigens neu angelegtes Dokument mit dem Namen «Scheiß auf Randalls» und verschob dieses nachträglich in einen ebenfalls neu angelegten Ordner, der den weniger rüden Namen «Randalls Rechercheergebnisse» bekam.

Dann arbeitete ich mich durch das «gemäß der Mietpreisbindungsverordnung erforderliche Genehmigungsverfahren für die Nichtverlängerung von Mietverträgen durch den Eigentümer aufgrund bevorstehenden Abrisses des betreffenden Gebäudes im Zuge dringend erforderlicher Maßnahmen zur Abwendung einer drohenden Gesundheitsschädigung der Mieter». (Ich habe die Juristensprache schon immer gemocht. «Abwendung einer drohenden Gesundheitsschädigung» – dieser altertümelnde Wortgebrauch beschwört vor meinem geistigen Auge Bilder von dunklen, Nebelschwaden durchzogenen Gassen herauf, Rapiere bei Nacht, ein Fetzen Pergament in der Hand eines Toten.) Ich markierte, kopierte und fügte ein, ich suchte, folgte diesem und jenem Link; ich richtete in «Scheiß auf Randalls» verschiedene Rubriken ein und erstellte eine hübsche Anzahl weiterer Dokumente, die ebenfalls in «Randalls Rechercheergebnisse» landeten (als da wären «Zum Teufel mit Randalls», «Randalls – Nein danke», «Nieder mit Randalls» etc. pp.). Um es kurz zu machen: Die Abfindungen, die Randalls den Mietern angeboten hatte, lagen drastisch unter den gesetzlich vorgeschriebenen Beträgen, und außerdem hatten die Mieter keine Kopien der erforderlichen Papiere zur Kenntnisnahme erhalten. Und da wir schon einmal beim Thema Papiere waren, grübelte ich, während ich schließlich zum Telefon griff – wie stand es denn nun eigentlich mit dieser Abrissgenehmigung von der Bauaufsichtsbehörde?

Es brauchte einige Zeit und erforderte ein paar Halbwahrheiten meinerseits (technisch gesehen bin ich noch immer eine Mitarbeiterin der Kanzlei Schuster, also waren es keine *wirklichen* Lügen), ehe ich bestätigt bekam, was ich schon länger vermutet hatte: Tatsächlich war über den Antrag von Randalls auf Abrissgenehmigung für den Apartmentkomplex noch gar nicht entschieden worden. Genau genommen soll der Antrag nächsten Monat angehört werden. Was bedeutet, dass den juristischen Vertretern der Mieter reichlich Gelegenheit bleibt, Widerspruch einzulegen und das schockierende Verhalten des Eigentümers öffentlich bekannt zu machen. Höchste Zeit also, den Mietern eine zuverlässige juristische Vertretung zu verschaffen.

Ich griff erneut zum Telefon und rief Fay an. «Ich habe ein Anliegen», sagte ich. «Ich will, dass Schuster einen Fall *pro bono* übernimmt. Ich werde dir per Mail einen Brief übermitteln, und ich möchte, dass du ihn unterschreibst und an ein Unternehmen namens Randalls schickst. Außerdem senden wir Kopien davon an Smyth and Westlon und an Crimpson Thwaite, die Kanzleien, die Randalls vertreten. Wir ziehen alle Register, drohen mit Donnerkeilen und dem elektrischen Stuhl, und wir tun es für eine Gruppe kleiner, alter griechischer Ladys und Gentlemen, ohne einen Cent dafür zu berechnen. Okay?»

Was Fay darauf entgegnete, ist nicht wert, hier wiedergegeben zu werden. Jedenfalls endete das Gespräch damit, dass ich meinen Willen bekam.

Ich war nie besonders gut darin, für meine eigenen Interessen einzutreten. Und ehrlich gesagt war ich auch noch nie besonders gut darin, für die Interessen meiner Klienten einzutreten; offen gestanden bin ich keine begnadete Firmenanwältin. Eigentlich seltsam, denn im Studium war ich immer so gut, sogar besser als Tom. Aber nun ist er derjenige, der bei Crimpson Karriere macht. Woran das wohl liegt? In den letzten Wochen, während ich hier untätig herumlag, ist mir etwas bewusst geworden: Ich war von jeher nicht in der Lage, für die Leute, denen ich helfen soll, viel zu empfinden. Es ist mir nahezu unmöglich, mir Sorgen um einen Klienten zu machen, dem es eigentlich bereits ziemlich gut geht. Wer es sich leisten kann, Schuster zu engagieren, dessen Leid kann nicht allzu groß sein. Aber bei diesen alten Leuten liegen die Dinge anders, sie leiden tatsächlich, und sie haben Rechte; das Gesetz ist ausdrücklich darauf ausgerichtet, sie zu schützen. Ich werde nicht tatenlos mit ansehen, wie ihre Rechte mit Füßen getreten werden.

So werde ich die Sache jedenfalls gegenüber Tom darstellen. Nachdem ich das Gespräch mit Fay hinter mich gebracht hatte, schlichen sich wieder unliebsame Gedanken an meinen abwesenden Mann in mein Bewusstsein. Ich muss mich den Tatsachen stellen: Eines Tages – ziemlich bald – wird er von all dem erfahren. Er wird denken, dass ich mich in Dinge einmische, von denen ich nichts verstehe, er wird sagen, ich sei töricht und sentimental. Vielleicht wird er sogar glauben, ich hätte mich absichtlich für Mrs. G. und Alexis eingesetzt, nur um mich an ihm zu rächen, um seinen Klienten auszuhebeln und um ihn vor den Teilhabern bei Crimpson dumm dastehen zu lassen.

Das kann ich nicht ändern.

Wenn er von seiner Reise zurück ist und mich fragt, was ich so getrieben habe, werde ich es ihm sagen. Ich bin von Natur aus nicht dafür geschaffen, andere zu täuschen. Ganz und gar nicht. Ich werde ihm alles erzählen – *wenn* er fragt. Aber ich werde es mit keinem Sterbenswörtchen erwähnen, solange er nicht von sich aus den Anfang macht, solange er nicht sagt: «Q, wir hatten in letzter Zeit ein paar alberne Streitereien, aber ich liebe dich, wir erwarten ein Baby, ich will, dass zwischen uns beiden Klarheit herrscht. Also, was ist los mit dir, was beschäftigt dich?» Wenn er diese Worte sagt, schön. Wenn nicht – dann nicht.

43.

Montag, 7 Uhr
Heute habe ich die dreiunddreißigste Schwangerschaftswoche vollendet. Tom ist seit vier Tagen fort. Alison ist seit zehn Tagen hier. Ich bin seit drei Stunden wach. Ich habe mich vor zwanzig Minuten zuletzt übergeben.

Tom rief gestern spätabends aus Baltimore an. Da Alison im Zimmer war, setzte ich mein strahlendstes Lächeln auf, erkundigte mich nach meinen Schwiegereltern und versuchte, mir nicht anmerken zu lassen, dass mich eiskalte

Übelkeit schüttelte, ein grässliches Rumoren tief in meinen Eingeweiden.

Toms geradezu hysterisch heiterer Tonfall verriet mir, dass seine Eltern sich ebenfalls in Hörweite befanden. «Na, geht's dem Baby gut? Alles in Ordnung bei euch?», fragte er entsetzlich gut gelaunt. Alisons Anwesenheit zum Trotz verdrehte ich die Augen. Warum bilden sich die Leute nur ein, eine Schwangere könne auf mysteriöse Weise Einblick in das Befinden ihres Fötus nehmen? «Ach, weißt du, ich hab ihn heute Morgen gefragt, da hat er gesagt, es geht ihm prächtig, er hat nur etwas Langeweile», versetzte ich sarkastisch, und dann – Alisons flinker kleiner Augen eingedenk – lachte ich. «Haha, kleiner Scherz. Ich meine, ich habe heute Morgen gefühlt, wie er strampelt, falls du das meinst. Und wie steht es um deine Vertragsabschlüsse?», erkundigte ich mich höflich und konnte mir nicht verkneifen, noch ein wenig zu sticheln: «Hast du da unten fleißig Mieter aufs Kreuz gelegt? Vielleicht das eine oder andere Haus abreißen lassen? Hahaha! Kleiner Scherz!», beeilte ich mich hinzuzufügen, um die Gehässigkeit zu überspielen. Dabei grinste ich Alison breit an, um ihr zu versichern, solche schlagfertigen Wortwechsel seien zwischen mir und meinem Mann an der Tagesordnung.

Tom sog scharf die Luft ein. «Verdammtes Miststück», zischte er leise, erbost, und dann, als sei gerade jemand ins Zimmer gekommen: «Hahahaha! Kleiner Scherz. Witzig, witzig. Das war *sooo* witzig.»

Plötzlich schien das Gespräch aus dem Ruder gelaufen zu sein. Während der nächsten Viertelstunde plauderten wir noch eingehend und mit ausgesuchter Höflichkeit über Toms geplanten Rückflug, während Alison lautstark in ihrer Zeitschrift blätterte und mit dem Fuß hektisch auf den Holzboden klopfte. «Also dann, Schatz, bis bald, ich vermisse dich so sehr», schloss ich gleichgültig.

«Ich dich auch, Süße», erwiderte er in ebenso gleichgültigem Ton. «Wirklich, ich kann es gar nicht erwarten, wieder daheim zu sein.» Klack.

Mrs. G. besuchte mich gestern Nachmittag nach dem Gottesdienst in Begleitung von Alexis, der sich mit sichtlichem Unbehagen erkundigte, ob er irgendwelchen Ärger zwischen mir und Tom verursacht habe. Er hatte auf der Party bemerkt, dass mein Mann nichts von meinen Aktivitäten bei der Mieterinitiative wusste (wobei ihm aber natürlich entgangen war, dass Tom selbst Randalls vertritt und ich mich sozusagen mit dem feindlichen Lager verbündet habe). Ich wehrte betont heiter ab. Selbstverständlich sei das kein Problem, beteuerte ich, wobei ich mir Alisons bohrender Blicke wieder einmal deutlich bewusst war; Tom hat nichts dagegen, nein, wirklich, das ist überhaupt kein Problem. Nicht im Geringsten. Alexis wirkte noch immer skeptisch, aber ich lenkte kurzerhand das Gespräch auf Basketball – ich habe mir in den letzten Tagen etliche Spiele im Fernsehen angeschaut, das nervt Alison unsäglich –, und Alexis ging auf meinen Themenwechsel ein. Wir sprachen über die Qualitäten, die Europäer in die NBA einbringen, während Mrs. G. eindöste und Alison mit ihren manikürten Nägeln ungeduldig auf die Tischplatte trommelte.

Nach etwa zehn Minuten verließ Alison das Zimmer, um ein Bad zu nehmen. Alexis vergewisserte sich mit einem raschen Blick, dass seine Tante schlief, ehe er sich zu mir vorbeugte und mir verschwörerisch zuflüsterte: «Die junge Frau, mit der ich kürzlich hier zusammengestoßen bin, Ihre Freundin, Brianna … Ich hoffe, es ist Ihnen nicht unangenehm, aber dürfte ich fragen, ob sie Single ist?»

Ich betrachtete seinen dunkelgoldenen Schopf, atmete seinen Geruch nach Seife und Haut ein, nach Wäsche aus der Reinigung und Pfefferminzshampoo. Den Geruch nach Mann. Wie ich diesen Geruch in letzter Zeit vermisse. «Hm, soweit ich weiß, schon», antwortete ich und beugte mich ebenfalls ein wenig vor. Ich sah, wie seine goldene Haut rosig anlief, bemerkte das einzelne lange Haar in seiner rechten Augenbraue, die kleine Narbe auf seiner Stirn, einen Fingerbreit unter dem Haaransatz. «Warum, interessieren Sie sich für sie?»

Er errötete und grinste verlegen. «Offen gestanden, ja. Ich meine, ich dachte daran, sie mal zum Essen einzuladen, aber ich habe sie bei Ihrer Party nicht gesehen. Ich hatte ein wenig gehofft … Tja, also, wenn Sie mir vielleicht ihre Telefonnummer geben könnten, dann könnte ich … also, dann würde ich gern …» Er verstummte, und das Rot in seinem Gesicht wurde dunkler.

Ich lächelte über seine unbeholfene Art, dann schrieb ich rasch Briannas Nummer auf einen Zettel und riet ihm, sich möglichst bald bei ihr zu melden. Bri widersteht momentan offenbar Marks Annäherungsversuchen, also ist jetzt ein guter Zeitpunkt zur Kontaktaufnahme, bevor ihr Entschluss ins Wanken gerät. Das erklärte ich Alexis so natürlich nicht; ich lobte einfach seinen guten Geschmack in Bezug auf Frauen. Während seine Tante mit einem Schnarchen erwachte, setzte ich noch hinzu, ich sei überzeugt, dass Brianna seine Einladung zum Essen annehmen werde.

Es hat einen geradezu erotischen Reiz, zwei Menschen dabei zu helfen, eine Beziehung anzuknüpfen. Ich denke, das muss etwas mit all dem angestauten Begehren zu tun haben, das nur darauf wartet, hervorbrechen zu dürfen. Ich musste an jene umwerfenden ersten Tage mit Tom denken. (Wie ich zum ersten Mal seine Haut berührte, weich und glatt wie Karamell. Wie ich zum ersten Mal sein Hemd aufknöpfte und seine feste, warme Brust fühlte. Wie er mich zum ersten Mal küsste, bis ich am ganzen Körper bebte. Wie ich ihn zum ersten Mal küsste, bis sein Blick sich verschleierte und seine blaugrünen Augen schiefergrau wurden.)

Ich habe übers Wochenende noch einmal Jane Austens *Emma* gelesen. Ich begreife nicht, weshalb sie mit dem Verkuppeln solche Schwierigkeiten hatte; das ist doch ein Kinderspiel. Ich glaube, ich fühle mich berechtigt, heute auf der Liste *Was die Frau von heute vor dreißig erledigen sollte* den Punkt «einsame, alleinstehende Freundinnen verkuppeln» abzuhaken. Die Sache scheint mir unter Dach und Fach zu sein.

10 Uhr

Oder auch nicht.

Gerade bekam ich einen Anruf von Brianna. Sie will sich wieder mit Mark einlassen.

«Du wirst es nicht glauben», begann sie, «aber es hat sich herausgestellt, dass du meinen Ex-Lover kennst!»

«Tatsächlich», sagte ich und schlüpfte rasch wieder in die Rolle der wohlmeinenden, aber unwissenden Freundin. «Du überraschst mich.»

«Ja», bestätigte sie, «ich habe ihn auf deiner Party gesehen. Er heißt Mark Kerry.»

«Gott im Himmel. Du meine Güte. Ich bin sprachlos.»

«Das dachte ich mir», sagte sie. «Also, es ist folgendermaßen: Er hat mich in der letzten Woche ständig angerufen, seit deiner Party. Jeden Tag. Sogar mehrmals täglich. Ich habe nicht zurückgerufen, nicht weil ich nichts mehr von ihm wissen wollte, sondern weil ich erst die Gewissheit brauchte, dass es ihm wirklich ernst ist. Ich wäre gern wieder mit ihm zusammen, aber ich hatte Angst, es könnte nur eine Laune von ihm sein, und das wäre doch seiner Frau gegenüber nicht fair, nicht wahr? Aber weißt du, ich glaube, er liebt mich wirklich. Gestern hat er mir wieder eine Nachricht hinterlassen. Er sagte, dass er mich vergöttert und dass es da etwas gibt, das er mir sagen möchte – was meinst du, was das sein könnte, Q? Denkst du, er will sich nun doch von seiner Frau trennen? Ich meine, vielleicht ziehe ich voreilige Schlüsse, aber die Art, wie er das sagte ... Ich konnte gar nicht anders, als mich zu fragen ...»

Ich hörte mir ihre Spekulationen mit wachsender Panik an (und, wenn ich ehrlich sein soll, auch mit einiger Sorge um meinen eigenen Ruf als aufrichtiger Mensch. Wenn die beiden wieder zusammenkommen, wird Brianna erfahren, dass ich seit einer Woche über die Affäre im Bilde bin. Womöglich wird sie sich sogar denken, dass ich schon länger Bescheid weiß. Nicht dass das im Augenblick meine größte Sorge wäre, aber trotzdem).

«Brianna», warf ich ein, «ich kenne seine Frau, okay? Ich *kenne* Lara. Wir sind befreundet – na ja, mehr oder weniger. Ich kann nicht seelenruhig mit ansehen, wie du ihr den Mann ausspannst. Sie ist schwanger und hat zwei kleine Kinder, sie *braucht* Mark, und – und hör mal» (mit wachsender Verzweiflung), «Alexis war vorhin hier und hat mich nach deiner Telefonnummer gefragt, er will dich anrufen, und er ist *so scharf*, er hat umwerfende Augen, bildschönes Haar, und richtig nett ist er außerdem –»

«Q», versetzte Bri überrascht, «das klingt ja ganz so, als ob *du* für den Kerl schwärmst, aber was mich betrifft, ich fürchte, das ist aussichtslos, ich habe kein Interesse. Mark ist *der* Mann für mich. Ich hätte Verständnis, wenn du deshalb nicht mehr mit mir befreundet bleiben könntest, aber wenn Mark das nächste Mal anruft, werde ich ans Telefon gehen und ja sagen zu allem, was er von mir will. Zu *allem*», wiederholte sie bedeutsam. Ich legte auf.

Im nächsten Moment geriet ich in Panik. Brianna ist eine gute Freundin. Außerdem ist sie, um es klar zu sagen, meine treueste Besucherin. Wer wird mir leckeres Mittagessen und Cookies für den Nachmittag bringen, wenn nicht Brianna? Wer wird mir flüsternd Details von nächtlichen erotischen Aktivitäten anvertrauen, wenn nicht Brianna? Wer wird meinen Rat zu den komplizierten Schrittfolgen des romantischen Tanzes einholen, wenn nicht Brianna? Und wer wird sich voller Mitgefühl *meine* Probleme anhören, wenn nicht Brianna?

Ohne Brianna bliebe mir nur noch Alison. Ich griff zum Hörer und rief zurück.

«Bri», sagte ich, «wir sind Freundinnen, okay? Ich will nicht vorschnell urteilen. Komm mich doch heute Abend besuchen, dann können wir über die ganze Angelegenheit reden.» Doch sie erwiderte, das ginge nicht. Mark hatte ihr während unseres Gesprächs eine Nachricht auf der Mailbox hinterlassen und sie gebeten, sich mit ihm zum Dinner im *Le Bernardin* zu treffen.

17 Uhr

Tom kommt heute Abend aus Baltimore zurück. Alison reist morgen wieder nach England ab. Folglich werden mein Mann und ich schon bald wieder zu zweit sein, ganz unter uns, wieder einmal.

Ich fühle mich wie eine überspannte E-Saite auf einer Gitarre, glänzendes Silber, gespannt bis kurz vor dem Zerreißpunkt. Der Wirbel dreht sich und dreht sich, die Töne werden höher und höher.

Mein linker Zeigefinger blutet stark; ich habe während der letzten halben Stunde zugesehen, wie das Blut durch etliche rosa Papiertücher sickerte. Mir ist kürzlich ein Missgeschick passiert, als ich einen Apfel zerteilen wollte (es ist nicht so leicht, mit einem Schälmesser umzugehen, während man auf der Seite liegt), und die Wunde reißt immer wieder auf. Ich brauche ein neues Pflaster, aber es ist niemand da, der mir eins holen könnte. Alison ist wieder mal shoppen gegangen. Ich habe das Gefühl zu zerfallen.

44.

Dienstag, 18 Uhr

Alisons Flug geht heute Abend um 21 Uhr vom John F. Kennedy Airport. Gerade eben ist sie aufgebrochen, bepackt mit zwei neuen Louis-Vuitton-Koffern, die voll gestopft waren mit luxuriösen Einkäufen – einem Abendkleid von Dior aus grüner Seide, Kaschmirpullovern in jeder erdenklichen Farbschattierung, einem Armreif aus Elfenbein und einem Paar Ohrringe von Tiffany, einer ganzen Kollektion edelster Seidenkrawatten für Gregory, Plüschtieren für die Kinder … Und das war erst der Inhalt von Koffer Nummer eins. Ihre aufdringlichen Ratschläge hat sie, wie ich hinzufügen möchte, hier bei mir zurückgelassen.

«Ich glaube ja, du hast Tom geheiratet, weil du dachtest, er sei die Sorte Mann, die Mummy gefallen würde», bemerkte sie heute Morgen beim Frühstück. «Ha – das zeigt ja wieder mal, wie wenig Ahnung du hast», versetzte ich, während ich einem halb zerbröselten Croissant mit Butter den Garaus machte. «Mummy hat Tom anfangs verabscheut», teilte ich ihr mit und nahm ein überdimensionales, blätteriges Pain au Chocolat in Angriff.

«Ich weiß», entgegnete Alison weise, «aber ich glaube trotzdem, ein Teil von dir wollte einen Karrieremann, um ihre Anerkennung zu gewinnen, während der andere Teil jemanden wollte, den sie rundheraus hassen würde. Und wen hast du dir geangelt? Einen amerikanischen Rechtsanwalt. Du hattest schon immer eine zwiespältige Beziehung zu Mummy, Q. Einerseits sehnst du dich verzweifelt nach ihrer Liebe, andererseits würdest du alles tun, um von ihr gehasst zu werden, damit du dich nicht schuldig zu fühlen brauchst, weil du sie hasst. So warst du immer schon, von klein auf.»

«Was kostet dich eigentlich dein Therapeut?», konterte ich. «Ich meine, ich gehe davon aus, dass du dieses psychologische Geschwätz von ihm hast?»

«Du bist so aggressiv», erwiderte sie ruhig. «Du bist aggressiv, weil du einen furchtbaren Konkurrenzkampf mit mir führst. Als wir klein waren, fand ich das unglaublich verwirrend, Q. Ich gebe zu, zufällig war ich *tatsächlich* bei einem Therapeuten, und ich glaube, du könntest auch etwas Hilfe gebrauchen, Q. Du hast eine Menge aufzuarbeiten und zu bewältigen, wenn es dir nichts ausmacht, dass ich das so sage.»

Es machte mir allerdings etwas aus, wie ich ihr mitzuteilen versuchte, aber da war sie bereits beim nächsten Thema, das da lautete: Wie willst du ein Kind großziehen, wenn dein Mann nie zu Hause ist? «Es ist doch so, Q», fuhr sie ernsthaft fort, «ich war jetzt zehn Tage lang hier und habe ihn höchstens ein Mal – wie lange? – vielleicht drei Stunden am Stück gesehen. Er benutzt diese Wohnung als Hotel. Ist das wirklich akzeptabel für dich, Liebes? Wie wirst du allein zurechtkommen, wenn das Baby fünf Stunden lang ununterbrochen schreit?»

«Gibt es irgendetwas in meinem Leben, das vor deinen Augen Gnade findet?», fragte ich sarkastisch zurück, wobei es mir ein Rätsel war, warum in aller Welt eine Frau ohne irgendein erkennbares Talent, mit einem hirnlosen Widerling von Ehemann und zwei unerträglichen Kindern *mir* – wieder einmal – Vorträge über meine Existenz hielt.

«Ich bin gespannt, was Mummy dazu sagt», versetzte sie scharf. Ich verdrehte die Augen. O Gott, wie bin ich nur jemals auf die Idee gekommen, diese Frau hier haben zu wollen – ob es schon zu spät ist, ihren Besuch abzuwenden?

Alison redete weiter. «Ich weiß, dass du nicht viel von Gregory hältst, Liebes, das hast du unmissverständlich deutlich gemacht, aber wir haben uns in einer Weise arrangiert, die uns beiden ausgezeichnet zupass kommt. Wir führen ein sehr harmonisches Familienleben, ich habe meine Kinder ständig um mich und genieße meinen Beruf. Wirklich, Q, ich glaube nicht, dass du dir derartige Urteile über andere erlauben kannst. Und da wir schon einmal beim Thema sind: Es war wirklich ekelhaft von dir, gegenüber Jeanie derart schlecht von Dave zu sprechen. Soweit ich es beurteilen kann, hattest du noch kaum Gelegenheit, ihn näher kennen zu lernen.»

Das Schlimmste ist, dass sie in gewisser Hinsicht Recht hat. Sogar in vielerlei Hinsicht. Ich *bin* ekelhaft, wenn es um Dave geht, ich *bin* nicht in der Position, Gregory zu kritisieren, und mein Mann ist in der Tat selten zu Hause. «Meine Güte, Alison», sagte ich zu ihr, «du musst mich öfter besuchen kommen. Du baust mich doch immer wieder auf, darauf ist wirklich Verlass.»

Und wie steht es nun zwischen mir und Tom? Seit er

gestern Abend um zehn vor acht zur Tür hereinkam, bewegen wir uns wie auf rohen Eiern. Er legte mir mit einem flüchtigen Blick zu Alison eine Schachtel Godiva-Schokolade in den Schoß. Er bedankte sich bei ihr in bester Gentleman-Manier dafür, dass sie sich in seiner Abwesenheit um mich gekümmert hatte. In der Nacht schlief er am äußersten Rand seiner Betthälfte, und soweit ich es mitbekommen habe, hat zwischen seinem und meinem Körper keinerlei Berührung irgendeiner Art stattgefunden.

45.

Ich habe Politik, Philosophie und Wirtschaftswissenschaften studiert, aber was ich immer am liebsten belegt hätte, ist Literatur. Politik, Philosophie und Wirtschaftswissenschaften seien nützliche Fächer, sagte meine Mutter. Jeder potenzielle Arbeitgeber könne aus dieser Fächerwahl schließen, dass ich ein seriöser Mensch sei. «Mit einem Abschluss in dieser Kombination», sagte sie, «kannst du anfangen, was du willst, dir stehen alle Türen offen. Die Leute werden dich ernst nehmen. Aber Literatur – Literatur! Das ist fast so schlimm wie Medienwissenschaften oder Hauswirtschaft oder sonst irgendein Puddingfach.» (Das war selbstredend bevor sie ihre persönliche Erleuchtung in der Hund-Position fand.)

Ich belegte also PPW, aber ich setzte mich trotzdem in das eine oder andere Seminar über Lyrik, Prosa und Literaturtheorie. Die Werke von Frauen mochte ich immer besonders. Die Brontës, George Eliot, Emily Dickinson, Kate Chopin, Virginia Woolf, Sylvia Plath – so viele von ihnen mit so tragischen Geschichten, das Leben ihrer Heldinnen endet in so vielen Fällen katastrophal, wenn sie in Meereswogen nach Luft ringen, bis schließlich die Welt über ihren Köpfen zusammenschlägt im Moment erlösender Besinnungslosigkeit. Manchmal legte ich mich in meinem Zimmer bäuchlings auf den Boden, drückte mein Gesicht in den Teppich und stellte mir vor, in dem Fluss zu ertrinken, der etwa eine halbe Meile entfernt an unserem Haus vorbeifloss. Ich schloss die Augen, ließ meinen Körper schwer werden und spürte, wie die Finsternis siegte. Ein Teil von mir wünschte sich tatsächlich zu sterben, aber ohne den Schmerz, ohne die Atemnot und die Panik. Das war meine Todesfantasie: ein sauberer Tod ohne Unannehmlichkeiten.

Zwei Häuser weiter wohnte ein Junge, der sich eines Tages erhängte, nur ein paar Monate bevor mein Vater uns verließ. Die beiden Ereignisse sind in meiner Erinnerung miteinander verknüpft. In jenem nasskalten Frühling veränderte sich meine Welt grundlegend; als die Pfingstrosen am Gartenzaun blühten, wusste ich, dass ich nun erwachsen war. Der Junge nahm sich das Leben, weil er von allen ausgegrenzt wurde, oder wenigstens war das die Erklärung, die an der Schule kursierte. Er hieß Patrick und war ein schmales, schüchternes Kind, blond und sehr blass. Er erhängte sich im Gartenschuppen. Ich fragte mich immer, warum er sich nicht einfach ein paar Ziegelsteine an den Gürtel gebunden hatte und in den Fluss gesprungen war.

Dann verschwand mein Vater, und ich überlegte wochenlang, ob er auch Selbstmord begangen hatte und meine Mutter sich die ganze Geschichte nur ausdachte. Oder vielleicht hatte sie ihn umgebracht. Aber das gleichzeitige Verschwinden der Nachbarsfrau sprach dagegen – es müsste schon ein wahres Massaker gegeben haben, und nicht einmal ich traute meiner Mutter einen Doppelmord zu. Außerdem traf nach einer Weile der erste Brief von unserem

Vater ein, was wiederum den Schluss nahe legte, dass er tatsächlich noch lebte. Ich war ein wenig enttäuscht.

Als junges Mädchen verschlang ich reihenweise Bücher über abwesende und schlechte Väter, und die Auswahl war reichlich. Väter, die in den Krieg zogen *(Betty und ihre Schwestern)*, sich in der Bibliothek verschanzten *(Stolz und Vorurteil)*, gewalttätig wurden *(Sturmhöhe)*, entsetzlich unpassende Stiefmütter ins Haus holten (von Märchen will ich gar nicht erst anfangen). Mütter verursachen unweigerlich Scherereien, aber sofern sie nicht im Kindbett sterben, bleiben sie ihrer Familie im Allgemeinen erhalten. Bei Vätern sieht die Sache gänzlich anders aus.

Wenn Väter merken, dass ihr Leben nicht so läuft, wie sie es gern hätten, sind sie im Handumdrehen auf und davon.

46.

Mittwoch, 19.30 Uhr
Ich beobachtete gerade ein älteres Paar im Haus gegenüber beim gemeinsamen Abendessen, als Brianna erschien, das Gesicht gerötet und mit einem sanften Ausdruck erfüllter Liebe.

«Wir hatten gestern im *Le Bernardin* einen ganz unglaublichen Abend, Q, ich kann es dir gar nicht beschreiben», begann sie, und ihre Augen leuchteten bei der Erinnerung daran auf. «Mark war noch nie so zärtlich. Beim Essen hat er zu mir gesagt, dass er den Rest seines Lebens mit mir verbringen will. Ich weiß, wie du dazu stehst, wegen Lara – Mark hat mir erzählt, dass ihr beide deswegen einen Streit hattet, aber ich habe ihm gesagt, du seist bereit, Frieden zu schließen. Das bist du doch? *Bitte sag*, dass es so ist, Q. Du bist mir so eine gute Freundin geworden, ich möchte, dass du dich mit mir freuen kannst. Und ich möchte, dass du dich auch mit Mark freuen kannst.»

Ich starrte sie an. Es scheint, als hätte sie in ihrem liebestrunkenen Zustand meine Unaufrichtigkeit noch nicht richtig durchschaut. Aber das spielt jetzt kaum eine Rolle. Ich muss entscheiden, ob ich gewillt bin, die einzige echte Freundschaft, die mir derzeit bleibt, über Bord zu werfen, auf meine einzige Freundin in einem fremden Land zu verzichten – und wofür? Für eine Frau, die ich nicht einmal mag? Oder um des Prinzips willen, dass man eine Frau nicht mit den Kindern sitzen lässt, erst recht nicht, wenn sie schwanger ist?

Mein Sohn trampelt und tritt, und wir liegen zusammen da und überdenken unsere Zukunft. Ich kann durch meine Bauchdecke hindurch seinen Kopf spüren, die Krümmung seines Rückgrats, seinen rundlichen Po. Ich sehne mich danach, ihn vor mir zu sehen. Auch wenn er in Anbetracht der Situation, die zwischen seinen Eltern herrscht, vielleicht in mir drin besser aufgehoben ist.

47.

Donnerstag, 12 Uhr mittags

Heute Morgen war ich wieder zum Ultraschall in Dr. Weinbergs Praxis. Das Baby hat sich durch sein Gestrampel in Steißlage gebracht.

Schon heute früh, als ich mich abmühte, aus dem Bett aufzustehen, fiel mir auf, dass ich seltsam atemlos war. Außerdem fühlte sich etwas unter meinen Rippen ungewohnt hart an. Der Kopf des Babys liegt jetzt dort eingekuschelt, nur eine Handbreit von meinem Herz entfernt. Dr. Weinberg teilte mir mit, wenn der Kleine sich nicht noch einmal dreht, wird er per Kaiserschnitt zur Welt kommen.

Tom hatte sich in letzter Minute entschieden, mich zur Untersuchung zu begleiten. Als er, seinen Aktenkoffer schwenkend, das Sprechzimmer betrat, glaubte ich in Dr. Weinbergs Augen eine Spur Erleichterung zu bemerken. Aber vielleicht habe ich mir das auch nur eingebildet. Als wir von der veränderten Lage des Babys erfuhren, griff Tom nach meiner Hand. Ich zuckte ein wenig zusammen, als ich den unerwarteten Druck spürte, die Berührung seiner warmen Haut auf meiner. «Das Baby kann sich doch sicher noch einmal drehen», erkundigte er sich mit leiser, drängender Stimme bei Dr. Weinberg, «und dann kann es normal zur Welt kommen?» Dr. Weinberg blickte skeptisch. «Möglich ist das natürlich», räumte sie ein, «allerdings haben Babys, die von so wenig Fruchtwasser umgeben sind, keinen großen Bewegungsspielraum. Es ist ein Wunder, dass er sich überhaupt gedreht hat», fügte sie hinzu. «Das ist ein ganz energischer Kleiner, davon bin ich überzeugt. Wir können nur abwarten.»

Ich frage mich, was Tom wohl dachte. Es sagt einiges über die derzeitige Beziehung zwischen uns aus, dass ich es wirklich nicht erraten kann.

Kaiserschnitt – ein drastischer Eingriff. Ich werde aufgeschnitten, das Baby herausgehoben. Ein Teil von mir ist erleichtert – ich hatte schon angefangen, mir Sorgen darum zu machen, ob ich nach all den Wochen Bettruhe überhaupt den körperlichen Strapazen der Geburt gewachsen sein würde. Aber ein anderer Teil von mir ist entsetzt. Meine Schwester hat ihre Kinder auf natürliche Weise zur Welt gebracht, mit einer satten Portion Entschlossenheit und eiserner Selbstbeherrschung. Sie hat ihre Kinder geboren wie ein gesundes Tier, ohne Hilfe und Intervention. Ganz wie meine Mutter – ich weiß noch, wie sie im Krankenhaus an Alisons Bett stand und sagte: «Was sind das für Frauen, die sich zu fein zum Pressen sind? Wohin soll das noch führen? Zu meiner Zeit haben wir es eben durchgestanden, ein bisschen Schmerz hat noch niemandem geschadet. Alison weiß das, die hat Rückgrat.» Alison, bleich und erschöpft, erwiderte ihr Lächeln. Dann glitt ihr Blick zu mir, und ich erkannte darin die Selbstgefälligkeit einer Frau, die eine harte Probe mit Bravour bestanden hatte. «Es war nicht leicht, Mummy, aber es war die Sache wert», sagte sie tapfer. *Ich mag Tochter Nummer zwei sein*, lautete ihre stumme Botschaft an mich, *aber ich hole auf.*

Ich hingegen werde untätig und teilnahmslos daliegen, bis ein Chirurg mir mein Kind überreicht. Mir scheint, ich bin nicht imstande, in Sachen Baby irgendetwas richtig zu machen.

Nach dem Termin hockte ich mich auf ein niedriges Metallgeländer, um mich von dem anstrengenden Gang über den Flur von Dr. Weinbergs Praxis zu erholen, während Tom mir ein Taxi herbeiwinkte. «Warum trifft so etwas gerade uns?», hörte ich ihn kaum hörbar murmeln. «Das hat mir wirklich gerade noch – Komm her, Q», rief er lauter, während ein gelbes Taxi am Straßenrand hielt. Dann kam er mir entgegen, packte mich unter dem Arm und half mir beim Aufstehen. «Ich muss zurück ins Büro, ich habe den Nachmittag voll mit Terminen. Wahrscheinlich komme ich erst nach Hause, wenn du schon im Bett bist, also warte nicht auf mich.» «Ganz bestimmt nicht», versetzte ich kalt und ließ mich unbeholfen auf den Rücksitz sinken, ohne mich noch einmal nach ihm umzusehen. Wortlos schlug er die Tür zu und ging davon.

Sekunden später überholten wir ihn. Er lief mit gesenktem Kopf, den Blick starr auf den Gehweg gerichtet, sein langer Regenmantel schlug ihm um die Beine. Dieser Gang, den ich so liebte, das lockige Haar, das ich ihm früher immer frisiert habe, als wir beide noch morgens nackt herumalberten. Angestrengt blickte ich über die Schulter zurück, um ihn noch in der obersten linken Ecke des Fensters zu erspähen, winzig, schon beinahe in der Menge untergegangen. Da glaubte ich zu bemerken (oder war es nur Einbildung?), wie sich eine große, blonde Frau in einem roten Hosenanzug nach ihm umblickte und ihm über die Schulter nachsah. Ich dachte bei mir, jede Frau müsste denken, was ich einmal gedacht habe: Himmel, *das* ist ja mal ein gut aussehender Mann – wohlhabend, begehrenswert, seriös, ob er wohl zu haben ist …

Ich seufzte und ließ mich in den Sitz zurücksinken. Gleich darauf ertappte ich mich dabei, dass ich mit den Zähnen knirschte, und als das Taxi an einer roten Ampel mit einem Ruck zum Stehen kam, umklammerte ich meinen Sicherheitsgurt so fest, dass die Schnittwunde an meinem Finger wieder aufriss. Ein Tropfen Blut fiel von der Fingerspitze auf die Kante unter dem Wagenfenster. Wie im Märchen – Schneewittchen vielleicht oder Dornröschen. Vielleicht werde ich ein Kind zur Welt bringen, dessen Haut weiß wie Schnee ist und dessen Lippen rot wie Blut sind. Oder vielleicht werde ich in einen hundertjährigen Zauberschlaf fallen, abgeschieden von meiner Familie und allen meinen Lieben.

Ach, ich vergaß – das ist ja schon geschehen.

48.

Lottie, eine alte Freundin aus London, hat uns kürzlich ein Märchenbuch geschickt, einen dicken Wälzer mit tanzenden blauäugigen Mädchen und buckligen grünen Trollen auf dem Umschlag. «Für die Gutenachtgeschichten vieler glücklicher Jahre», hatte sie mit blauer Tinte in großer Schrift auf das Vorsatzblatt geschrieben. Ich selbst habe Märchen geliebt, als ich klein war. Als Kind versucht man ständig, die Grenzen zwischen Wirklichkeit und Fantasie auszuloten. Menschen verwandeln sich im Handumdrehen in Tiere. Wölfe lauern in finsteren Wäldern, geifernd, mit blutunterlaufenen Augen und einer lüsternen Vorliebe für kleine Kinder. Aber als ich in den letzten Tagen diese Märchen noch einmal las, habe ich mich gefragt, welche Lehre die Kinder am Ende daraus ziehen. Für die Guten geht offenbar alles immer bestens aus – die Prinzen und Prinzessinnen heiraten, während die Bestien einem grausigen Tod entgegengehen. Ich nehme an, nur so können die Kinder es verkraften, aber eine zutreffende Darstellung des Lebens ist das ja nicht gerade, oder? Uns widerfahren nun einmal schlimme Dinge, ob wir es verdienen oder nicht. Prinzen und Prinzessinnen mögen einander noch so sehr lieben – so sehr, dass es schmerzt –, aber das heißt noch lange nicht, dass sie glücklich und zufrieden leben bis an ihr seliges Ende.

49.

Freitag, 13 Uhr
Mein Bauch ist voller violetter Schwangerschaftsstreifen. Mir scheint, in den letzten vierundzwanzig Stunden sind ein halbes Dutzend neue hinzugekommen. Ich bin hin- und hergerissen – einerseits graut mir beim Anblick meiner vernarbten Haut, andererseits empfinde ich aber auch Befriedigung und Erleichterung; schließlich sind Schwangerschaftsstreifen ein sichtbares Zeichen für die Entwicklung des Babys. Wenn es so rasant wächst, *muss* es ihm doch gut gehen.

Heute Morgen nach dem Frühstück kam Lara mich besuchen. Als sie durch die Tür meinen Namen rief, habe ich nur still die Augen verdreht, aber dann setzte sie mit merkwürdig erstickter Stimme hinzu: «Q, darf ich reinkommen?»

Ein kurzer Blick in ihr Gesicht bestätigte meinen Verdacht: Sie musste von Marks Affäre erfahren haben, das war offenkundig. Die Fältchen um ihren Mund herum waren auffallend scharf und schienen sich über Nacht stark vermehrt zu haben.

«Ich habe ein Problem, Q», gestand sie, während sie unsicher mitten im Wohnzimmer stehen blieb. «Ich weiß nicht, was ich tun soll.»

«Setz dich erst mal», forderte ich sie auf, und sie sank in den Ledersessel, ohne ihren langen, eng gegürteten Couture-Mantel abzulegen. Sie saß da in sich zusammengesunken, die Hände tief in den Taschen vergraben, und starrte zu Boden.

Lara geht mir normalerweise ziemlich auf die Nerven, aber in diesem Moment konnte ich gar nicht anders, als Mitgefühl für sie zu empfinden. Sie sah furchtbar aus. Das

Haar, das sie normalerweise zu einem hohen, frechen Pferdeschwanz frisiert trägt, war ungewaschen und strähnig und zu drei Vierteln aus der silbernen Spange herausgerutscht, sodass es ihr schlapp ums Gesicht hing. Ihre Haut hatte das matte, strapazierte Aussehen, das man von Frauen kennt, die unter Schlafmangel leiden und ihre Jugend bereits hinter sich haben. Ihre Fingernägel waren abgekaut, die beigefarbenen Strümpfe waren verrutscht und schlugen um die Knie herum Falten.

Ich nahm all das wahr, während sie schweigend dasaß, ein gespenstischer Kontrast zu der Lara, die ich zuletzt gesehen hatte. Eine Weile lang schwiegen wir beide, dann schluckte sie mühsam und sagte, den Blick noch immer starr auf den Teppich gerichtet: «Mark hat mir gestern Abend eröffnet, dass er mich wegen einer anderen Frau verlassen wird.»

Ich überlegte verzweifelt, was ich erwidern sollte, doch dann wurde mir plötzlich bewusst, dass es für Lara keine Rolle spielte, was ich jetzt sagte oder nicht sagte. Sie war völlig in ihrem Schmerz gefangen.

Erschöpft fuhr sie sich mit den Händen übers Gesicht. «Offenbar hatte er schon seit fast einem Jahr eine Affäre mit ihr, und jetzt … jetzt will er mit dieser Frau ein neues Leben anfangen. Ich – mein Gott, du musst dich doch fragen, warum ich dir das alles erzähle. Aber ich hatte irgendwie gehofft, du oder Tom, ihr könntet vielleicht einmal mit ihm reden, ob er es sich nicht nochmal anders überlegt und doch bei mir bleibt …?» Das Fragezeichen schwebte zwischen uns in der Luft.

Ach du lieber Himmel, dachte ich.

«Ich habe keinerlei Einfluss auf Mark», erwiderte ich schließlich, «aber wenn du möchtest, kann ich es trotzdem versuchen. Und ich kann auch Tom fragen, ob er mal mit ihm redet, nur – nur dass ich nicht weiß, ob er dazu bereit ist», schloss ich lahm. Sie nickte hilflos. «Ich erwarte ja nicht, dass es etwas bringt, aber ich muss alles versuchen», sagte sie. «*Alles.* Er behauptet, er habe die letzte Nacht in einem Hotel verbracht.» Sie lachte bitter. «Aber ich bin sicher, er war mit *ihr* zusammen», schloss sie, als triebe ein eigentümlicher Zwang sie dazu, dieses erniedrigende Eingeständnis zu machen, die Wunde noch aufzureißen und meinem Blick preiszugeben. «Als die Kinder wissen wollten, was los ist, habe ich gesagt, er sei auf Geschäftsreise. Ich weiß nicht, wie ich ihnen beibringen soll, dass er nicht wiederkommt.» Ihre Stimme brach in hundert scharfe Scherben.

Ich saß da und sah zu, wie sie weinte. Etwas anderes konnte ich nicht tun.

Schließlich stand sie mit einem letzten erstickten Schluchzer auf und wischte sich hastig mit dem Ärmel über die Nase. «Tut mir Leid, Q. Das ist jetzt bestimmt das Letzte, was du brauchen kannst», sagte sie mit einem gequälten Lächeln. «Du bist eine gute Freundin. Wir Mädels halten zusammen, nicht wahr?»

Ich erwiderte ein gekünsteltes Lächeln und fühlte mich grässlich. Natürlich sagte ich ihr nicht, dass ich mit der Mätresse ihres Mannes bereits seit einiger Zeit eng befreundet bin. Oder dass ich unwissentlich dazu beigetragen hatte, dass ihr Mann wieder mit seiner Geliebten zusammenkam. Wie hätte ich das über mich bringen sollen?

17 Uhr

Ich war mit den Gedanken noch bei Laras Besuch, als Mummy in höchster Aufregung anrief, um mir mitzuteilen, sie habe sich ein Flugticket gekauft («Ich habe das *Internet* benutzt, Liebes. Es ist wirklich erstaunlich. Man kann da alles Mögliche kaufen. Und es ist viel billiger als bei Johnson's an der Hauptstraße, wusstest du das?»). Außerdem hat sie sich völlig neu eingekleidet (mir scheint, sie denkt entweder, in Amerika gäbe es keine Kleidung zu kaufen, oder sie glaubt, wir hätten hier so etwas wie eine Kleiderordnung für Besucher und man müsse gewissen Standards genügen, um einreisen zu dürfen). Darüber hinaus hat sie eine beachtliche Auswahl an Reiseführern erworben und schwört, sie wolle sich keine Sehenswürdigkeit entgehen lassen («Ich habe mir aufgeschrieben, was ich alles besichtigen will, wo war es noch gleich, ach ja, hier, also hör zu, Liebes, und sag mir, ob du meinst, dass alles Wichtige dabei ist, empirestatebuildingstatenislandferryellisisland-grandcentralstationcentralparkchryslerbuildingground-zeromuseumofmodernartwhitneymuseummetropolitan-museumofartnewyorkpubliclibrarytimessquaresohowest-villageupperwestsideharlemqueensbrooklyndiebronx …»).

«Und wenn du erst wieder auf den Beinen bist, Liebes», fuhr sie eifrig fort, «können wir vielleicht auch mal einen weiteren Ausflug unternehmen.» Sie zögerte kurz. «Ich wollte schon immer mal nach *Maine*. Ob wir wohl nach Maine fahren könnten, Liebes, was meinst du?»

Ich schluckte. Ich wollte diesem unverhofften Enthusiasmus ja keinen Dämpfer aufsetzen, aber – *Maine*? «Das ist ziemlich weit, Mummy», wandte ich behutsam ein. «Wir würden allein für den Weg dorthin sechs oder sieben Stunden brauchen, und ich weiß nicht recht, was das Baby von der Fahrt hielte …»

«Glaubst du wirklich, es ist *so weit*?» Sie klang entmutigt, doch dann setzte sie mit neuer Zuversicht hinzu: «Nein, Liebes, ich glaube, du musst dich irren, es ist sicherlich ein gutes Stück näher.»

«Nein, Mummy, wirklich …»

«Ich bin überzeugt, dass es näher ist», wiederholte sie energisch, in einem Ton, als würde sie es notfalls höchstpersönlich näher heranrücken. «In zwei Stunden sollte die Fahrt zu schaffen sein. Lass uns Maine auf jeden Fall im Auge behalten, und wenn wir einen Tag übrig haben, zuckeln wir mal ein bisschen die Küste lang und kehren irgendwo zum Mittagessen ein, ich weiß schon ein richtig nettes Lokal, es steht in meinem Reiseführer …»

Ich muss demnach davon ausgehen, dass sie sich auf ihren Besuch freut, auch wenn sie ihre Ängste nicht völlig überwunden hat. Sie erwähnte, sie habe sich Kompressionsstrümpfe gekauft, um sich auf dem Flug vor Thrombose in den Beinen zu schützen, und einen Mundschutz für den Fall, dass sie bei ihrem Sitznachbarn Anzeichen von Grippe bemerken sollte («Nun ja, Liebes, womöglich ist es keine *englische* Grippe!», setzte sie mit einem zutiefst argwöhnischen Unterton hinzu. «Es könnte diese Krankheit sein, die diese armen Menschen in China haben, und dann gibt es auch noch eine Vogelvariante, nicht wahr, man kann heutzutage wirklich nicht vorsichtig genug sein …»). Außerdem hat sie einen Geldgürtel für ihre «Wertsachen» (mein Gehirn sträubt sich gegen das bloße Wort, denn ihr Ehering ist aus mexikanischem Silber, und ihre Uhr ist eine ramponierte Timex mit einem ausgefransten Armband), und schließlich (jetzt kommt mein Lieblingsutensil) ein Pfefferspray, um Angreifer abzuwehren. «Es dient zugleich auch als Nebelhorn und als Taschenlampe», erklärte sie mir ernsthaft, «und ein Radio ist auch eingebaut. Wirklich, es ist sehr vielseitig verwendbar.»

50.

Mitternacht

«Ich muss etwas mit dir besprechen», sagte Tom vor ein paar Stunden, als ich in unserem Badezimmer auf dem Holzhocker am Waschbecken saß und mir die Zähne putzte.

Ich holte tief Luft. «Schieß los», sagte ich ruhig und dachte, *endlich*. Nun ist der Augenblick also gekommen. Seit Tom aus Tucson und Baltimore zurück ist, verbringt er erschreckend viel Zeit im Büro, aber selbst wenn er zwischendurch einmal hier ist, behandelt er mich mit einer entsetzlichen, unerträglichen Höflichkeit. Ich weiß nicht, wie ich mit ihm reden soll, wenn er so ist. Ich weiß nicht einmal, wo ich anfangen soll. Er ist wie ein Fenster mit Milchglasscheibe, ein abgeschlossener Tresor, ein versiegelter Brief.

Er lehnte sich an das Badezimmerschränkchen, überkreuzte die Beine, verschränkte die Arme und starrte vor sich hin. Ich hörte, wie sein Atem flacher ging. «Q, vor einiger Zeit, im Krankenhaus, hast du von mir verlangt, dass ich meinen Job bei Crimpson aufgebe. Dann war da noch dieser andere dumme Streit, kurz vor meiner Abreise … Ich habe mir alles, was du gesagt hast, gründlich durch den Kopf gehen lassen, und ich will dir sagen: Ich bin nicht bereit dazu. Ich meine, meinen Job aufzugeben. Bei Crimpson Teilhaber zu werden, das ist das Wichtigste in meinem Leben. Und als mir das klar wurde – als mir das klar wurde, da …» Er stockte. Die Welt schien stillzustehen.

«Als mir das klar wurde, da habe ich begriffen, dass – dass –»

«Dass ich es *nicht* bin», sagte jemand, und der Mintschaum, der mir übers Kinn rann, verriet mir, dass ich es war, die gesprochen hatte.

Ich legte die Zahnbürste ab und griff nach dem weichen, grünen Handtuch, das in einem Handtuchring an der Wand hing. Ich wischte mir den Mund ab. In meinen Ohren tönte ein seltsames Geräusch, als würde ein riesiger Vorhang entzweigerissen.

Es dauerte eine Weile, bis ich bemerkte, dass Tom noch immer redete. Ich konnte nicht hören, was er sagte, aber ich sah in dem ovalen Spiegel an der Wand gegenüber, wie sich seine Lippen bewegten. «Ich verstehe nicht, was du sagst, ich höre dich nicht», sagte ich zu ihm. «Ich fürchte, du wirst das alles noch einmal sagen müssen, denn ich glaube, ich muss wissen, ob du mich verlassen wirst.»

Er wandte sich um und sah mich an, und ich bemerkte, dass in seinen Augen Tränen standen. Seine Augen hatten die Farbe der Seifenschale, der Kacheln an der Wand, der Tür zur Duschkabine, meerwassergrün, blaugrün, meine Lieblingsfarbe. «Dich verlassen – um Himmels willen, ich – Q, das meine ich nicht, das heißt – ich weiß nicht, was ich tun soll. Ich weiß nur, dass ich mich nicht mit einem zweitklassigen Job in einer drittklassigen Firma zufrieden geben kann. Du und ich, wir beide wissen, es wäre nicht damit getan, dass ich einfach irgendeinen anderen Job annehme. Die Arbeitszeiten wären nicht viel besser, es sei denn, ich würde einen wirklich drastischen Abstieg in Kauf nehmen. Du könntest damit vielleicht glücklich sein, aber ich nicht, das weiß ich. Bei Crimpson habe ich wichtige Klienten und Aufträge von großem Kaliber. Ich will mich nicht mein Leben lang jahrein, jahraus mit Bauvorschriften und dergleichen herumschlagen. Das kann ich nicht, Q, so Leid es mir tut. Und was bedeutet das jetzt für uns beide?»

«Ich weiß es nicht», sagte ich matt. Langsam stand ich auf. Da mir nichts Besseres einfiel, kehrte ich ihm den Rücken, ließ ihn im Badezimmer stehen und kroch ins Bett wie ein Tier in seine Höhle.

Tom stand in der Tür und blickte mich mit einer Mischung aus Sorge und Frustration an. Ich zog mir die Decke über den Kopf und lag mit geschlossenen Augen in der heißen, erstickenden Dunkelheit.

«Q, hör mich an, bitte.» Er schien weit, weit entfernt. Ich hob eine Ecke der Bettdecke ein wenig an. «Ich kann dir nichts vorlügen, du und ich, das war doch immer ein *Wir*, verstehst du? Wir waren immer ehrlich zueinander. Ich kann dir nicht vorgaukeln, ich wäre mit einem anderen Job glücklich, oder?»

Ich dachte nach. Das klang plausibel, aber mir war, als hätte die Sache einen Haken. Ach ja, wir erwarten ein Baby.

«Wir erwarten ein Baby», sagte ich, und die Bettdecke dämpfte meine Stimme. Ich hob die Ecke ein wenig höher, um mich zu vergewissern, wie meine Worte auf ihn wirkten.

«Das weiß ich doch», entgegnete er ungeduldig und begann auf und ab zu laufen. «Selbstverständlich weiß ich das, aber das bedeutet doch nicht, dass unser Leben nicht weitergehen kann, oder? Es bedeutet nicht, dass wir alles aufgeben müssen, was uns wichtig ist, oder? Und überhaupt, in der ersten Zeit wird das Baby ja kaum bewusst wahrnehmen, ob ich da bin oder nicht, also welchen Unterschied macht es da, wann ich abends nach Hause komme?»

«Aber mir scheint, du gehst davon aus, dass *ich* immer zeitig Feierabend machen kann?», versetzte ich wütend und stieß die schwere Bettdecke von mir, um mich aufzurichten. «Oder glaubst du vielleicht, dem Baby ist es egal, wenn *keiner* von uns beiden zu Hause ist?»

«Ich verstehe nicht, was du meinst», erwiderte er sichtlich verwirrt. «Hör mal, ehrlich gesagt weiß ich gar nicht, worüber wir hier streiten und worum es eigentlich geht. Wir hatten uns darauf geeinigt, dass wir eine Betreuung für das Baby organisieren werden, eine Nanny. Das war doch von Anfang an so geplant, also – ja, vielleicht werden wir abends auch mal beide lange im Büro sein.»

«Nicht nur abends – den ganzen Tag, jeden Tag, wir werden ständig beide im Büro sein, wir werden dieses Baby gar nicht zu sehen bekommen, ist es das, was du dir vorstellst? Nach allem, was war, nachdem ich den Kleinen Tag für Tag mit mir herumgetragen habe, neun Monate lang, nachdem ich seinetwegen drei Monate im Bett gelegen habe, bildest du dir ein, ich werde einfach aus dem Haus gehen und ihn von Tagesanbruch bis Mitternacht mit einer Fremden allein lassen? Ja, hast du dir das so vorgestellt?», schrie ich, packte ein Kissen und schleuderte es ihm ins Gesicht, um meinen Worten Nachdruck zu verleihen. «Hast du dir das so vorgestellt?»

«Ja, allerdings», sagte er, fing das Kissen ruhig auf und legte es ans Fußende des Bettes. «Genau so habe ich es mir vorgestellt. So macht man das doch.»

«Nein, so macht man das nicht», brüllte ich so laut, dass es im Hals schmerzte. Meine Kehle war wie zugeschnürt, meine Stimme klang erstickt und heiser, als sei es nicht meine eigene, sondern die Stimme einer Fremden. «Und wenn jemand es so macht, ist das furchtbar, Kinder wollen etwas von ihren Eltern haben, und es geht da nicht nur um eine Mutter-Kind-Beziehung, es geht um eine *Eltern*-Kind-Beziehung, verstehst du das? Es ist mir egal, was wir uns damals vor Monaten überlegt haben oder auch nicht, das spielt jetzt keine Rolle mehr, jetzt ist alles anders, begreifst du das denn nicht? Wir werden ein Baby haben, Tom, bitte, versuch doch zu verstehen …» Meine Stimme versagte, und

ich begann zu weinen, hilflos, elend. Warum kommen die Tränen immer gerade dann, wenn man sich am meisten bemüht, kühl und gefasst zu erscheinen? Aber die Schwangerschaftshormone hatten mich vollkommen im Griff. Ich versuchte, dagegen anzukämpfen, doch es war aussichtslos, die Schluchzer kamen jetzt von tief innen, das Netz bedeckte mein Gesicht, ich konnte kaum atmen.

Mein Mann stand da und sah mich aus müden, angespannten Augen düster an.

«Q, ich glaube, du denkst im Augenblick nicht klar», sagte er schließlich. «Wenn du in Erwägung ziehst, bei Schuster aufzuhören und zu Hause zu bleiben, dann denke ich, darüber können wir reden. Auch wenn ich nicht überzeugt bin, dass du das wirklich willst. Aber was mich betrifft – schau, ich habe viele Kollegen mit Kindern, die schaffen das alle irgendwie. Ich behaupte nicht, der Zustand sei ideal, aber sie kommen zurecht. Sie nutzen die Zeit, die sie aufbringen können, eben besonders intensiv und hoffen, dass ihre Kinder es verstehen. Später, wenn sie auf der Karriereleiter ganz oben stehen, entschädigen sie ihre Frau und die Kinder dafür. Und genau das werde ich tun. Denn ich bin entschlossen, es bei Crimpson zum Partner zu bringen. Ich möchte dir nicht zusetzen, Q, aber diesen Punkt müssen wir klären; ich werde diesen Job nicht aufgeben.» Damit wandte er sich ab und verließ das Schlafzimmer.

Heute Nachmittag habe ich die *Oprah Winfrey Show* gesehen. Das Thema lautete: «Eine Ehe fürs Leben aufbauen». Die übereinstimmende Meinung der Gäste (die ihrem jeweiligen Partner dezent eine Hand aufs Knie gelegt hatten; Frauen mit handgestrickten Pullovern und Schmuck aus Perlenschlaufen und Männer in unbequem aussehenden Hosen) war, die Romantik dürfe nicht zu kurz kommen.

Hilf mir, Oprah, bitte, denn ich fürchte, es braucht mehr als einen Kerzenleuchter und ein durchsichtiges Negligé, um meine Beziehung wieder auf Kurs zu bringen.

51.

Samstag, 8.30 Uhr

Als ich mich vor einer Stunde in die Küche schleppte, lehnte ein Zettel am Salzstreuer. Einen furchtbaren Moment lang dachte ich, das war's, er hat mich endgültig verlassen. *Liebe Q, ich entscheide selbst über meinen Job, kümmer dich doch allein um das Kind, zum Teufel mit dir.* Aber dann stand auf dem Zettel bloß, er müsse die Nacht vielleicht durcharbeiten, und (nachträglich hinzugefügt) falls ich irgendetwas bräuchte, solle ich ihn anrufen.

Unnötig zu erwähnen, dass ich das nicht tun werde.

Es tut immer gut, Sylvia Plaths *Ariel* aufzuschlagen, wenn das Leben einem gerade unerträglich erscheint. Es ist beruhigend zu sehen, dass jemand anders dem Schreikrampf noch näher war als man selbst.

23 Uhr

Tom kann sich zwar kaum überwinden, mich anzusehen, aber vor fünf Minuten kam er unerwartet nach Hause und brachte eine große Zitronentarte mit, die er auf dem Couchtisch abstellte. Dann verschwand er im Badezimmer, um rasch zu duschen und sich umzuziehen, da er, wie er mir in knappen Worten mitteilte, in einer halben Stunde wieder ins Büro muss.

Ich weiß nicht recht, was ich mit dieser Geste anfangen soll (wobei ich *durchaus* weiß, was ich mit der Tarte anfangen soll; ungefähr die Hälfte habe ich mir bereits in den Mund geschaufelt, und sie ist unglaublich gut. Der Teig leicht und bröselig, das Fett zergeht auf der Zunge, die Zitrone prickelt köstlich im Mund). Was hat das zu bedeuten? Steht der Kuchen stellvertretend für seine Liebe?

Ganz sicher scheint es keinen Sinneswandel seinerseits anzukündigen, keine neu aufkeimende Intimität mit der bettlägerigen Q. Er hat die Tarte nur hastig auf den Tisch geknallt, seinen Aktenkoffer neben dem Sofa fallen gelassen und ist dann mit verschlossener Miene im Bad verschwunden.

Ich starrte den Aktenkoffer voller Groll an. Rechteckig, harte Kanten, dunkles, rötliches Leder, mit Schlössern aus glänzender Bronze. Stets in seinen Armen, stets an seiner Seite, ein Geschenk von seinem Vater anlässlich seiner Einstellung bei Crimpson («netter kleiner Job, mein Sohn, wirklich gar nicht übel. Auch wenn es nicht gerade die Hirnchirurgie ist, wie, ha ha!»). Ich hasse diesen Aktenkoffer, habe ihn schon immer gehasst, es ist nichts Weiches daran, eine dauerhafte Erinnerung an Peters übermäßig hohe Standards, seine kalte Überlegenheit. Und die Art, wie er *mich* behandelt, als dächte er, früher oder später fällt sie doch um, wenn sie erst die Bedeutung ihrer Gebärmutter erkennt, dann wird sie schon an den Herd zurückkehren, wo sie hingehört. (Es gibt Männer, bei denen es einem vorkommt, als ob sie einen mit Blicken ausziehen. Bei Peter kommt es mir vor, als ob er mich mit Blicken häutet. Wann immer er mich ansieht, überkommt mich dieses entschieden unbehagliche Gefühl, als ob er meine Epidermis abzieht und meine Innereien in Augenschein nimmt, als wolle er prüfen, ob sie ordnungsgemäß funktionieren. Wirklich ein ausgesprochen unangenehmes Gefühl.)

Dann kam mir ein furchtbarer Gedanke. Tom arbeitet

für den Feind, in gewissem Sinne *ist* er jetzt der Feind. Was hindert mich daran, *seinen Aktenkoffer zu öffnen* (ich kenne die Zahlenkombination) und darin nach Unterlagen zum Fall Randalls zu gucken? Sagen wir zum Beispiel, nach einem Beweis dafür, dass die Geschichte mit dem schwarzen Schimmel nur ein Vorwand der Immobilienfirma ist, um sich ihren Verpflichtungen gegenüber den Mietern der mietpreisgebundenen Wohnungen zu entziehen?

Einen Moment lang hielt ich wie elektrisiert inne; ich lauschte auf das entfernte Wasserrauschen der Dusche. Jetzt wäre eine Gelegenheit, mir bleiben noch wenigstens fünf Minuten, ehe er zurückkommt ... Aber natürlich tat ich es nicht. Es wäre mit meiner anwaltlichen Standesethik völlig unvereinbar gewesen. Und auch wenn es dazu keine Klausel im Eheversprechen gibt, ist es doch im Grunde implizit enthalten: Du wirst deinen Mann nicht betrügen. Unter keinen Umständen. In Gesundheit wie in Krankheit.

52.

Montag, 14 Uhr

Aber es gibt andere Mittel und Wege, mein Ziel zu erreichen. Ich habe den Vormittag damit zugebracht, einen Bericht über die Schändlichkeiten von Randalls zu verfassen. Ich werde Fay bitten, ihn an die *New York Times* zu schicken und zusätzlich an ein paar lokale Fernsehsender. «Randalls hat eine Abrissgenehmigung für den aus den vierziger Jahren stammenden Gebäudekomplex beantragt, der gegenwärtig von einer gut funktionierenden griechischen Gemeinschaft bewohnt wird. Auf dem Grundstück soll ein hochmoderner dreistöckiger Apartmentblock entstehen. Die juristischen

Vertreter von Randalls, Smyth & Westlon und Crimpson Thwaite (deren Immobilienabteilung derzeit zu den größten in New York zählt), sind entweder unfähig, das sittenwidrige Verhalten ihres Klienten zu erkennen, oder unterstützen schuldhaft dessen Versuch, durch Falschinformation der Mieter die Räumung des Gebäudes zu erwirken …» Das sollte einiges in Gang setzen. Dazu können sie Bilder veröffentlichen, die Mrs. G. und ihre Freunde vor dem Gebäude zeigen, anständige, aber leidgeprüfte Gestalten, das wahre Gesicht von New York City, Immigranten, die ihr Leben lang hart gearbeitet haben und es verdient hätten, ihren Ruhestand zu genießen.

Meine Mutter kommt morgen Nachmittag an. Sie fände natürlich, die Betrügereien von Randalls seien typisch für eine Stadt wie New York City. Wahrscheinlich denkt sie, die meisten Hausbesitzer lassen ihre unliebsamen Mieter unter dem Makadam des nächsten Highways verschwinden.

15 Uhr

Lieber Himmel, eben bekam ich einen Anruf von Lucille, Toms Mutter. Peter ist heute auf einer Konferenz in New York City, Lucille hat ihn von Baltimore hierher begleitet, und die beiden wollen heute Abend zum Dinner hierher kommen. Das hat mir gerade noch gefehlt. Eine Elternschwemme.

Ich habe Lucille seit einem Jahr nicht mehr gesehen. (Mit Peter haben wir uns vor etwa fünf Monaten einmal zum Lunch getroffen, als er ebenfalls wegen einer Fachtagung in der Stadt war. «Theo war höchst erfreut zu hören, dass du deine Frau endlich geschwängert hast», sagte er jovial zu seinem Sohn. Theo ist ein Schulfreund von Tom. Ich verschluckte mich vor Wut beinahe an meiner Suppe. Mich «endlich geschwängert»? Als ob die Zeugung eines Kindes für die Frau darin bestünde, teilnahmslos dazuliegen, während der Mann ihr seinen Samen in den Bauch spritzt.) Lucilles Stimme klang am Telefon wie immer dünn und nasal, mit diesem leichten Bostoner Einschlag. «Wir hätten euch so gern schon eher besucht», leierte sie, «aber Tom meinte, wir könnten ohnehin nichts für dich tun, und außerdem waren wir schrecklich beschäftigt.» «Mhm», sagte ich, «das bezweifle ich nicht. Tom hat mir alles über das Konzert der Chorgesellschaft erzählt, das muss wirklich *aufreibend* gewesen sein.»

«Das war es allerdings», erwiderte sie mit leicht misstrauischem Unterton, «auch wenn es nicht das ist, was ich meinte. Du weißt sicher, dass Peter ein Buch über die modernen Verfahren der Herztransplantation geschrieben hat. Ich habe ihm bei der Überarbeitung geholfen, was ein ziemlicher Aufwand war. Der Verlag hat verlangt, dass er den Text um etwa zehntausend Wörter kürzt. Dabei waren es alles so gute Wörter; wenn es nach mir gegangen wäre, hätte er kein einziges davon streichen dürfen. Aber sie haben nun einmal darauf bestanden …»

Ich klinkte mich aus und betrachtete meine Zehennägel, was mir mittlerweile nur noch möglich ist, indem ich meine Füße anhebe und gleichzeitig den Kopf recke. Sie sollten mal wieder geschnitten werden, aber mir scheint, das muss bis nach der Geburt warten. *(«Er ist so talentiert, er hat eine solche Gabe, sich treffend auszudrücken, so klar und gleichzeitig so elegant …»)* Es sei denn … Es gibt doch bestimmt auch Fußpflegerinnen, die Hausbesuche machen? Ich angelte mit einigen Schwierigkeiten das Telefonbuch von der unteren Ablage des Couchtischchens.

F wie Fußpflege. Nein, Fehlanzeige. Es ist furchtbar schwer, in einer Kultur, die nicht die eigene ist, die Gelben Seiten zu benutzen; es ist nahezu unmöglich, intuitiv zu erfassen, wie ein anderes Land sich selbst organisiert. Kinos heißen in den USA nicht «Cinemas», sondern «Movie Theaters», Autos nicht «Cars», sondern «Automobiles», und der Brite, der eine Autowerkstatt unter der Bezeichnung «Garage» sucht, wird ebenfalls nicht fündig. Bei sprachgesteuerten Telefondiensten braucht man sein Glück erst gar nicht zu versuchen, weil die Roboterfrau am anderen Ende der Leitung einen wegen des Akzents ohnehin nicht versteht. Ich ertappe mich immer wieder dabei, dass ich die breite amerikanische Aussprache imitiere, um es mir nicht völlig mit ihr zu verscherzen. Halt, da haben wir's ja: Fußpflege steht unter «Pflege- und Kosmetikdienstleistungen». Ganz bequem bei Ihnen zu Hause. Vielleicht gönne ich mir auch gleich noch eine Maniküre. Und einen Haarschnitt! Das ist eine gute Idee, ich war seit Monaten nicht mehr beim Frisör. Und wie wäre es mit einer Massage?

Unterdessen redet Lucille immer noch. *(«Seine Kollegen sagen, sie haben noch nie einen Mann gekannt, der eine solche Kommunikationsgabe besitzt, die englische Sprache so meisterhaft beherrscht …»)*

Die beiden werden also in drei Stunden hier sein, um mich in den Wahnsinn zu treiben, aber wenigstens habe ich jetzt eine ganze Woche in meinem Terminkalender mit luxuriöser Körperpflege gefüllt. Tom schwört, er werde sich im Büro ein paar Stunden freinehmen, damit er hier ist, wenn seine Eltern eintreffen. «Wenn du dir einbildest, dass ich die beiden allein empfange», sagte ich, «dann hast du ein Problem. Ich werde nämlich nicht aufstehen, um sie hereinzulassen. Das bedeutet, wenn du um sechs nicht zu Hause bist, werden deine Eltern heute Abend viel Zeit im Hausflur verbringen. Hast du verstanden?»

21 Uhr

«Meine Liebe», flüsterte Lucille mir beim Kaffee vertraulich zu, «Tom sagte, du denkst darüber nach, dich aus dem Berufsleben zurückzuziehen, stimmt das?»

Mein Blick wanderte von ihr zu Tom, der gerade seinem Vater einen großen Scotch on the Rocks einschenkte und anscheinend nicht gehört hatte, was seine Mutter sagte. «Ich – wir denken darüber nach, wie es weitergehen soll, wenn das Baby da ist, ja», erwiderte ich unwillig.

Lucille nickte, wobei ihre Perlenohrringe unter ihrem dauergewellten, parfümierten Haar leise klickerten. «Aber natürlich, meine Liebe», sagte sie munter. «Mir – also, uns – war von vornherein klar, dass du deinen Job aufgeben musst, wenn der Kleine auf der Welt ist.» Sie beugte sich plötzlich vor und legte mir mit einem selbstgefälligen, besitzergreifenden Lächeln eine Hand auf den Bauch. Ich hätte schreien mögen. Stattdessen zuckte ich nur stumm zurück, was sie jedoch nicht zu bemerken schien. Ihre Hand ruhte weiterhin auf meinem Nabel, ekelhaft warm, aufdringlich, weiß und schlaff und mit Edelsteinen bestückt, die Hand einer reichen alten Frau.

«Du musst ihn an erste Stelle setzen», belehrte sie mich. «So ist das eben, wenn man Mutter wird.»

«Vielleicht hört Tom ja auch bei Crimpson auf», sagte ich plötzlich, ich weiß selbst nicht, warum, aber diesmal hörte mein Mann ganz genau zu. «*Was?*», stieß Peter atemlos hervor. «*Was?*», stieß Lucille atemlos hervor. Ihre Worte, ihr Schock hingen in der Luft, unübersehbar, mit Händen zu greifen, wie ein roter Ballon. Alle drei starrten mich an, drei offene Münder, drei weit aufgerissene Augenpaare.

«Ja», plapperte ich drauflos, «vielleicht gibt er seinen Job bei Crimpson auf wegen der vielen Überstunden, die er dort machen muss, und weil er lieber mehr Zeit mit seinem Sohn verbringen will. Du hast ganz Recht, Lucille» (dabei schob ich ihre Hand von meinem Bauch, was sie jedoch kaum wahrnahm), «wir müssen von jetzt an den Kleinen an erste Stelle setzen. Tom zieht deshalb ernsthaft in Erwägung, bei Crimpson zu kündigen und sich woanders eine Stelle zu suchen, die ihn weniger in Anspruch nimmt, weniger …» Ich verstummte.

Tom brach das Schweigen als Erster. Er stellte langsam sein Glas auf den Tisch und wandte sich seinem Vater zu. «Wir haben diverse Veränderungen in unserem Leben ernsthaft in Erwägung gezogen», sagte er in ruhigem, sachlichem Ton zu seinem Vater, wobei die Haut um seinen Mund herum vor Anspannung weiß war, «einschließlich der Möglichkeit, dass ich meine Stelle bei Crimpson aufgeben könnte. Alles in allem denken wir jedoch, dass das *nicht* die beste Lösung wäre» (im Raum wurde hörbar ausgeatmet), «aber meine liebe Q möchte, dass ich es mir wirklich gut überlege. Sie will nicht, dass ich den Job nur des Geldes wegen weitermache. Ich bin wirklich froh, dass sie mich in dieser Angelegenheit so sehr unterstützt», fügte er hinzu, wobei er den Blick auf mich richtete. Seine grünblauen Augen waren fast so schwarz wie der Himmel vor einem heftigen Unwetter. «Ich kann mich immer darauf verlassen, dass sie mich unterstützt und mir den Rücken stärkt. Immer.»

Wir sahen einander etwa zwei Sekunden lang in die Augen, dann wandten wir beide genau im selben Moment den Blick ab. Peter nickte weise. «Es ist gut, alles gründlich zu überdenken», sagte er ernst, «aber wenn man ein Kind erwartet, wäre natürlich das Letzte, was man täte, auf sein Haupteinkommen zu verzichten.» Er sagte das so, als sei mein Gehalt nur ein Taschengeld, nicht einmal ausreichend, um die Rechnung der Reinigung zu bezahlen. «Außerdem brauchen Kinder jemanden, zu dem sie aufblicken können», fuhr er fort. Er redete sich richtig in Rage. «Sie brauchen eine starke Vaterfigur, Jungen ganz besonders.» Dabei schlug er Tom auf die Schulter. «Nicht dass du meinen Rat nötig hättest, aber *wenn* du mich fragst» – er zeigte so etwas Ähnliches wie ein Lächeln, wobei er seine spitzen, allzu weißen Zähne entblößte –, «dann würde ich sagen, halt dich ran, leiste weiter so gute Arbeit, und dein Sohn wird es dir danken, wenn er später einmal die beste Ausbildung hat, die in der Stadt zu bekommen ist, und einen Vater, auf den er wirklich stolz sein kann. Verstehst du?»

Tom nickte.

Ich öffnete den Mund und schrie und schrie – oder anscheinend doch nicht, denn die drei saßen einfach nur da und nippten an ihren Drinks, als sei nichts geschehen.

53.

Dienstag, 22 Uhr

Vorhin, am frühen Abend, habe ich mich für zwanzig Minuten unerlaubter- und gewagterweise auf die Heizungsbank am Fenster gehockt, um zuzusehen, wie die Sonne unterging und das Orange und Gelb langsam Grün- und Blautönen wich. Selbst jetzt hat der Himmel noch eine Leichtigkeit, einen azurnen Schimmer, der anzeigt, dass das Jahr allmählich voranschreitet. Draußen scheint es sogar recht warm zu sein. Soweit ich sehen kann, tragen die Leute Pullover und leichte Jacken statt Mänteln. Sie bewegen sich auch langsamer, hetzen nicht mehr so durch die Straßen, sondern gehen gemächlich, schlendern Hand in Hand, aufrecht, mit schwingenden Armen, die Gesichter zum Himmel erhoben.

Hier drin jedoch ist es immer noch kalt – in mehr als einer Hinsicht.

Ich lag, in meinen Morgenmantel gekuschelt, unter der blaugrauen Wolldecke und blätterte gerade die aktuelle Ausgabe der *Vogue* ungefähr zum siebten Mal durch, als Tom nach Hause kam. Er ließ seinen Aktenkoffer neben der Tür fallen, förderte aus einer hohen Papiertüte eine brandneue Flasche Scotch zutage und öffnete sie. Dann goss er sich ein großes Glas ein, das er in einem Zug leerte. Er füllte das Glas noch einmal und wandte sich zu mir um.

«Ich habe vorhin mit Mark gesprochen», sagte er mit unergründlicher Miene. «Wir sind nach der Arbeit noch etwas trinken gegangen. Er hat mir erzählt, dass er kürzlich hier bei dir war, um über seine *Affäre* zu sprechen. Warum hast du mir nichts davon gesagt, Q? Meinst du nicht, das hätte mich vielleicht ein *winziges* bisschen interessiert? Er war sicher, ich wüsste Bescheid, er hat die ganze Zeit darauf gewartet, dass ich mich bei ihm melde – meine Güte! Warum hast du mir etwas so Wichtiges verschwiegen, Q? Was in Gottes Namen hast du dir nur dabei gedacht?»

Seit er hereingekommen war, hatte ich ihn beobachtet und mich gefragt, was ihm durch den Kopf gehen mochte. Ich hatte mich für allerlei Themen gewappnet und mir schlagfertige Erwiderungen zurechtgelegt, aber auf dieses war ich leider nicht vorbereitet.

Ich verdrehte die Augen und kam mir vor wie ein trotziger Teenager. «Weil ich dich in letzter Zeit kaum zu Gesicht bekomme», sagte ich (selbst *ich* fand, dass meine Stimme kindisch klang, weinerlich, schrill). «Du stehst auf, wenn ich noch schlafe, und kommst erst wieder nach Hause, wenn ich schon im Bett bin. Wann genau, meinst du, hätte ich es dir denn erzählen sollen? Wann hätte ich dir überhaupt irgendetwas erzählen sollen?»

«Das ist unfair», versetzte er wütend; «es gab sehr wohl Gelegenheiten. Ich gebe zu, dass ich in letzter Zeit sehr viel arbeite – lass uns nicht schon wieder *davon* anfangen –, aber es gab durchaus Zeiten, zu denen du mit mir hättest reden können. Also, Q, ich frage dich noch einmal: Warum hast du mir nichts davon gesagt?»

Ich war drauf und dran, schnippisch zu erwidern, er habe kein Recht, mich zu verhören, und ob er mir nicht vielleicht mit einer Lampe ins Gesicht leuchten und mir Nadeln unter die Fingernägel treiben wolle – als mir plötzlich ein Gedanke durch den Kopf schoss: Wie lautet eigentlich die Antwort auf seine Frage? Warum *habe* ich ihm nicht von Mark und Lara erzählt? Wahrscheinlich weil es mir schon zur Gewohnheit geworden ist, dir Dinge zu verheimlichen, sagte ich im Geiste zu ihm, wobei ich mich um einen neutralen, nichts sagenden Gesichtsausdruck bemühte. Weil ich keine Lust mehr habe, dir zu erzählen, was in meinem Leben vor sich geht.

«Du hast das doch geplant, Mark mit dieser Frau zusammenzubringen, die seit zwei Monaten ständig hier auftaucht, oder?», sagte Tom schließlich, und aus seiner leisen Stimme sprach mühsam unterdrückter Zorn.

«Was redest du denn da?» Ich fiel aus allen Wolken. «Mit – mit *Brianna*? Ist das dein Ernst? Hat Mark dir etwa nicht gesagt, dass ich ihn mehr oder weniger hinausgeworfen habe, als er mich bat, ihm zu helfen, wieder mit ihr zusammenzukommen?»

«Doch, sicher – er sagte, du hättest entsetzlich schlechte

Laune gehabt, du hättest ihm allerlei Schimpfwörter an den Kopf geworfen, als er versuchte, dir begreiflich zu machen, wie sehr es ihm um Lara Leid tut. *Davon* wolltest du wohl nichts hören, wie? Du hast die ganze Zeit versucht, ihn dazu zu bringen, dass er sie verlässt», fuhr er fort, wobei er dicht an das Sofa trat und auf mich herabblickte.

Die Zeitschrift entglitt meinen gefühllosen Fingern und fiel zu Boden. Tom trank noch einen Schluck von seinem Whiskey.

«Weißt du», fuhr er fort, und sein Atem roch nach Feuer und Torf, «ich frage mich schon den ganzen Abend, warum du so etwas tust. War dir einfach nur langweilig, wolltest du dich wichtig machen, wolltest du auf diese Weise das Gefühl haben, im Mittelpunkt zu stehen? Oder wolltest du deiner beschränkten Freundin einen Mann angeln? Oder – und Q, ich hoffe wirklich sehr, dass das nicht der Grund ist – war das irgendein verrückter, hinterhältiger Plan, um dich an mir zu rächen? Wolltest du das Leben meines besten Freundes ruinieren, indem du ihn dazu bringst, seine Frau zu verlassen und einer Vollidiotin hinterherzulaufen, die sich kleidet wie eine Nutte? Tja, Glückwunsch, Q. Was immer du bezweckt hast, ich schätze, du hast es erreicht. Aber wenn ich du wäre, würde ich mich hüten, im Leben anderer Leute herumzupfuschen, Bettruhe hin oder her. Und dich in die Angelegenheiten meiner Freunde einzumischen, um mir eins auszuwischen …» Einen kurzen, entsetzlichen Moment lang vergrub er das Gesicht in den Händen, dann wandte er sich ab und verließ das Zimmer.

Ich starrte ihm sprachlos nach.

Ich habe von jeher eine Vorliebe für die Romane von Jane Austen, aber eines daran ärgert mich unglaublich: die Unfähigkeit der Charaktere, miteinander zu kommunizieren. Elizabeth, um Himmels willen, sag Darcy, dass du deine Haltung geändert hast! Jane, geh zu Bingley, klopf an seine Tür und lass ihn wissen, was du wirklich empfindest! Meinem Leben geht die Subtilität eines Jane-Austen-Romans vollkommen ab, ganz zu schweigen von den prächtigen Kleidern und den Tanz-Bällen, dennoch habe ich das Gefühl, in ihrer Welt zu leben: Ich weiß nicht, was mein Mann empfindet, und ich weiß auch nicht, wie ich erklären soll, was *ich* empfinde. Mir fehlen die Worte. Und so höre ich seine Vorwürfe mit zusammengepressten Lippen an und schweige.

Augenblicke später entdeckte ich zu meinem Schrecken auf dem Couchtisch eine große, mit einem Geschenkband verschlossene Schachtel von der Bouley Bakery. Ich hatte überhaupt nicht gesehen, dass er sie dort abstellte. Die Schachtel enthielt drei Bananen-Rum-Törtchen, vier Schwarze-Johannisbeer-Törtchen und ein paar Millefeuilles in raschelndem blassrosa Papier. Ich konnte ungefähr fünf Minuten lang meinen Blick nicht von dieser Schachtel losreißen. Was in aller Welt hat *das* nun wieder zu bedeuten?

54.

Mittwoch, 11 Uhr
Heute Morgen rief eine begeisterte Brianna an. Sie hat das Wochenende mit Mark verbracht, und es war «die Erfüllung ihrer Träume». Die beiden sind morgens lange im Bett geblieben, dann Arm in Arm durch die Stadt gebummelt, so eng umschlungen, wie es nur ging. «Und am späten Nachmittag waren wir schon wieder im Bett, und *oh, Q!* Ich kann dir gar nicht beschreiben …»

«Versuch's gar nicht erst», warf ich säuerlich ein, aber

ich glaube, sie bemerkte meinen Ton nicht. Mark wird sich noch in dieser Woche mit seinem Anwalt in Verbindung setzen, um die Scheidung von Lara in die Wege zu leiten. Ich unternahm einen halbherzigen Versuch anzudeuten, sie sollten damit vielleicht lieber noch ein wenig warten (Laras erbarmungswürdiges Gesicht ist mir noch lebhaft im Gedächtnis), aber Brianna nahm meinen Einwand kaum zur Kenntnis, und ohnehin wird sie sich von mir bestimmt nicht hineinreden lassen.

Ich muss Lara anrufen und mich erkundigen, wie sie zurechtkommt – ein Telefonat, dem ich nicht gerade freudig entgegensehe. Aber ich muss es hinter mich bringen, bevor meine Mutter ankommt, in – ach du lieber Gott, sie landet bereits in wenigen Stunden. Während ich das hier tippe, rast diese Frau mit achthundert Stundenkilometern auf mich zu, angetrieben von vier Düsenmotoren und einer gehörigen Portion Entschlossenheit.

Sie hat sich von mir ausführlichst erklären lassen, wie man sich im Flughafen zurechtfindet und ein Taxi auftreibt. Ihre größte Sorge war, wie sie vom Flugzeug aus zum Terminalgebäude finden sollte – «Flughäfen sind furchtbar schlecht beschildert», verkündete sie in einem Ton, als sei sie erst vor wenigen Wochen in Dubai gewesen –, und so beschrieb ich ihr jede Halle, jeden Durchgang und jede Rolltreppe im Kennedy Airport, soweit ich mich daran erinnern konnte. Natürlich mache ich mir jetzt furchtbare Sorgen, sie könnte versehentlich in einen Flieger nach Reykjavík geraten, aber andererseits wäre das vielleicht nicht das Schlechteste. Ich vermute, dieses Land mit blassem Sonnenlicht und sprudelnden Geysiren wäre eher nach ihrem Geschmack als die düsteren, schachbrettartig angelegten Straßen von New York City.

16 Uhr
Sie naht. Eben hat sie angerufen, um mir mitzuteilen, dass sie bei den Taxis angekommen ist («Die sind tatsächlich gelb, Liebes, ich dachte, das sei nur so eine Hollywood-Marotte»), und in weniger als einer Stunde wird sie durch diese Tür treten. Ich habe Tom angerufen, um ihn vorzuwarnen – er hatte den vagen Verdacht geäußert (oder war es eine Hoffnung?), sie könnte im letzten Moment einen Rückzieher machen, weil eine unerwartete Lücke in ihrem Yoga-Terminplan aufgetaucht sei.

55.

Donnerstag
«Mein liebes Kind, solltest du nicht vielleicht *etwas* weniger Törtchen essen?»

«Eine hübsche Wohnung – ‹Apartment› nennt ihr das hier wohl –, aber ein wenig klein für meinen Geschmack.»

«Lieber Himmel, in diesem Orangensaft schwimmen ja Stückchen, wenn du mir sagst, wo ich ein Sieb finde, werde ich sie dir heraussieben.»

Unterdessen kommunizieren Tom und ich in neutralen Beigetönen; weder heben wir die Stimme, noch lassen wir die geringste Herzlichkeit aufkommen.

56.

Freitag, 10 Uhr
Gott sei Dank, sie hat sich in die Straßen Manhattans hinausgewagt, bewaffnet mit einem Liniennetzplan der U-Bahn und nicht weniger als fünf Reiseführern, die ziemlich gebraucht aussahen. («Mrs. Walberswick aus dem Bowling-Club war letztes Jahr in New York, und sie hat ohne ihren Neffen keinen Fuß aus dem Hotel gesetzt, denn man muss doch sagen, diese Stadt ist ein sehr gefährliches Pflaster. Aber mach dir um mich keine Sorgen, Liebes, ich habe ja mein Pfefferspray.») Gegen 15 Uhr will sie zurück sein, weil ich um 16 Uhr einen Termin bei Dr. Weinberg habe.

Ich glaube, sie amüsiert sich hier ganz gut. Ich brüte unterdessen über die Bedeutung und den Gebrauch des Verbs «defenestrieren». Ich defenestriere meine Mutter. Meine Mutter wurde defenestriert. Da! Sie defenestriert.

Tom hat sich bisher tadellos benommen, das muss ich ihm wirklich zugute halten. Er hat mit einer Miene profunden Interesses zugehört, während sie uns mit «Geschichten» über ihren Flug unterhielt – «und dann wurden diese kleinen Plastiktaschen ausgeteilt, wirklich ganz reizend, ich denke, ich werde meine für die schmutzige Wäsche benutzen. Darin waren ein Paar Ohrstöpsel, ein Beutelchen Feuchtigkeitscreme und eine Schlafmaske, nicht dass ich meine benutzt hätte, da waren außen Augen aufgedruckt, und ich sehe nicht gern albern aus, wenn ich schlafe, wer tut das schon? Aber es war auch noch ein rosa Plastikkugelschreiber darin, den kannst du gern haben, wenn du möchtest, Liebes, denn Kugelschreiber kann man nie genug haben, und mein Sitznachbar hat seinen nicht mitgenommen, darum habe ich ihn eingesteckt, als wir von Bord gingen. Ich habe mir ein wenig Sorgen gemacht, dass es Diebstahl sein könnte, darum habe ich gewartet, bis die Flugbegleiterin gerade nicht hinsah, aber ich glaube, eigentlich war es kein Diebstahl, oder? Oder etwa doch? Meinst du, dass es Diebstahl war, Liebes?»

Tom versicherte ihr, seiner Ansicht nach sei es kein Diebstahl, und nahm den Kugelschreiber mit dem Ausdruck aufrichtiger Dankbarkeit entgegen. Sie ist daher, wenigstens vorerst, ziemlich angetan von ihm.

Sehr viel mehr als von mir, um ehrlich zu sein. «Meine Liebe, du hast einiges zugenommen», teilte sie mir ernsthaft mit (als ob ich nicht in der Lage wäre, in einen Spiegel zu schauen). «Das kann nicht gut für das Baby sein, eine solch lethargische Mutter zu haben. Es würde mich nicht überraschen, wenn sich damit dein Herzinfarktrisiko erhöht. Ich denke, du musst ein wenig auf deine Ernährungsgewohnheiten achten, Liebes. Ach, wie gut, dass ich hier bin. Du brauchst mehr Rohkost, insbesondere Bohnensprossen. Bohnensprossen sind außerordentlich gesund, wusstest du das? Ich werde noch heute welche besorgen, und bei der Gelegenheit kaufe ich auch gleich noch ein paar Packungen Reiswaffeln.»

Meine Mutter legt den typischen Übereifer einer frisch Bekehrten an den Tag. Bohnensprossen = gut. Alles andere = schlecht. Nicht dass sie sich selbst besonders fantasievoll ernährt; das Eigentümliche ist, dass sie trotz ihrer Yoga-Begeisterung nach wie vor die Vorurteile aus dem ländlichen England vor 1970 pflegt (Pizza betrachtet sie noch immer als etwas exotisch). Gestern beäugte sie argwöhnisch meine Liste möglicher Mittagsmahlzeiten, und ihre Miene erhellte sich erst, als ich (der Verzweiflung nahe) ein Käse-Pickles-Sandwich vorschlug. Bohnensprossen sind anscheinend ihr einziges großes Zugeständnis an die moderne Zeit, und sie ist sehr stolz darauf, so avantgardistisch zu sein. («Mrs. Hutchinson weigert sich, sie zu essen, ist das nicht lächerlich? Ich habe sie letzte Woche zum Dinner eingeladen, und sie wollte nicht eine einzige Sprosse probieren. Aber schließlich war deine Mutter schon immer ihrer Generation voraus, vielleicht erinnerst du dich noch, dass ich die Erste in der Straße war, die phosphatfreies Waschmittel verwendete.»)

Sowohl gestern als auch heute Morgen ist sie nach dem Frühstück in ihrem Zimmer verschwunden, um ihre Yogaübungen zu machen. Als sie wieder herauskam, strahlte sie die heitere Zufriedenheit einer Katze aus, die den Sahnetopf ausgeschleckt hat, und ihre Wangen glänzten ein wenig feucht. Sie will unbedingt, dass ich mitmache, aber die Vorstellung, mich von meiner Mutter in Yoga unterrichten zu lassen, behagt mir ganz und gar nicht – all dieses «mit dem eigenen Körper in Kontakt treten» hat für mich etwas leicht Sexuelles. Ich habe deshalb unter allerlei Vorwänden abgelehnt. Auf meine Massage am Montag freue ich mich allerdings sehr. Ich hoffe, dass sich dann endlich die entsetzliche Spannung zwischen meinen Schulterblättern lockert.

Samstag, 15 Uhr

Ich frage mich mittlerweile, wie die Chancen stehen, dass meine Mutter lebend wieder abreist (sie werden vermutlich erheblich gesteigert durch die Tatsache, dass ich nicht an die Messer in der Küche herankomme).

Der reizende Alexis kam gestern Abend nach dem Dinner vorbei; Tom war nicht zu Hause, und meine Mutter hatte sich offenbar in den Kopf gesetzt, sie müsse meine Ehre gegen Alexis' unlautere Absichten verteidigen. Sie weigerte sich daher, das Zimmer auch nur für eine Minute zu verlassen, und das obwohl es offensichtlich war, dass Alexis gern mit mir über Brianna gesprochen hätte, *und* obwohl ich im achten Monat schwanger bin mit dem Kind eines anderen Mannes. Es half nichts, meine unsägliche Mutter beobachtete ihn über den Lokalteil der *New York Times* hinweg mit einer Miene, die vielleicht angemessen gewesen wäre, wenn es sich bei mir und Alexis um eine Jungfrau des neunzehnten Jahrhunderts und einen verruchten Schürzenjäger gehandelt hätte. Der arme Alexis bemerkte offenbar, dass ein Missverständnis vorlag, konnte es sich jedoch nicht erklären. Immer wieder warf er ihr flüchtige Blicke zu, sah dann wieder mich ratlos an und schien nicht recht zu wissen, was ihm zur Last gelegt wurde. Das war, um ehrlich zu sein, von meinem Standpunkt aus betrachtet nicht gerade schmeichelhaft. Ich glaube, es kam ihm überhaupt nicht in den Sinn, dass meine Mutter sich einbilden könnte, er hätte irgendwelche Absichten in Bezug auf mich.

Als er schließlich ging, schürzte meine Mutter die Lippen, verschränkte die Arme und seufzte bedeutungsschwer.

Ich sagte nichts, sondern griff nach dem Sportteil der *New York Times* und begann einen Artikel über die Knicks zu lesen, die gestern Abend von den Cleveland Cavaliers geschlagen worden waren.

Meine Mutter schüttelte betrübt den Kopf, versuchte, meine Aufmerksamkeit zu erregen, und seufzte noch einmal tief.

Ich betrachtete ein Foto von Allan Houston und schwieg.

Meine Mutter schnalzte mit der Zunge und schüttelte noch ein paar Mal den Kopf.

Ich schwieg beharrlich. Die Cavaliers hatten mit 108 Punkten gewonnen, und LeBron James war überraschend zur Bestform aufgelaufen.

Meine Mutter sagte: «Ach Kind, Kind, *Kind*», erging sich in weiterem Kopfschütteln und fügte ein Zungenschnalzen hinzu – eine geballte Ladung passiver Aggression, die ihren Zweck nicht verfehlte.

«*Was ist?*», fragte ich zehn Dezibel lauter als nötig und warf mit Nachdruck die Zeitung hin.

«Du brauchst nicht so zu schreien, Liebes», entgegnete meine Mutter milde. «Ich sitze hier, ganz in deiner Nähe.»

«In Gottes Namen, wenn du etwas sagen willst, dann sag es», forderte ich sie hitzig auf.

«Nun, Liebes, ich hoffe, du nimmst mir nicht übel, dass ich es anspreche, aber hältst du es wirklich für angebracht, abends in Abwesenheit deines Mannes junge Männer zu empfangen? Immerhin sind wir hier in New York.»

«Mutter», erklärte ich, «die jungen Männer hier in New York sind ebenso gut in der Lage, ihre Leidenschaften zu zügeln, wie irgendwo sonst auf der Welt. Und Tom weiß ganz genau, dass zwischen mir und Alexis nichts ist –»

«Bist du *sicher*, dass er das weiß, Liebes?», versetzte sie ernsthaft. «Ich habe nämlich das Gefühl, die Beziehung zwischen euch beiden ist ein winziges bisschen angespannt. Mag sein, dass ich mich da in Dinge einmische, die mich nichts angehen, aber trotzdem …»

Ich hatte keineswegs die Absicht, ihr zu erzählen, woher die Spannungen in unserer Beziehung tatsächlich rührten; genau genommen hätte ich den Teufel getan, ihr gegenüber einzugestehen, dass es da überhaupt irgendwelche Spannungen gab, und so trieben wir einander weiterhin mit passiver Aggression in den Wahnsinn, bis Tom nach Hause kam.

Es war unser zweiter größerer Streit. Beim ersten war ich wütend auf sie geworden, weil sie Dr. Weinberg wie eine

Scharlatanin behandelte und den Pförtner wie einen Dienstboten.

Heute haben wir bisher eine förmliche Höflichkeit an den Tag gelegt, die zwei Rittern der Tafelrunde besser anstünde als einer Mutter und Tochter im einundzwanzigsten Jahrhundert («Hättest du gern einen Tee?» – «Ach ja, bitte, wie überaus freundlich von dir, ich hätte sehr gern einen Tee, möchtest du vielleicht den Reiseteil der Zeitung?» – «Ach ja, bitte …»).

Heute Vormittag ist sie losgezogen, um Babyzubehör einzukaufen (während ich mit glasigem Blick eine Wiederholung von *Ricki* sah). Als sie zurückkam, präsentierte sie mir mit geradezu rührendem Stolz ihre «Errungenschaften», wie sie sie nannte. Es waren durchaus praktische Kleidungsstücke und von guter Qualität, was zur Entspannung der Lage beitrug. Im Augenblick ist sie im Keller bei der Waschmaschine, um all die Babykleidung zu waschen. Ich werde meine Mordgelüste also bis auf Weiteres zügeln.

57.

Montag, gegen Mittag

Ich habe heute die fünfunddreißigste Schwangerschaftswoche vollendet – ein gewaltiger Meilenstein, ein Tag, von dem ich seit neun langen Wochen geträumt habe. Wenn mein Sohn jetzt zur Welt käme, könnte ich ihn vielleicht schon bei meiner Entlassung aus der Klinik mit nach Hause nehmen. Seine Lunge ist möglicherweise bereits voll entwickelt, und er hat schon fast ein normales Geburtsgewicht. Beim Ultraschall letzte Woche wurde er auf knapp 2300 Gramm geschätzt.

Das vergangene Wochenende verlief ruhig, wenn auch nicht ohne Spannungen. Ich faltete Babykleidung; meine Mutter bezog Bettzeug und Matratze für das Weidenkörbchen und richtete fürsorglicherweise auch ihr Zimmer als Babystube her. Sie hängte neue Vorhänge auf und brachte Jalousien an, damit man den Raum abdunkeln kann. Anschließend schob sie das Gästebett an die Wand, neben die Wickelkommode, und stellte das Gitterbettchen mitten ins Zimmer. Am Sonntag hat sie ein paar Spielzeug-Aufbewahrungskisten gekauft, die aussehen wie Eisenbahnwaggons. Mühsam hat sie sie mit der U-Bahn nach Hause transportiert, drei Stück hoch im Arm gestapelt, und sie hier mit einem Koffer voll neuer Spielsachen gefüllt – kuschelige Bärchen, Pappbilderbücher, Rasseln in leuchtenden Farben, Beißringe aus Kunststoff.

Heute Vormittag war ich bei Dr. Weinberg und anschließend bei Cherise in ihrem dämmrigen Zimmer, in dem man sich fühlen kann wie im Mutterleib. Die heutige Ultraschalluntersuchung hat ergeben, dass das Baby sich noch immer in Steißlage befindet – nicht dass man mir eigens hätte bestätigen müssen, dass ein sehr harter Schädel unter meinen Rippen steckt –, darum wird es wohl tatsächlich ein Kaiserschnitt. Aber mein Fruchtwasserindex ist stabil, sodass Dr. Weinberg beschloss, wir sollten die Geburt nach Möglichkeit noch bis zum Ende der 37. Woche hinauszögern («nur noch ein kleines bisschen länger, ja? Die Schwangerschaft verläuft jetzt etwas besser, ich denke, die 37. Woche können wir noch schaffen»), dann wäre das Baby technisch gesehen keine Frühgeburt mehr. In der Zwischenzeit will sie mich dreimal pro Woche sehen.

Meine Mutter hielt meine Hand sehr fest, während Dr. Weinberg über die Vorbereitungen für die Operation sprach. Ich war von Gefühlen überwältigt. Es ist aufregend zu wissen, dass ich mein Baby schon so bald im Arm halten werde, aber es ist genauso erschreckend, weil ich ehrlich gesagt keine Ahnung habe, welche Rolle Tom einnehmen wird. An manchen Tagen ertappe ich ihn dabei, wie er mich ansieht mit einem Blick, in dem sich Liebe – echte, offenkundige Liebe – und Wehmut vermischen; an anderen denke ich, er ist drauf und dran, mich zu verlassen, und die geringste Kleinigkeit, der Flügelschlag eines Schmetterlings würde ausreichen, um seinen Entschluss zu besiegeln. Das heißt zugleich: Während mir einerseits bei der Vorstellung graut, dass meine Mutter noch wochenlang bleiben wird («Ich glaube, ich kann mich im Studio noch ein wenig länger vertreten lassen, Q, dann könnte ich vielleicht eine weitere Woche hier bleiben und dir helfen, wenn das Baby auf der Welt ist»), erleichtert es mich andererseits zu wissen, dass sie hier ist für den Fall, dass ich eines Morgens aufwache und eine zweite, diesmal endgültige Botschaft auf dem Küchentisch am Salzstreuer lehnt.

Aber angenommen – oder vorausgesetzt –, Tom bliebe bei mir, werde ich dennoch auf die Hilfe meiner Mutter angewiesen sein. Ehrlich gesagt kenne ich mich mit Babys nämlich nicht so gut aus. Bestimmt werde ich den Kleinen irgendwie kaputtmachen.

17 Uhr

Lulu, meine Masseurin, stellte fest, ich sei ziemlich verspannt im Nacken – und im oberen Rückenbereich und im unteren Rückenbereich, in den Schultern, am Kreuzbein, im Schädel, in der Hüfte, in … Eine Stunde später und 200 Dollar ärmer fühle ich mich ungefähr – hmmm – 1 Prozent besser. Ein voller Tag ununterbrochener Massage (vielleicht noch mit ein paar nackten Knaben, die mir die Füße ölen und mir mit Palmwedeln Luft zufächeln), und ich könnte beginnen, mich ein wenig zu erholen.

58.

Dienstag, 10 Uhr
Heute Morgen, gleich nach dem Frühstück, kam ein Anruf von Jeanie. Meine Mutter war gerade unterwegs auf der Suche nach Schnullern einer bestimmten Marke, als das Telefon klingelte. «Wie geht's, Q? Sprecht ihr beide noch miteinander, du und unsere allerliebste Mutter?», erkundigte sie sich fröhlich.

«So gerade eben noch», erwiderte ich. «Sie bringt mich auf die Palme, aber wir kommen zurecht.»

Dann erzählte Jeanie mir von einem Fußballspiel, bei dem Dave am Wochenende mitgespielt habe. Er engagiert sich wohl in einem lokalen Freizeitprogramm für Jugendliche aus schwierigen Verhältnissen. Die Gruppe organisiert Ausflüge in Freizeitparks, ans Meer und so weiter und hat auch eine eigene Fußball-Liga. Am vergangenen Wochenende gab es ein besonders erfolgreiches Match zwischen zwei Gruppen von Kids, die insgesamt zwölf Einbrüche, fünfzehn Verstöße gegen das Betäubungsmittelgesetz und drei Fälle von illegalem Waffenbesitz verkörperten. Ich hörte etwa zehn Minuten lang zu, während Jeanie davon schwärmte, wie sehr sich das Verhalten der Kids und ihre Schulleistungen bereits gebessert hätten, und die ganze Zeit über klangen mir Alisons Abschiedsworte in den Ohren.

Es war eindeutig Zeit für eine Aussprache.

«Jeanie, ich muss mich entschuldigen. Ich war vielleicht

etwas ungerecht», sagte ich schließlich zu ihr (wobei ich nur geringfügig mit den Zähnen knirschte). «Mir scheint, ich habe vorschnell über Dave geurteilt, und es tut mir Leid.»

Es entstand eine lange Pause.

«Q, ich mache mir Sorgen um dich», versetzte Jeanie hörbar verblüfft. «Eine Woche allein mit unserer Mutter, und schon hast du deinen Kampfgeist verloren! Warum sagst du mir nicht, dass Dave ein widerliches, schleimiges Ekel ist? Warum zählst du mir nicht seine finanziellen Miseren auf? Warum haust du mir nicht meine jämmerliche Laufbahn in Liebesdingen um die Ohren?»

Ich zuckte mehrmals innerlich zusammen. «Mom hat nichts damit zu tun», versicherte ich ihr. «Wir haben überhaupt nicht über dich und Dave gesprochen. Aber als Alison hier war, hat sie mich darauf hingewiesen, dass – ach, wie auch immer, es tut mir jedenfalls Leid, Jeanie, ich möchte mich wirklich entschuldigen für … manches von dem, was ich über Dave gesagt habe. Vielleicht können wir im Sommer doch diesen Urlaub in Cornwall machen, was meinst du? Du könntest mir mit dem Baby helfen, wir würden endlich mal wieder Zeit gemeinsam verbringen, und außerdem täte es mir gut, mal aus der Stadt rauszukommen.»

«Das wäre wirklich schön», erwiderte sie, wobei sie noch immer klang, als hätte ihr jemand einen großen, schweren Gegenstand auf den Kopf geschlagen. «Ich würde mich sehr freuen. Und Q, wenn du Dave ein bisschen näher kennen lernst, wirst du sehen, dass er in Wirklichkeit gar nicht so übel ist.»

«Gar nicht so übel» ist nicht gerade ein Ausdruck leidenschaftlicher Zuneigung, aber ich sagte nichts dazu. «Wenn du ihn magst, Jeanie, dann bin ich überzeugt, dass er ein netter Kerl ist», log ich.

Als meine Mutter zurückkam, erzählte ich ihr von meinem Gespräch mit Jeanie. «Ach, das freut mich zu hören», bemerkte sie ein wenig geistesabwesend, während sie sich damit abmühte, einen frisch gewaschenen Bezug mit Meeresmotiven über die Babywippe zu ziehen. «Ich hatte ja anfangs ein paar alberne Vorurteile, aber weißt du, inzwischen hat sich herausgestellt, dass Dave ein richtig sympathischer junger Mann ist. Er kümmert sich rührend um seine Mutter. Sie leidet an Alzheimer im fortgeschrittenen Stadium. Er besucht sie wenigstens einmal in der Woche, obwohl es ein ziemlich weiter Weg dorthin ist, sie wohnt nämlich in Yorkshire. Darum hat er auch solche Schwierigkeiten, einen Job zu halten, und das führt wiederum dazu, dass er immer wieder in Geldnöte gerät. Ich habe ihm vor einigen Wochen ein paar hundert Pfund geliehen, und er hat mir bereits achtzig zurückgezahlt. Dafür musste er Nachtschicht machen, er hat im Supermarkt Regale eingeräumt. Ich habe ihm gesagt, das sei nicht nötig, aber er meinte, er könne es nicht ertragen, in meiner Schuld zu stehen. Das ist die richtige Einstellung für junge Leute, findest du nicht auch, Liebes? Sieh mal, meinst du, der Bezug sitzt so richtig?»

Anscheinend ist Dave also eine verkappte Mutter Teresa, während ich auf dem besten Wege bin, in die Fußstapfen von Cruella De Vil zu treten.

59.

Mittwoch, 15 Uhr

Bei der Ultraschalluntersuchung heute Vormittag kam heraus, dass der Fruchtwasserindex wieder gesunken ist. Das beunruhigt mich natürlich. Aber vielleicht hat Cherise einen Fehler gemacht? Ich glaube, sie war heute nicht richtig bei der Sache – sie hatte gestern Abend einen Streit mit ihrer Mutter, über den ich jetzt genauestens Bescheid weiß (mir gefiel sie besser, als sie noch schweigsam war und stur ihre Arbeit machte). Die Herztöne des Babys klangen aber gut. Außerdem sah der Kleine ganz prächtig aus, gesund und zufrieden; er lutschte sogar am Daumen, kaum zu glauben, diese winzigen Fingerchen zu einer festen, runden kleinen Faust geballt. Ich denke deshalb, ich sollte mir über den heutigen Indexwert einfach keine Gedanken machen.

60.

Donnerstag, 18 Uhr
Vorhin kam meine Mutter mit einer ganz ungeheuerlichen Geschichte an. Sie hat bei den Briefkästen eine unserer Nachbarinnen kennen gelernt und dabei erfahren, dass es in unserem Haus auch schwarzen Schimmel gegeben hat!

Diese Nachbarin – ich kenne sie nicht, aber offenbar wohnt sie im Erdgeschoss – hat meiner Mutter erzählt, die Schimmelprobleme hätten in ihrer Wohnung angefangen, nach einem Wasserrohrbruch vor drei Jahren. Unser Vermieter kam damals für die Bereinigung des Wasserschadens auf, für neue Teppiche und so weiter, aber ein Jahr später begannen die hölzernen Fensterrahmen aufzuquellen, und die Handwerkerfirma, die sie erneuern sollte, entdeckte, dass tief im Mauerwerk grünlich schwarzes Zeug wuchs. Randalls reagierte zögerlich, woraufhin die Nachbarin einen unabhängigen Gutachter beauftragte, der Stachybotrys atra sowie ein paar andere, weniger gefährliche Schimmelarten feststellte. Die Nachbarin schickte eine Kopie des Berichtes an Randalls, dazu die Empfehlungen des Gutachters, die lauteten, Randalls solle umgehend eine gründliche Kernreinigung veranlassen.

Daraufhin beauftragte Randalls pflichtgemäß eine Firma mit der Schimmelbeseitigung, und seither scheint das Problem gelöst zu sein, wie die Nachbarin meiner Mutter erzählte. Übrigens kam die ganze Unterhaltung dadurch zustande, dass die Nachbarin den Vermieter verteidigen wollte; Mummy klagte über die Größe unserer Wohnung und die Höhe der Mieten, und die Nachbarin erklärte ihr daraufhin, für Manhattaner Verhältnisse seien wir hier noch gut dran, und außerdem könnten wir uns glücklich schätzen, einen Vermieter zu haben, der seine Verantwortung so außerordentlich ernst nehme.

Aber während ich den Bericht meiner Mutter anhörte, dämmerte mir, dass Randalls so überhaupt auf die Idee kam, Schimmelbefall als Vorwand zu benutzen, um die unliebsamen Bewohner der mietregulierten Wohnungen loszuwerden. Schließlich wusste der Vermieter, dass es auch im Haus gegenüber Wasserrohrbrüche gegeben hatte; er wusste, wie alt das Gebäude war und wie es um die Bausubstanz bestellt war. Entsprechend lag die Vermutung nahe, dass auch dieser Komplex von Schimmel befallen war – was sich dann auch tatsächlich bestätigte. Statt jedoch das Problem zu beheben, wie es in unserem Haus geschehen war, suchte Randalls sich eine Gutachterfirma, die willens war, den sofortigen Abriss zu empfehlen. In unserem Haus gibt es nur noch eine oder zwei Wohnungen mit Mietpreisbindung, sodass die Immobilie für den Eigentümer durchaus einträglich ist. Im Komplex gegenüber wohnen hingegen lauter nette alte Ladys und Gentlemen, die noch immer 500 Dollar monatlich für Wohnungen zahlen, die fast das Fünffache wert sind. Und siehe da, Wunder über Wunder: Gegen den Schimmelbefall dort gibt es kein anderes Mittel als den Abriss.

Ich rang mit mir, ob ich meiner Mutter verheimlichen sollte, warum ihr Bericht mich so brennend interessierte. Diese ganze Geschichte ist schließlich Wasser auf ihre Mühlen, ein handfestes Beispiel für den Lug und Betrug, der ihrer Meinung nach in Manhattan an der Tagesordnung ist. Aber dann dachte ich bei mir, pfeif drauf, die Frau verdient ein Lob. «Mummy», sagte ich zu ihr, als sie geendet hatte, «das war gute Detektivarbeit. Du hast da etwas wirklich sehr Interessantes aufgedeckt.»

«Was du nicht sagst, Liebes», erwiderte sie erfreut. «Was denn?»

Ich holte tief Luft und erzählte ihr die ganze Geschichte von Randalls, Mrs. G. und den älteren Immigranten. Sie hörte sehr aufmerksam zu. Tzz tzz tzz, machte sie und schüttelte entrüstet den Kopf. «Vermieter sind doch überall gleich. Meiner Freundin Mrs. Ruskin hat der Vermieter neulich die Monatsmiete doppelt vom Konto abgebucht – versehentlich, wie er behauptet – und wollte dann das zu viel abgebuchte Geld nicht wieder herausrücken. Das muss man sich mal vorstellen! Du musst diese Leute unbedingt unterstützen, Q. Möchtest du vielleicht, dass ich mit einem versteckten Tonbandgerät zu der Frau im Erdgeschoss gehe und sie dazu bringe, ihre Geschichte noch einmal zu erzählen?»

Ich sah sie verblüfft an. Meine Mutter, die Spionin. Wenn ich es nicht besser gewusst hätte, dann hätte ich gesagt, sie liest zu viele Raymond-Chandler-Romane. «Ich glaube, das wird nicht nötig sein», versuchte ich ihren Eifer zu dämpfen. «Es liegen sicher ausführliche Unterlagen über Randalls' erste Begegnung mit Stachybotrys atra vor. Die Anwälte bei Schuster können das herausfinden. Aber wir haben es dir zu verdanken, dass wir überhaupt wissen, wo sie nachforschen müssen.»

«Also schön, Liebes, aber zögere nicht, mich in Anspruch zu nehmen», sagte sie. «Vielleicht gehen diese bösen Leute von Randalls zu der Frau im Erdgeschoss und *zahlen ihr Schweigegeld!* Ich denke, ich sollte gleich noch einmal hinuntergehen und –»

«Nein, wirklich, Mummy», wehrte ich energischer ab, «das ist schon in Ordnung. Fay kann jemanden beauftragen, in dieser Sache zu recherchieren, ich rufe sie sofort an. Aber ich bin dir sehr dankbar, und meine Freundin Mrs. Gianopoulou wird es auch sein.»

Meine Mutter sonnte sich in dem Lob. «Nun, das freut mich *außerordentlich*. Wenn ich noch irgendetwas für euch tun kann, brauchst du es nur zu sagen.» Sie strich sich das Haar glatt und strahlte übers ganze Gesicht. «Schließlich bin ich hier, um zu helfen!»

Jetzt werkelt sie gerade in der Küche und bereitet einen Gemüseauflauf zu. Das war, als ich klein war, eines meiner Lieblingsgerichte. Die Wohnung ist erfüllt vom Duft nach Gemüse, Brühe und herzhaften Käseklößchen. Neben mir steht ein kleines Glas Merlot. «Sei nicht albern, Liebes», sagte meine Mutter, als ich es ablehnen wollte. «Ich habe in allen drei Schwangerschaften ein Glas täglich getrunken, und es scheint keinem von euch geschadet zu haben. Außerdem brauchst du ein wenig Entspannung, Q. Nach dieser Masssage hast du ausgesehen, als hätte man dich eine Stunde lang mit Messer und Gabel malträtiert und nicht in einen Zustand friedvoller Gelassenheit versetzt. Die arme Frau war den Tränen nahe, als sie ging. Wenn du nicht mit mir Yoga machen willst, musst du eine andere Möglichkeit finden, Spannung abzubauen.»

Ihre Sorge um mein Gewicht scheint in den Hintergrund gerückt zu sein. Heute Morgen hörte ich, wie sie Tom beauftragte, mir Käsekuchen mitzubringen, «und ich weiß, dass sie besonders gern Kekse mit Schokoladenstückchen isst, meinst du wohl, mein Lieber, du könntest so etwas irgendwo auftreiben?»

61.

Freitag, 11 Uhr
Lara rief heute Morgen an und berichtete, Mark habe seine Sachen gepackt und sei endgültig ausgezogen. Eine halbe Stunde später rief Mark an, um uns seine neue Adresse mitzuteilen. Er und Brianna haben sich zusammen eine Wohnung im East Village genommen. Ich hörte Brianna im Hintergrund kichern; nach ein paar Minuten nahm sie ihm das Telefon ab. (Dabei hörte ich, wie sie sagte: «Jetzt bin *ich* dran, Marky!» Es folgte etwas, das verdächtig nach «Das werde ich dir später heimzahlen» klang, sowie weiteres ausgiebiges Gekicher.) Sie schilderte mir in allen Einzelheiten ihr neues Schlafzimmer (etwas von einem Loch in der Decke und dass sie plante, dort mit einer Schablone eine Ananas aufzumalen, sehr aufwendig), dann entschuldigte sie sich: «Ich muss jetzt los zur Arbeit, Q, wir können ja später weiterreden – um Himmels willen, Marky, weißt du eigentlich, wie viel Uhr es ist, wir werden *schon wieder* zu spät kommen …»

Lara ist in der ehelichen Wohnung geblieben, allein mit zwei Kindern und einem wachsenden Bauch. Ich versprach ihr, sie zu besuchen, sobald ich wieder aufstehen kann. Nicht dass sie *mir* eine Florence Nightingale gewesen wäre, aber trotzdem – sie tut mir einfach entsetzlich Leid.

Meine Mutter, die das Gespräch mit Lara mit angehört hatte, wollte anschließend wissen, was los sei. Als ich ihr erzählte, dass Mark seine Frau verlassen hatte, verdüsterte sich ihre Miene. «Das arme, arme Ding», sagte sie betrübt. «Wenn du mir ihre Adresse sagst, kann ich sie einmal besuchen gehen, wenn du möchtest. Ich weiß, wie es ist, mit drei Kindern im Stich gelassen zu werden. Ich werde für sie und die Kinder einen Gemüseauflauf machen.»

Einen Moment lang starrte ich sie sprachlos an. Wer hätte gedacht, dass meine Mutter so *menschlich* sein kann? Lara wäre wohl ziemlich überrascht, wenn jemand mit einer Tupperdose voller Gemüseauflauf mit Käseklößchen bei ihr vor der Tür stünde – ich glaube nicht, dass sie irgendetwas isst, das nicht die Bezeichnung «Gourmet» trägt, aber irgendwie denke ich trotzdem, sie könnte für die Zuwendung dankbar sein. Gemüseauflauf ist das tröstlichste Gericht, das ich kenne, und ich wette, die arme Frau kann im Augenblick etwas Trost gut gebrauchen.

15 Uhr

Beim Mittagessen lenkte meine Mutter das Gespräch erneut auf Lara. Sie hockte auf der vordersten Kante unseres Ledersessels und balancierte ihren Teller auf dem Schoß. «Wer wird diese Lara bei der Geburt begleiten?», fragte sie, während sie sorgfältig die Zwiebeln aus ihrem Pastrami-Sandwich entfernte. «Sie braucht doch jemanden, der ihr während der Wehen beisteht.»

Ich zuckte die Schultern und machte mich über mein zweites Truthahn-Cranberry-Sandwich her. Es war perfekt zubereitet, das Baguette leicht und knusprig, die Beeren süß und fest, und wenn sie im Mund zerplatzten, setzten sie einen intensiv schmeckenden süßen Saft frei. «Vielleicht Mark, ich weiß es nicht. Oder vielleicht bittet sie eine Freundin dabei zu sein.»

Meine Mutter blickte mich ernst an. «Du musst sie danach fragen, Q. Wenn sie keine enge Freundin hat, möchte ich, dass du ihr deine Unterstützung anbietest.»

«Ich? Mummy, wir stehen uns nicht besonders nahe», erklärte ich. «Lara will mich mit Sicherheit nicht dabeihaben, wenn sie mit gespreizten Beinen daliegt und alles voller Blut ist. Sie ist die Sorte Frau, die den Wasserhahn aufdreht, wenn sie auf die Toilette muss, während wir im Wohnzimmer sind. Sie würde ganz bestimmt nicht wollen, dass ich dabei bin, wenn sie ein Kind zur Welt bringt, das garantiere ich dir.» Ich schlürfte meinen dritten Bananen-Milchshake leer.

Meine Mutter schüttelte den Kopf. «Q, ernsthaft, ich möchte, dass du es ihr anbietest. Die Aussicht, eine Geburt allein durchstehen zu müssen, hat etwas zutiefst Beängstigendes. Als dein Vater mich vor deiner Geburt verlassen hat – ja, ich weiß, davon habe ich dir nie erzählt, aber es war so –, war ich völlig verängstigt. Damals wäre es noch undenkbar gewesen, eine Freundin oder einen Elternteil um Unterstützung zu bitten. Ich hatte wochenlang Albträume deswegen; schließlich habe ich ihn angebettelt, zu mir zurückzukommen, nur um jemanden zu haben, der an meinem Bett sitzt und meine Hand hält. Ich fand ihn in Clacton-on-Sea mit einer Frau, die er über die British Legion kennen gelernt hatte, und ich versprach ihm, alles zu tun, wenn er nur zu mir zurückkommt. Nicht dass er mir bei der Geburt eine besondere Hilfe gewesen wäre, das muss ich leider sagen, aber wenigstens brauchte ich nicht die mitleidigen Blicke der Hebamme zu ertragen. Ich glaube, das hätte ich nicht überlebt.»

Ich war völlig fassungslos. «Dad hat dich verlassen, *bevor* ich zur Welt kam?», vergewisserte ich mich entgeistert.

Meine Mutter warf mir einen raschen Blick zu. «Ja», bestätigte sie. Es war ihr sichtlich peinlich, darüber zu sprechen. «Und ein weiteres Mal kurz nach Alisons Geburt, und dann war er noch einmal etwa eine Woche lang verschwunden, als Jeanie sechs Monate alt war. Damals warst du schon alt genug, Fragen zu stellen, darum habe ich dir erzählt, er sei mit seiner Band auf Tour. Aber mir graute davor, dass er womöglich nicht zurückkäme; ich hätte nicht gewusst, wie ich euch das erklären sollte. Anscheinend fand die Frau, mit der er durchgebrannt war, ihn ziemlich bald langweilig, denn er kam mit eingekniffenem Schwanz zurück, lange bevor du ahntest, dass etwas nicht stimmt. Ich war unsäglich erleichtert.»

Ich hatte das Gefühl, als befände ich mich auf einem schwankenden Kahn in einem heftigen Sturm. «Warum weiß ich von all dem nichts? Warum hast du es uns nie erzählt?»

Meine Mutter zuckte die Schultern. «Ich dachte, es würde euch verunsichern. Ich wollte euch so gut wie möglich schützen, euch das Gefühl geben, ein sicheres, glückliches Zuhause zu haben. Und ich wollte, dass ihr euren Vater liebt. Das war mir sehr wichtig, Q. Und um ehrlich zu sein, ich brauchte ihn. Ich wollte das alles nicht allein schaffen müssen. Das wäre wirklich hart geworden, so viel war mir klar.»

Ich blickte auf die Landschaft meiner Kindheit zurück, und schlagartig schien sich eine subtile Veränderung vollzogen zu haben. Das Licht war anders, alles wirkte eine Spur düsterer. Mein Vater warf einen längeren Schatten. Nicht dass ich ihn jemals für perfekt gehalten hätte, aber immerhin …

«Weiß Alison davon? Was ist mit Jeanie? Und warum erzählst du mir das jetzt?», fragte ich schließlich.

«Deine Schwestern – nein, die beiden wissen es nicht», antwortete meine Mutter. «Und ich erzähle es dir einfach nur, weil – nun, schließlich gibt es doch keinen Grund mehr, es geheim zu halten, nicht wahr?» Sie erhob sich aus dem Sessel, holte die Teekanne aus der Küche und goss sich noch eine Tasse starken englischen Tee ein. «Es ist reichlich da, Liebes, wenn du noch etwas möchtest.»

Aber ich glaubte ihr das nicht ganz. Ich denke, es gab noch einen anderen Grund, weshalb sie mir ausgerechnet heute von den Eskapaden meines Vaters erzählt hat. Heute Morgen bemerkte ich, dass sie mich und Tom beobachtete, wie wir jegliche Intimität geflissentlich vermeiden, wie jeder dem Blick des anderen ausweicht, dazu diese kleinen spitzen Bemerkungen, die sich wie Angelhaken in die Haut bohren («*Musst* du die Tür so knallen?» «*Musst* du den Boden so voll krümeln?»). Will sie mir vielleicht sagen, ich solle diesen Bruch in meiner Ehe kitten? Einen Weg finden, meine Beziehung mit Tom wieder in sichere Bahnen zu lenken, mit allen Mitteln? Was hat sie doch gleich gesagt? – «*Ich brauchte ihn. Ich wollte das alles nicht allein schaffen müssen. Das wäre wirklich hart geworden, so viel war mir klar.*»

Das Problem ist nur: *Mein* Mann ist nicht in Clacton-on-Sea, er ist in einem anderen Universum.

19 Uhr

Ich bin gerade von einem weiteren Termin bei Dr. Weinberg zurückgekommen. Sie hat mir die «Indische Brücke» verordnet, die das Baby animieren soll, sich selbständig zu drehen, damit ich vaginal gebären kann («Ich glaube nicht, dass es etwas bringt», sagte Dr. Weinberg nüchtern, «aber ein Versuch kann ja nicht schaden, wie?»). Soweit ich es beurteilen kann, wurde diese Indische Brücke eigens dazu erfunden, hochschwangere Frauen zum Gespött der Leute zu machen. Bei einer Version muss ich auf dem Boden kauern und den Hintern in die Luft strecken. Bei der anderen Variante liege ich auf dem Rücken, das Becken hochgelagert, während mein Mann («oder auch Ihre Mutter, Männer braucht man dazu nicht unbedingt») dem Baby zuredet und es ermuntert, den richtigen Weg nach draußen zu finden. «Komm schon, Baby, dreh dich. Zeig der Welt dein Gesicht. Der Ausgang aus der Gebärmutter ist dein Eingang in die Welt. Schau der Welt entgegen, Baby. Dreh dich um.»

Wenn das funktioniert, fresse ich meine Plazenta.

Der Fruchtwasserindex ist weiter gefallen, was aber hoffentlich nicht schlimm ist. Cherise schien jedenfalls nicht sonderlich besorgt, und ohnehin sind diese Zahlen nur Näherungswerte, wie Dr. Weinberg mir erklärte. Außerdem, nach meinen Schwangerschaftsstreifen zu urteilen, muss das Baby in erstaunlichem Tempo wachsen.

23 Uhr

Habe gerade im Internet einen Artikel gefunden, in dem stand, Schwangerschaftsstreifen seien eher auf die Gewichtszunahme der Mutter zurückzuführen als auf die des Kindes. Aaaaargh.

62.

Samstag, 9 Uhr
Seit dem Frühstück zähle ich Babytritte, das ist die andere Hausaufgabe, die Dr. Weinberg mir gestern aufgetragen hat. Ich soll zählen, wie oft sich das Kind in der Stunde nach meinen Mahlzeiten bewegt – das ist die Zeit, in der es am aktivsten ist. Eigentlich soll ich sieben Tritte, Knüffe, Drehungen oder sonstige Bewegungen zählen und dann aufhören. Aber so macht mir das keinen Spaß. Weshalb ich nun mit Stolz berichten kann, dass mein Kind in der vergangenen Stunde *fünfundvierzigmal* getreten, geknufft, sich gedreht oder sich sonst irgendwie bewegt hat. Offenbar habe ich da drin einen kleinen Profi-Sportler.

12 Uhr
Zweiunddreißig Tritte seit meinem letzten Schokoladen-Brownie. Ich werde mich zur Ruhe setzen und von dem Geld leben können, das mein Sohn als Fußballer verdient. Ich werde eine dieser Mütter sein, die mit Megaphon und dem Porträt ihres Sohnes auf dem T-Shirt in der ersten Reihe sitzen.

19 Uhr
O mein Gott, ist er tot? Ich habe vor achtundfünfzig Minuten mein Dinner beendet und seitdem nur fünf Tritte gespürt. Was mache ich denn jetzt? *Was mache ich denn jetzt bloß?*

19.02 Uhr
Uff – in letzter Minute kamen noch zwei schnelle Tritte hinterher. Aber ich mache mir trotzdem Sorgen. Vielleicht sollte ich noch einen Cookie essen, um zu sehen, ob er davon etwas munterer wird.

63.

Montag, 9 Uhr
In einer Woche bekomme ich ein Baby. IN EINER WOCHE!
IN EINER! ACH DU LIEBER GOTT.
ICH FÜRCHTE MICH ENTSETZLICH.

64.

Dienstag, 9 Uhr
Tom ist heute früh um 5.30 Uhr mit wütendem Türenknallen gegangen.

Etwa zwei Stunden später, als ich mich gerade mühsam zum Sofa schleppte, klingelte das Telefon. «Hallo, Q, guten Morgen», zwitscherte eine weibliche Stimme, «hier spricht Leanne von Crimpson Thwaite.» Ach ja, dachte ich bei mir, Toms ach-so-charmante Sekretärin, die reizende Leanne, Leanne mit den langen Beinen, Leanne mit dem geschmeidigen Körper, eine Frau, die ich aus der Stadt verjagen müsste, wäre da nicht ihre tiefe und unerschütterliche Liebe zur nicht minder reizenden Alyssa.

«Tom hat ein paar Unterlagen zu Hause vergessen. Ich schicke um acht einen Boten vorbei, um sie abzuholen. Sind Sie zu Hause?»

Ob ich zu Hause bin? Augenblick, da muss ich nachdenken …

«Der Bote hat genaue Anweisung, wo er die Unterlagen findet, Ihnen sollten also keinerlei Unannehmlichkeiten entstehen, ich wollte Ihnen nur Bescheid sagen. Einen schönen Tag noch!» Klack.

Ich blickte mich im Zimmer um. Auf der Heizungsbank lag nichts, auf dem Couchtisch auch nicht, auf dem Sessel ebenfalls nicht – ach ja, dort, auf dem Tischchen neben der Küchentür. Eine schwarze Dokumentenmappe und eine dünne blaue Akte lagen auf der gestrigen Ausgabe der *Times*, halb vergraben unter einem Stapel Wäsche für die Zeit nach der Geburt («Stillmode» wird das genannt, doch hinter diesem beschönigenden Ausdruck verbergen sich riesige Unterhosen, weite T-Shirts und BHs mit erschreckend vielen D's auf dem Etikett), die gestern Nachmittag geliefert worden war. Ich schleppte mich hinüber, um die Akten bereitzulegen. Eigentlich sollte ich zwar nicht aufstehen, aber ich war nicht gerade erpicht darauf, dass der Bote in meiner Unterwäsche herumwühlte.

Die Akte war nicht beschriftet. Auf der Dokumentenmappe stand: «IMMOBILIEN – AKTUELLE KLIENTEN – ZUR ABLAGE».

Ich starrte die Mappe an. Immobilien. Aktuelle Klienten. Crimpson. Einen Moment lang überlegte ich. Hmmm.

Schamesrot legte ich die Mappe wieder ab. Was fiel mir nur ein, um Himmels willen? Darüber habe ich doch schon einmal nachgedacht und bin zu einem moralischen Schluss gekommen. Sowohl meine Standesethik als auch meine eheliche Moral verbieten es mir strikt, in Toms Unterlagen herumzuschnüffeln.

«Zum Teufel mit der Ethik», entgegnete eine andere,

aufmüpfige Stimme. «Ist es etwa besonders moralisch, seine schwangere Frau den ganzen Tag zu Hause allein zu lassen und die Karriere skrupellos über das eigene Kind zu stellen?» Keine Chance. Ich hob die Dokumentenmappe auf und spähte hinein.

Plötzlich kribbelten meine Fingerspitzen wie elektrisiert; ein prickelndes Gefühl entsetzlicher Schuld trieb mir das Blut ins Gesicht. Aber der Adrenalinstoß verebbte rasch wieder: Diese Mappe enthielt nichts, was mich interessiert hätte. Nur die üblichen Juristenpapiere, Gerichtsunterlagen und Fallnotizen, manche davon mit großen Aktenklammern zusammengehalten, andere lose und unsortiert. Offenbar will Leanne sie deshalb haben: Sie hat sich den heutigen Vormittag dafür reserviert, Toms chaotische Notizen zu ordnen. Im Geiste schimpfte ich mit meinem Mann. Wirklich, dachte ich missbilligend, du brauchst ein besseres Ablage-System. Du hast da Notizen über ungefähr fünfzehn verschiedene Klienten, da findest du doch niemals, was du gerade brauchst – was haben wir denn da, Fred Trask Corporations, Billman & Hasselhoff Hotels, Goldview Morgan Investments, Randalls' Immobilienentwicklung …

Randalls' Immobilienentwicklung. Ich schluckte.

Ich entdeckte einen Packen Notizen, mit einem gelben Post-it-Zettel versehen, auf dem in Toms eckiger, krakeliger Handschrift stand: «Randalls' Entwicklungsprojekte». Es handelte sich um etwa fünfzehn von einer Klammer zusammengehaltene Seiten – worum ging es denn da, ah, ein Pachtvertrag (war ich erleichtert oder nicht?) über eine Immobilie weiter im Norden, an der 128th Street – nichts über das Gebäude gegenüber, damit hatte es nicht im Entferntesten zu tun. Aber Moment mal!

Zwischen den Seiten 7 und 8 steckte ein zusammengefalteter Brief. Ich zog ihn heraus. Ich faltete ihn auseinander. Mein Blick fiel auf eine Passage, die lautete: «*Verluste im vierstelligen Bereich allein durch Betriebskosten und Steuern, wobei die potenziellen Mieteinnahmen in Höhe des eigentlichen Marktwerts noch nicht mit eingerechnet sind.*»

Hastig faltete ich den Brief wieder zusammen. Was tat ich denn da? Mein Herz hämmerte, als wolle es mir aus der Brust springen. Ich fragte mich, was das Baby wohl von diesem Adrenalinstoß hielt, der mir die Nackenhaare sträubte. Einen Moment lang überlegte ich. Es ging also um die Einnahmen von Randalls, um Verluste und einen hohen Immobilien-Marktwert. Das konnte alles oder nichts bedeuten, es musste nicht zwangsläufig etwas mit *meinem* Gebäude (wie ich es mittlerweile insgeheim nenne) zu tun haben. Eigentlich war es sogar wahrscheinlicher, dass es um die Immobilie an der 128th ging. Ja, das ergab Sinn. Entschlossen schob ich den Brief wieder in die schwarze Dokumentenmappe, legte dann beides, die Mappe und die Akte, auf einem Stuhl bei der Tür ab und schleppte mich zurück zum Sofa.

Ich legte mich wieder hin, zog mir die Wolldecke über die Beine und schaltete den Fernseher ein. Richterin Judy sprach Recht, und zwar echtes Recht, das Recht des Volkes, nicht dieses vertrackte Zeug, mit dem wir in unserer Branche uns herumschlagen. Richterin Judy kann nicht viel tun, um den Schaden zu beheben, den die Geliebte deines Mannes deiner Familie, deinem Auto und deiner Selbstachtung zugefügt hat, aber sie kann fünf Minuten lang moralische Schelte erteilen. Sie kann Worte wie «Recht» und «Unrecht» auffahren, damit wir alle uns sicherer fühlen. Der Hammer saust nieder. So! Klare Lösungen ohne lästige Feinheiten wie die Frage, wer wann wofür zahlt, an welchen Wochentagen man die Kinder sieht und wer Weihnachten und Geburtstage wo verbringt.

Nicht die schwarze Dokumentenmappe anstarren, nicht die schwarze Dokumentenmappe anstarren, ermahnte ich mich selbst, aber offenbar starrte ich die schwarze Dokumentenmappe doch an. Sie schien eine überirdische Macht über mein Bewusstsein erlangt zu haben. Ich könnte beinahe schwören, dass sie auf dem Stuhl neben der Tür leuchtete. *«Die potenziellen Mieteinnahmen in Höhe des eigentlichen Marktwerts»* – eine ziemlich nichtssagende Formulierung. *«Verluste im vierstelligen Bereich allein durch Betriebskosten und Steuern»* – auch das konnte sich auf alles Mögliche beziehen. Der Kurier wird jede Minute hier sein. Ich werde für den Rest des Tages darüber grübeln, ob dieses Schreiben etwas mit dem Haus zu tun hat, in dem Mrs. G.s Freunde wohnen, und dabei ist das wahrscheinlich gar nicht der Fall. Vielleicht, sagte ich gegen 7.57 zu mir selbst, wäre es das Beste, wenn ich den Brief jetzt lese, feststelle, dass er keinerlei Bezug zu dem Haus gegenüber hat, und die ganze Angelegenheit dann rasch wieder vergesse. Ja, das erscheint mir am vernünftigsten.

Ich schlug die Decke zurück, stolperte zu dem Stuhl, öffnete die Mappe, blätterte durch die Seiten und zog den Brief heraus.

VERTRAULICHES MEMO stand zuoberst auf der Seite, und das Schreiben stammte von Tom selbst. Genauer gesagt war es der Ausdruck einer vor vier Tagen verfassten E-Mail an Phil, den Seniorpartner, dem er unterstellt ist. Und folgendermaßen lautete (soweit ich mich erinnere) der Inhalt des Dokuments:

Hallo Phil,
Valerie weiß inzwischen Bescheid, du kannst da also Klartext reden. Ich denke, Coleman Randall (der Vater) hat letzte Woche selbst mit ihr gesprochen. Er hat für Dienstag ein Meeting mit John arrangiert, aber dabei soll es angeblich um die Klagen bezüglich des Einkaufszentrums gehen (wobei, wie ich J. kenne, die Angelegenheit mit den falschen Angaben in den Anträgen an die DHCR mit ziemlicher Sicherheit zur Sprache kommen wird).
Ich würde empfehlen, dass du Stewart mitnimmst, er kennt die Hintergründe. Kurz zusammengefasst: Randalls hat Unsummen für die mietpreisgebundenen Wohnungen an der East 83rd verpulvert – Verluste im vierstelligen Bereich allein durch Betriebskosten und Steuern, wobei die potenziellen Mieteinnahmen in Höhe des eigentlichen Marktwerts noch nicht mit eingerechnet sind. Um es ganz deutlich zu sagen: CR wusste, dass die DHCR in den letzten Jahren eine ablehnende Haltung gegenüber Anträgen auf Abrissgenehmigung vertreten hat, und er wollte die Mieter im Vorfeld loswerden, um die Sache so reibungslos wie möglich abwickeln zu können. (Er bezieht sich zu seiner Verteidigung immer wieder auf den Fall 823 Park Avenue, wobei er aber von den rechtlichen Aspekten der Sache wenig Ahnung hat.) Stewart ist überzeugt, dass er schlicht gelogen hat, sowohl was das Ausmaß des Schimmelbefalls angeht als auch bezüglich des Antragsverfahrens. Er hat uns überhaupt nur hinzugezogen, weil die Mieter inzwischen juristische Vertreter von hohem Kaliber eingeschaltet haben und er befürchten muss, dass die ganze Sache den Bach runtergeht.
Die Anwälte der Mieter werden ihren Mandanten natürlich empfehlen, hohe Abfindungen zu fordern,

womöglich sogar Strafantrag zu stellen. Schließlich – das muss man doch mal ganz deutlich sagen – handelt es sich hier um indiskutables Verhalten. Ich habe CR die Leviten gelesen, auch was das Vertrauensverhältnis zwischen Anwalt und Mandanten angeht, und habe außerdem angesprochen, die falschen Angaben in den Anträgen an die DHCR zu korrigieren, die –

Und dann ertönte die Türklingel. Mit tauben, ungelenken Fingern faltete ich den Brief zusammen und wollte ihn wieder zwischen die anderen Blätter stecken, aber in welcher Reihenfolge – und wohin gehörte der Pachtvertrag –, da klingelte es schon wieder, Mist, Mist – hastig ließ ich die Papiere in der Dokumentenmappe verschwinden und öffnete die Tür, wobei ich mein charmantestes und unschuldigstes Lächeln aufsetzte. Der Kurier hatte den gelangweilten, nichts sagenden Gesichtsausdruck eines Menschen, der tagtäglich auf dem West Side Highway sein Leben riskiert. Ich reichte ihm die Unterlagen, ohne ihm in die Augen zu sehen. Er brummelte etwas Unverständliches und verschwand wieder im Treppenhaus.

Und jetzt liege ich hier allein in der Wohnung. Ma ist unterwegs auf der Pirsch nach einem Yoga-Kurs, und seit einer Stunde kreisen meine Gedanken um die eine Frage: Was genau habe ich da erfahren, was ich nicht bereits wusste? Die Rädchen in meinem Hirn sind blockiert, mein Gedankenfluss zäh wie Sirup. Zunächst mal ist bei Randalls Panik ausgebrochen; der Brief, den Fay für mich verschickt hat, scheint seine Wirkung nicht verfehlt zu haben, es klingt, als könnten die Mieter demnächst mit den Abfindungsangeboten rechnen, die ihnen zustehen. Aber etwas anderes an diesem Brief interessiert mich noch mehr. Tom hat Coleman Randall «die Leviten gelesen». Er hat ihn über seine moralischen Verpflichtungen aufgeklärt. Er hält das Verhalten der Immobilienfirma für «indiskutabel».

Das klingt nach dem Mann, den ich geheiratet hatte. Der Tom, der dieses Memo verfasst hat, scheint ein Anwalt zu sein, der findet, dass Alexis und Mrs. G. durchaus im Recht sind, dass es eine Schlacht zu gewinnen gibt und dass sie auf der richtigen Seite stehen. Und ich folglich ebenfalls. Das Problem ist nur, dass ich diese Dokumente nicht hätte lesen dürfen. Wenn Tom erfährt, dass ich in seinen Unterlagen nach Informationen gesucht habe, die meinen Freunden helfen können, wird er mir nie wieder vertrauen. Wie konnte es nur so weit kommen, dass ich auf einmal diejenige bin, die im Unrecht ist?

9.25 Uhr
Es gibt nur eine Möglichkeit –

9.27 Uhr
Ich habe gerade mit Tom telefoniert. Als ich zum Telefon griff und seine Nummer wählte, wusste ich selbst nicht recht, was ich zu ihm sagen sollte. Tuut, tuut. «Ja, bitte?»

«Tom», platzte ich heraus, dann stockte ich. «Ach, du bist es, Q», erwiderte er kühl. «Was gibt es?»

«Ich – ähm – ich wollte mich nur vergewissern, ob du deine Unterlagen bekommen hast. Der Kurier war um acht hier und hat sie abgeholt. Sie lagen auf dem Tisch neben der Küchentür», plapperte ich drauflos. «Unter ein bisschen Zeug von mir, Unterwäsche und so. Na ja, jedenfalls – äh – ich dachte, ich frag mal nach», schloss ich lahm.

«Ja, sie sind bei mir angekommen», antwortete er kurz angebunden.

Es folgte eine lange, lange Stille.

«Ach ja, und – kommst du eigentlich zum Abendessen nach Hause?», setzte ich schließlich noch einmal verzweifelt an.

«Nein, es wird heute später», erwiderte er knapp. «Das heißt, ich glaube nicht, dass ich es rechtzeitig schaffe. Hör mal, Q, ich habe gerade furchtbar viel zu tun, ich muss eine Deadline einhalten, ich habe jetzt wirklich keine Zeit zum Reden. Wir sprechen später, okay?» Damit legte er auf.

Seit ich erwachsen bin – verdammt, seit ich dreizehn war –, bin ich entschlossen gewesen, einmal eine glückliche, tragfähige, erfolgreiche Ehe zu führen. Ich weiß, wie es ist, in einem Haus aufzuwachsen, in dem am Esstisch ein Platz leer ist. Ich weiß, wie es ist, den Platz geistesabwesend zu decken und dann mit einem ekelhaften, peinlich-schmerzlichen Gefühl das Geschirr und Besteck wieder fortzunehmen und zu hoffen, dass niemand sonst in der Familie das Versehen bemerkt hat. Ich weiß, wie es ist, wenn man die eigene Mutter aus dem Fenster starren sieht mit einem Gesichtsausdruck, der verrät, dass sie am liebsten an einem Laternenpfahl baumeln würde. So etwas werde ich meinen Kindern niemals antun, schwor ich mir als Teenager. Das Einzige, worüber meine Kinder sich zu beklagen haben werden, ist, dass ihre Eltern sich unbedingt in ihrem Beisein küssen müssen *(«iiiieh, widerlich!»)*. Aber wie sich neuerdings herausstellt, scheine ich auf dem Gebiet der Ehe ungefähr ebenso gründlich zu scheitern wie meine Eltern – auf andere Weise, aus anderen Gründen, aber deshalb nicht weniger schlimm.

65.

Mein Vater war nicht groß, kaum über eins siebzig. Er hatte rotes Haar (sein Vermächtnis an mich), und seine Haut war so blass, dass man die feinen blauen Äderchen in den Handgelenken sehen konnte. Ich weiß noch, wie ich sie als Kind mit dem Finger nachgezeichnet habe, während ich mich in seine Armbeuge kuschelte. Er roch nach Rasierwasser und Benson & Hedges.

Als er uns verließ, weinte ich zwei Wochen lang jeden Abend. Ich hatte damals schon ein eigenes Zimmer, sodass es keinen Grund gab, meine Tränen zurückzuhalten, keine verängstigte kleine Schwester, die mein Schluchzen gehört hätte. Wie konnte er mich hier mit *ihr* allein lassen? Wie sollte ich jemals *ihren* Maßstäben genügen? Mein Vater hat mich nie nach irgendwelchen Maßstäben beurteilt, ich denke, weil er für sich selbst auch keine anlegte, und das machte das Leben erheblich einfacher. Er war mit mäßig guten Noten vollauf zufrieden. Ach was, er nahm es kaum zur Kenntnis, als ich in Religion durchfiel.

Etwa drei Tage nachdem er gegangen war, öffnete ich den Trockenschrank und sah darin eines seiner Hemden hängen. Gelbbraun kariert, frisch gewaschen, erwartete es geduldig seinen Besitzer. Ich starrte das Hemd etwa zwanzig Minuten lang an. Ich konnte es nicht fassen, dass mein Vater nicht mehr hier war, sein Hemd aber doch. Als ich am nächsten Tag wieder an den Trockenschrank ging, als sei er ein geheimer Schrein, entdeckte ich, dass das Hemd in aller Stille verschwunden war. Nur der nackte Drahtkleiderbügel hing noch da und schaukelte im warmen Luftzug sanft hin und her.

Der erste Brief war chaotisch. *Liebe Q, ich schreibe dies, weil ich dir sagen möchte, dass es mir sehr Leid tut, und Julie lässt dich herzlich grüßen. Ich musste gehen, wirklich, ich konnte nicht anders. Ich werde dich bald besuchen kommen. Alles Liebe, Dad.* Ich legte den Brief in das mit rosa Samt bezogene Schmuckkästchen, das mein Onkel mir einmal zu Weihnachten geschenkt hatte und in dem ich seither alle meine kostbarsten Schätze aufbewahrte. Inhalt: ein Armband mit verschiedenen Anhängern, eine Gratisbeilage zu einem *Jackie*-Heft; ein silberner Fingerhut, laut meinem Vater ein «Familienerbstück»; außerdem sämtliche Weihnachts- und Geburtstagskarten, die ich je von meinen Eltern bekommen hatte.

Diese gesammelten Kostbarkeiten wurden bald um einen zweiten Brief ergänzt. *Liebe Q, dein Daddy hat mich gebeten, dir einen Gruß zu senden. Es geht uns gut. Ich habe bereits acht Gitarrenschüler, und er hat sich einer neuen Band angeschlossen. Sie sind ziemlich erfolgreich, auch wenn sie kürzlich ihren Bassisten verloren haben, und der Saxophonist zieht vielleicht wieder nach Belgien. Wir haben uns gerade einen Hund gekauft, er heißt Cassie und würde dir bestimmt gefallen. Du musst uns hier in Brighton mal besuchen kommen und mit Cassie spielen. Dein Vater lässt ausrichten, er ruft bald an oder schreibt. Alles Liebe, Julie.*

Ich war nicht begeistert davon, dass Julie seine Briefe schrieb, aber ich träumte monatelang von Cassie und malte mir aus, wie herrlich es wäre, mit ihr am Strand von Brighton zu toben! In meiner Vorstellung war Cassie ein langhaariger Afghane oder vielleicht ein reinweißer Schäferhund, und sie war der Inbegriff der Treue – die Leute, die uns zusammen sehen würden, wären zu Tränen gerührt über die deutlich sichtbare innige Bindung zwischen uns. Sie würde ohne Leine bei Fuß laufen. Sie würde auf einen kurzen Pfiff von mir kleine Kinder vor dem Ertrinken retten. Abends würde ich ihr das Fell bürsten, und sie würde meine Hand lecken und liebevoll zu mir aufschauen.

Meine Mutter erlaubte uns keinen Hund («die machen zu viel Dreck, und außerdem will ich nicht nach der Arbeit noch so ein verdammtes Vieh Gassi führen müssen»).

Unnötig zu erwähnen, dass ich Cassie nicht ein einziges Mal zu sehen bekam. Mein Vater lud mich nie ein. Er schrieb kaum jemals, weder an mich noch an meine Schwestern. Jeden Dezember erwartete ich mit höchster Anspannung die Weihnachtskarte von den beiden, hoffte jedes Jahr, sie möge diesmal anders ausfallen, es möge ein Sinneswandel seinerseits herauszulesen sein, etwas in dieser Art: *Q, ich schreibe dies an dich, weil du die Älteste bist und es verstehen wirst. Ich musste fort, weil* [hier folgte ein furchtbar triftiger Grund], *aber ich liebe dich ganz schrecklich und will unbedingt wieder ein Teil deines Lebens sein, ich denke ständig an dich und stelle mir vor, wie groß du nun wohl schon bist. Ich will dir wieder ein richtiger Vater sein.*

Aber jedes Jahr las ich etwas unendlich viel Stumpferes. *Liebe Kinder, frohe Weihnachten und einen guten Rutsch ins neue Jahr, alles Liebe, Dad und Julie. P. S.: Hoffentlich geht es euch allen gut. Die Band läuft prima, ihr könnt euch schon mal auf das Album freuen!!!* Während meiner Teenagerjahre fantasierte ich immer wieder davon, ihm über den Weg zu laufen. Zum Beispiel in einem Zug: Zuerst würde ich Cassie bemerken, dann aufblicken und Julie sehen (dabei war ich nicht einmal sicher, ob ich sie erkannt hätte, aber Dad hatte uns mal ein Foto geschickt, und ich hatte es aus dem Abfalleimer gerettet, in den meine Mutter es geworfen hatte) und dann – endlich – meinen Vater. Er würde mich anblicken, und sein Gesicht würde strahlen: *Q, mein Gott! Ich kann es nicht fassen!* Und anfangs wäre ihm die Situation natürlich unbehaglich und peinlich, aber dann …

Es gab zwei verschiedene Finale zu der Fantasie. Das erste sah so aus, dass wir ins Gespräch kamen und schon bald feststellten, wie viel wir gemeinsam hatten. Wir mochten die gleiche Musik, hatten einen ähnlichen Humor. Wir hatten beide ein hitziges Temperament («passend zur Haarfarbe»). Julie saß uns gegenüber, hörte zu, wie wir redeten und redeten, und fühlte sich angesichts dieser neu gewonnenen Innigkeit ausgeschlossen und ratlos. Bis zum Ende der Zugfahrt hatte sich bereits eine ganz neue Beziehung entwickelt, und wir schworen einander, nichts dürfe uns mehr trennen.

Die zweite Version sah ganz anders aus. Mein Vater begann ein Gespräch mit mir, erkannte schon bald, wie erwachsen ich geworden war, und erschrak bei dem Gedanken an all das, was er versäumt hatte, ganz zu schweigen davon, wie sehr er von meiner neu gewonnenen Reife und Würde beeindruckt war. Er gestand, ich sei die Tochter, zu der er immer die engste Bindung empfunden habe. Dann bat er mich, zu ihnen nach Brighton zu kommen – und diesmal war es nicht nur so dahingesagt –, aber ich stand auf und entgegnete so etwas wie: *Das kann doch nicht dein Ernst sein. Bildest du dir etwa ein, ich würde dir so einfach verzeihen, dass du mich im Stich gelassen hast, dass du uns alle im Stich gelassen hast? Ist dir eigentlich nicht klar, was du uns damit angetan hast? Dad, du bist selbstsüchtig und unreif. Mum mag auch ihre Fehler haben, aber wenigstens hat sie sich ihrer Verantwortung gestellt. Sie war all die Jahre lang unsere einzige Stütze, emotional ebenso wie finanziell. Denkst du, ich wollte jetzt wieder eine Beziehung zu dir aufbauen? Kommt nicht infrage! Vergiss es!* Und alle im Zugwaggon starrten mich an, beeindruckt von meiner Wortgewandtheit und berührt von meiner Leidenschaft, und dann richteten sie den Blick missbilligend auf meinen Vater, und schließlich ging ich, während er mir mit offenem Mund hinterhersah, völlig am Boden zerstört.

Doch ich begegnete ihm nie in einem Zug. Überhaupt sah ich ihn, abgesehen von ein paar kurzen, unbehaglichen Treffen bei McDonald's im ersten Jahr nach der Trennung, nie wieder. Eines Morgens, am Ende meines ersten Trimesters an der Universität, erhielt ich einen Anruf. Da es erst sechs Uhr früh war, wusste ich, noch ehe ich den Hörer abnahm, dass es etwas Ernstes sein musste. «Q, hier ist Mum. Es tut mir Leid, dass ich dich um diese Zeit störe, Liebes, aber ich habe eine schreckliche Nachricht.» Er hatte einen Herzinfarkt erlitten. Offenbar hatte er Lungenkrebs gehabt, wovon wir jedoch nichts wussten, und war in der vergangenen Nacht in Julies Armen gestorben.

Und damit war dieses Kapitel abgeschlossen. Ich bekam nie eine Gelegenheit, das eine oder andere Szenario mit ihm durchzuspielen. Julie schrieb mir und meinen beiden Schwestern etwa einen Monat nach seinem Tod einen Brief und unternahm einen letzten, ziemlich verzweifelten Versuch, uns zu überzeugen, dass ihm wirklich viel an uns gelegen habe. *Er hat oft von euch gesprochen, es war ihm nur zu peinlich, Kontakt aufzunehmen, ihm war klar, dass er euch im Stich gelassen hatte.* Ich wünschte, sie hätte es gelassen, denn es warf mich für Jahre aus der Bahn. Hätte ich womöglich doch den ersten Schritt tun sollen? War es meine Schuld, dass wir uns nie wieder sahen? War am Ende doch ich im Unrecht? Aber mit der Zeit begriff ich, dass *er* der Erwachsene war, *er* war der Vater, *er* war derjenige, der gegangen war. Die Schuld lag nicht bei mir.

Wie heißt es doch in dem Gedicht von Philip Larkin:

They fuck you up, your mum and dad.
They may not mean to, but they do.
They fill you with the faults they had
And add some extra, just for you.

Die Eltern geben ihre eigenen Fehler an die Kinder weiter, ob sie nun wollen oder nicht, ein paar weitere, neue Fehler kommen hinzu, das Elend summiert sich endlos, jede Generation versinkt tiefer darin … Tja, nun bin ich im Begriff, selber ein Kind zu kriegen. Aber wie nur, wie soll ich verhindern, dass sich das Elend weiter anhäuft?

66.

Dienstag, 21 Uhr
Für morgen früh steht noch einmal ein Ruhe-CTG auf dem Plan, außerdem wird eine Ultraschalluntersuchung durchgeführt und das Wachstum des Fötus überprüft. Ich denke allerdings, da drin läuft alles ganz gut; Mum hat mich von morgens bis abends mit leckerem Essen versorgt, und das Baby tritt und strampelt als Reaktion auf den Zucker wie verrückt. Ich fürchte, ich werde heute Nacht kein Auge zutun, zum einen dank dem kleinen schottischen Tänzer, den ich da im Bauch habe, und zum anderen weil ich ständig an den Brief denken muss, den ich heute Morgen schändlicherweise gelesen habe.

Tom kommt heute Abend definitiv nicht nach Hause. Er hat vor einer halben Stunde angerufen, um Bescheid zu geben, dass er die Nacht durcharbeiten muss. Ich erkundigte mich, ob ich irgendetwas für ihn tun könne, ob ich ihm vielleicht etwas zum Abendessen ins Büro liefern lassen sollte. Er schwieg eine ganze Weile lang überrascht, ehe er schließlich kühl und reserviert antwortete: «Danke, Q, aber das kann ich selbst. Geh du nur schlafen. Wir sehen uns dann morgen Abend, wenn ich nach Hause komme. Ich muss mit dir reden.»

Ich schluckte mühsam. Fünf Worte, die eine Ehefrau mit Entsetzen erfüllen: «Ich muss mit dir reden.» Ich fürchte, ich fürchte, ich weiß, was das bedeutet.

67.

Mittwoch, gegen Mittag
Warum gibt es nie eine Papiertüte, wenn man eine braucht? Ich bin wieder im Krankenhaus und stehe kurz vor einer Panikattacke.

Das Fruchtwasser scheint verschwunden zu sein. Peng! Alles weg. Wer weiß, wohin. Ich bin völlig verwirrt und entsetzt zugleich. «Ist etwas abgegangen?», fragte Dr. Weinberg. Als ob ich wüsste, was hier abgeht. Oder abgegangen ist.

Ich hänge wieder am Monitor, der Herztonschreiber piept mich an, die Zahlenwerte steigen und fallen. 145, 142, 127, 132. Alles wie gehabt. Allmählich ganz vertraut.

Wo ist Tom? Er sagte, er käme, er sei schon unterwegs, ein Anflug von Hysterie in seiner Stimme, in meiner Stimme, als ich ihn vom Krankenwagen aus anrief, auf dem Weg in die Klinik. *Komm schnell, in ein paar Stunden schneiden sie mich auf. Sie warten noch etwas, damit du dabei sein kannst, aber nicht mehr lange. Bitte beeil dich. Ich* brauche *dich.*

Vor einer Stunde, im Dämmerlicht des Ultraschall-Untersuchungszimmers, ließ Cherise ihren Schallkopf über meinen prallen Bauch gleiten, nachdem sie den üblichen Klecks blauen Gels aufgetragen hatte. Hier entlang, dort entlang. Auf der Suche nach schwarzen Bereichen. Ich starre auf den Bildschirm über mir; ich kann die lange Reihe der Wirbel sehen, als krümmte sich ein winziger Dinosaurier unter meinem Nabel. «Kein Schwarz hier; da ein winziger Flecken, ein wenig dort, aber da ist eine Hand in der Mitte, das zählt nicht», sagt sie zu mir. «Ich muss Dr. Weinberg rufen.»

Die Ärztin kommt hereingehastet, lässt sich geschäftsmäßig auf dem Hocker nieder, nimmt den Schallkopf und starrt konzentriert auf den Bildschirm. Sie murmelt vor sich hin («1,2, 1,3, hier nichts, oder halt – nein; hier 1,0»); sie hält inne, beginnt noch einmal von vorn, wobei sie den Schallkopf tief in den Beckenbereich schiebt, fest gegen die Gestalt des Babys drückt. Der Kleine wendet sich entrüstet ab; mein Bauch beult sich aus, als er ihr die Schulter zukehrt. Sie lächelt schief.

Meine Mutter, die neben mir sitzt, hält meine Hand fest, fest. «Wie schwer ist er?»

Dr. Weinberg drückt ein paar Tasten, runzelt die Stirn. «Knapp 2800 Gramm, schätze ich», antwortet sie schulterzuckend. «Schwer zu sagen.»

Ich lächele meine Mutter erleichtert an. «Das ist gar kein schlechtes Geburtsgewicht», sage ich zu ihr, «und er hat noch fast eine Woche Zeit zu wachsen! Mein Kaiserschnitt ist für Montag angesetzt.»

Sehe ich Dr. Weinberg und meine Mutter da Blicke austauschen?

Noch ein paar Minuten festen Drückens, dann legt Dr. Weinberg ruhig und bedächtig den Schallkopf aus der Hand und wendet sich mir zu. Ihr Gesicht schimmert merkwürdig im grauen Licht des Bildschirms. Ihre Nase wirkt außergewöhnlich lang, die Wangenknochen hoch und kantig. «Es ist Zeit, länger sollten wir es nicht hinauszögern, *bubeleh*», sagt sie sanft. «Ich möchte, dass Sie umgehend in die Klinik fahren und dieses Kind zur Welt bringen. Ihre Schwangerschaft ist zu Ende.»

Die Luft scheint zu rasch in meine Lunge zu schießen, ich zittere. «*Vorbei?*», japse ich. «Das kann nicht sein, ich sollte doch erst in fünf Tagen operiert werden, und vielleicht dreht er sich bis dahin noch, ich habe die Indische Brücke *so sehr* geübt», beteuere ich ihr. Denn plötzlich begreife ich, dass ich wider alle Vernunft gehofft habe, er würde sich tatsächlich noch drehen, und glaubte, ich könnte eine «natürliche» Geburt haben wie andere Frauen auch, wie die Frauen in Filmen, mit Stöhnen und Schreien und Pressen, gefolgt von einem Augenblick des Triumphes und der Erfüllung.

Aber sie erklärt mir, dass er ihrer Meinung nach nicht noch fünf Tage warten kann. Er muss jetzt raus, er ist in unmittelbarer Gefahr, die Nabelschnur abzudrücken und sich damit selbst die Sauerstoffzufuhr zu nehmen. «Ich glaube nicht, dass es im Laufe der nächsten Stunde dazu kommen wird, von mir aus können Sie am Monitor liegen, bis Ihr Mann kommt. Aber wenn während dieser Zeit ein Problem auftritt, wird sofort ein Notkaiserschnitt gemacht, haben Sie mich verstanden? Ziehen Sie Ihren Mantel an, ich rufe einen Krankenwagen, der Sie zur Entbindungsstation bringt. Sie bekommen heute ein Baby.»

Lichter blinken, sie hängen mich sofort an einen Herztonschreiber, rasend schnell geht es durch den Stadtverkehr.

Ich werde in einem Rollstuhl über Flure mit beige gestrichenen Wänden geschoben, blaue Fußböden rasen mir entgegen, rosa Türen öffnen sich. «Weinberg hat sie angekündigt, sie kommt zum Kaiserschnitt.» Ein Plastikarmband schließt sich um mein Handgelenk. «Machen Sie sich bitte frei.» Wieder das lange Hemd mit dem Schlitz am Rücken, meine Leibesfülle quillt förmlich daraus hervor, meine Haut war noch nie weißer, die violetten Streifen waren nie auffälliger, bald wird ein weiterer hinzukommen, ein Schnitt quer über meinen Bauch …

Bitte, Tom, bitte komm schnell, ich kann mir nicht vorstellen, wie ich das hier ohne dich durchstehen soll. Bitte komm!

23 Uhr
Mein Sohn, Samuel Quincy, liegt neben mir. Eine neue Seite für ein neues Leben.

68.

Donnerstag, 13 Uhr
Letzte Nacht durfte ich zum ersten Mal seit elf Wochen wieder aufstehen.

Nachdem die Wirkung der Narkose nachgelassen hatte, halfen mir die Schwestern aus dem Bett, und ich ging allein zur Toilette. Der Schmerz in meinem Bauch ist heftig. (Ich fühle mich so, wie ich mir früher immer vorgestellt habe, dass der Assistent eines Zauberkünstlers sich fühlen müsse, wenn er zersägt wird.) Aber die Gewissheit, dass die Bettruhe überstanden ist, verleiht mir Kraft. Anfangs haben sie mir Morphium gegeben, jetzt sind sie zu ein paar hübschen kleinen weißen Pillen übergegangen, die leicht zu schlucken sind und den schlimmsten Schmerz an der Operationswunde betäuben.

Mein Sohn schläft; er scheint ebenso erschöpft von den Strapazen der letzten Tage wie ich. Er hat die Nase seines Vaters – und den Mund und das Kinn. Seine Augen sind unergründlich dunkel.

Sie haben ihn geholt, zehn Minuten nachdem Tom an mein Bett kam. Ich wurde bereits unter einer grellen grünen Lampe für die OP vorbereitet, als er hereinstürmte, bekleidet mit einem Papieroverall, in dem er aussah wie aus einem dieser James-Bond-Filme, die tief unter der Erde spielen. «Gott sei Dank bin ich noch rechtzeitig», sagte er wieder und wieder. Meine Mutter zog sich diskret zurück.

Während sie den ersten Schnitt setzten, saß er neben mir und blickte mir tief in die Augen. «Tut es weh? Wie fühlst du dich? Ist dir übel? – Hier, hallo, ihr ist übel! Sie braucht Medizin! Ist es so besser?», erkundigte er sich fürsorglich. Ich spürte, wie der Chirurg unter meinem Brustbein gegen den Kopf des Babys drückte.

«Ich habe die Beine, ich ziehe ihn jetzt raus – kommt – kommt – und – er ist draußen!», rief der Chirurg endlich. Dann verkündete er freudig: «Ein gesunder kleiner Junge!»

Eine Pause, ein kurzer Moment der Stille, und dann der Schrei, der jedes Mutterherz zum Schmelzen bringt.

Die Ärzte von der Neugeborenen-Intensivstation untersuchen ihn und gehen dann mitsamt ihrem Wagen, ihren Instrumenten, ihrem Brutkasten in einen anderen Kreißsaal, zu einer anderen Frau, einem anderen Baby. Ich blicke ihnen nach. Sie werden hier nicht gebraucht. Die Hebamme legt Tom unseren Sohn in den Arm, dessen Gesicht mit einem Schlag alles Harte verliert. Samuel Quincy schaut seinen Vater einigermaßen überrascht an.

Er setzt sich neben mich, unseren Sohn auf dem Arm, und wir drei blicken uns an, während der Chirurg mich wieder zusammennäht und -klammert. Tom und ich überlegen, ob er Ähnlichkeit mit seinen Großeltern hat. Der Kleine behält seine Meinung für sich.

Es gibt keine Anzeichen von Schädigungen oder Fehlbildungen, wird uns mitgeteilt, er ist lediglich kleiner als erhofft, nur 2040 Gramm schwer. Aber er ist gesund, schreit laut und energisch («Ich sage Ihnen, mit dem werden Sie noch Spaß haben», prophezeit Dr. Weinberg schmunzelnd, als sie uns ein paar Stunden nach der Geburt besuchen kommt. Sie streichelt mit einem Finger seine Stirn, und wir machen höfliche Bemerkungen, sprechen ihr unseren Dank aus, aber sie wirkt in unserem Zimmer irgendwie fehl am Platz, ein Überbleibsel aus einer anderen Welt, einem anderen Leben, bereits Lichtjahre entfernt).

In den frühen Morgenstunden haben wir dann noch ein wenig geschlafen, wir drei zusammen in einem Zimmer, mein Mann und ich mit einem neu gewonnenen Gefühl der Vertrautheit. Samuel verdankt sein Dasein unserer Liebe; sein winziger Körper ist ein sichtbares, greifbares Zeichen ihrer Existenz.

Dann, heute früh, als Samuel in meinen Armen schlief, kam Tom dazu, setzte sich auf die Bettkante und fasste meine Hand. «Q, ich muss dir etwas sagen», flüsterte er, wobei er mir fest in die Augen blickte.

Mein Inneres erstarrte zu Eis. «Tom, bitte nicht», entgegnete ich ebenfalls flüsternd. «Nicht heute; wenn du mich verlassen wirst, dann sag es mir nicht ausgerechnet heute.» Während ich mit der freien Hand den Flaum auf dem Kopf unseres Sohnes streichelte, spürte ich, wie mir eine heiße Träne am Nasenrücken hinunterrann.

Mein Mann drückte meine Hand. «Um Himmels willen, Q, das ist es doch nicht, sieh mich an, bitte, ja? Sieh mich an! Ich möchte dir von einem Gespräch erzählen, das ich mit Phil hatte, gestern Vormittag, gerade als du vom Krankenwagen aus anriefst.»

Ich seufzte gequält. «Ah, ich verstehe. Er hat dir wohl gesagt, wann du zum Partner ernannt wirst. Den Zeitrahmen, die praktische Umsetzung, all dieses Zeug. Davon kannst du mir ein andermal erzählen, Tom, wirklich. Wir werden darüber reden, wenn ich wieder zu Hause bin.»

«Q, jetzt hör mir doch mal zu», bat Tom eindringlich. «So ist es nicht gewesen. Was er mir gesagt hat, ist Folgendes: Sie werden mich nicht für die Teilhaberschaft empfehlen. Es ist vorbei, Q. Ich habe es nicht geschafft. Ich werde nicht Partner bei Crimpson.»

In meinen Armen schnüffelte der kleine Samuel, dann öffnete er den winzigen Mund und gähnte wie ein Kätzchen. Mit einem Seufzer kuschelte er sich enger an meine Brust.

Ich starrte meinen schlafenden Sohn an, dann meinen Mann. Ich konnte nicht ganz glauben, was ich da hörte. «Sie empfehlen dich nicht? Aber du hast so hart gearbeitet, du warst so erfolgreich, das ist doch unglaublich, Tom, wirklich!», stieß ich verblüfft hervor.

«Nein», versetzte er niedergeschlagen, «das ist es nicht. Vielleicht liegt es an den letzten Monaten. Ich will ehrlich sein, ich war durch diese ganze Sache mit dir und dem Baby ziemlich abgelenkt, aber vielleicht hat es damit auch gar nichts zu tun. Ich glaube, dieses Desaster vom vorigen Jahr hängt mir immer noch an, und ich habe mich nicht gerade beliebter dadurch gemacht, dass ich in den letzten paar Wochen in der Randalls-Sache so, Zitat Phil, selbstgerecht war. Die Firma zieht es vor, alles, was da gelaufen ist, zu vertuschen, den Klienten zu schützen, ganz gleich um welchen Preis. Wohingegen ich … nun ja. *Du* weißt das doch, nicht wahr, Q? Weil du so etwas auch nicht tätest. Das ist etwas, das ich an dir am meisten liebe.» (An dieser Stelle hauchte er mir einen warmen Kuss aufs Ohr.) «Diese Typen haben es verdient, angeprangert zu werden, und ich weigere mich, das zu verhindern. Wie auch immer, ehrlich gesagt glaube ich, dass ich in der Kanzlei schon seit einiger Zeit nicht mehr auf dem aufsteigenden Ast war; Phil sagte – er hat wirklich kein Blatt vor den Mund genommen –, sie hätten nicht den Eindruck, dass ich ‹aus dem Holz bin, aus dem Crimpson seine Teilhaber schnitzt›. Das heißt, ich muss mich nach einem anderen Job umsehen. Dein Mann ist sozusagen arbeitslos, was sagst du dazu?» In seinen Augen schimmerten Tränen. Aber plötzlich wurde mir klar, dass er nicht annähernd so traurig war, wie ich erwartet hätte.

«In den letzten Monaten ist zwischen uns so viel schief gelaufen, Liebes; ich glaube, ich muss dir einiges erklären. Ich habe bei Crimpson schon meine Felle davonschwimmen sehen und wie besessen gearbeitet, um mir doch noch eine Chance zu erkämpfen. Und als dann auch noch all diese Komplikationen auftraten, bin ich einfach nicht damit klargekommen.»

Sanft legte ich Tom über Samuels Kopf hinweg eine Hand an die Wange. «Ich habe versagt, Q», sagte er mit bebender Stimme, «aber ich glaube, der Mensch, an dem ich *eigentlich* versagt habe, bist du.»

Vielleicht sagte er das nicht wirklich, vielleicht wünschte ich eher, er hätte es gesagt, aber jedenfalls bin ich überzeugt, dass er es meinte. Oder zumindest etwas, das dem sehr nahe kam. Plötzlich empfand ich eine überwältigende Zärtlichkeit.

Der perfekte Zeitpunkt für Qs Geständnis – oder zumindest der beste, den es geben konnte.

«Tom» (sehr zögerlich), «ich habe was gaaanz Schlimmes gemacht.» Ich sog an meiner Unterlippe. Samuel lag zwischen uns, wie furchtbar konnte seine Reaktion schon ausfallen? «Wirklich, was richtig Schlimmes. Tom, ich habe den Mietern von Randalls in den letzten Monaten den einen und anderen Rat gegeben. Sie taten mir so furchtbar Leid, und neulich morgens, da – äh – da habe ich einen Blick in deine Unterlagen geworfen», setzte ich hastig hinzu, «diese Papiere, die du zu Hause vergessen hattest. Da war eine Kopie von einem Brief von dir an Phil zum Fall Randalls, und den, den hab ich gelesen.» Er schnappte nach Luft. «Du hast *was?*», stieß er hervor – Samuels kleiner Körper regte sich ein wenig, woraufhin Tom im Flüsterton wiederholte: «Du hast *was?*»

Er starrte mich an, sein Mund stand vor Verblüffung offen. Welches Blatt hatte ich auf der Hand? Welche Karte sollte ich spielen? Da wäre der Joker: Ich bin ein albernes Mädchen, ich habe etwas Schlimmes getan, aber gib mir einen Kuss, schlimmer Junge, und lass uns die ganze Sache vergessen. Dann gibt es noch die Dame. Hoheitsvoll, kühl. Komm *du* mir nicht mit Moral, Freund, wer im Glashaus sitzt …

Letztendlich hielt ich mich bedeckt und vermied es, einen eindeutigen Kurs einzuschlagen. Es schien zu funktionieren. «Das ist doch verrückt, Q, völlig verrückt. Aber ich nehme an, du bist da wohl einfach durchgedreht, so ganz allein, tagein, tagaus, und das war meine Schuld», räumte er schließlich ein. «Und offen gesagt» (der Ansatz eines Lächelns), «ich hatte schon so eine Ahnung, dass du die Finger im Spiel haben könntest, als es plötzlich lauter hochexplosive Briefe von Schuster hagelte.» Ich grinste zurück, und als er sich abwandte, um ein Glas Wasser zu holen, stieß ich einen tiefen Seufzer der Erleichterung aus. Sein Loyalitätsempfinden gegenüber Crimpson war offenbar im Schwinden begriffen; wenn er von der Firma sprach, sagte er nicht mehr «wir», sondern «sie», wie ich während der folgenden, mit warmer, leiser Stimme geführten Unterredung bemerkte.

Wir konnten uns nicht so innig küssen, wie wir es gern getan hätten, weil unser Sohn tief schlafend zwischen uns lag, und so blickten wir uns, als es nichts mehr zu sagen gab, über seinen winzigen Körper hinweg an und hielten uns sehr, sehr fest an den Händen.

Gerade ist Tom zu uns nach Hause gefahren, um ein paar Sachen für das Baby und mich zu holen und auch meine Mutter wieder herzubringen, die die letzte Nacht allein in unserer Wohnung verbracht hat. Sie hat sich seit Samuels Geburt geradezu mustergültig verhalten, still, unaufdringlich, erfüllt von großmütterlichem Stolz. «Er ist wunderschön, Q», sagte sie zu mir, als ich ihr meinen Sohn zum ersten Mal zu halten gab. «Einfach wunderschön. Du hast deine Sache hervorragend gemacht. Wirklich, ganz hervorragend.»

69.

18 Uhr
Vorhin kamen Brianna und Mark zu Besuch.

«Er sieht wirklich niedlich aus», bemerkte Brianna, als sie in sein Körbchen spähte. «Ähm – alles dran, Finger, Zehen und so weiter, ja?»

Jedermann scheint ein wenig erstaunt darüber, dass er nicht zwei Köpfe hat. Offenbar hatten in den letzten drei Monaten alle geunkt, er werde wegen der Oligohydramnie mit grässlichen Missbildungen zur Welt kommen.

Mark hob Samuel behutsam aus dem Körbchen und legte ihn sich mit dem geübten Griff eines Vaters an die Schulter. «Das ist ein prächtiger Kleiner», sagte er anerkennend zu Tom. «Ich bin so froh, dass die Sache gut ausgegangen ist.» Er boxte Tom kumpelhaft, gab mir einen Kuss auf die Wange und förderte dann eine Flasche Piper Heidsieck zutage. Wir tranken lauwarmen Champagner aus Pappbechern vom Getränkewagen auf dem Flur.

«Und, was denkt ihr», fragte Mark mit einem halben Lächeln, «war es die Sache wert, die Bettruhe und all das?» Tom und ich blickten einander an, dann Samuel, der in Marks Armen lag. Ob es die Sache wert war? Natürlich! «Allerdings … Q, davon habe ich dir nie etwas gesagt, weil ich dich nicht verunsichern wollte … Ich bin nicht *überzeugt*, dass es nötig war», sagte Tom ernsthaft. «Mir scheint, wenn während einer Schwangerschaft etwas schief läuft und die Ärzte nicht wissen, was sie tun sollen, stecken sie die Frau ins Bett. Alles ein bisschen viktorianisch, wenn ihr mich fragt. Aber schließlich muss man für seine Kinder tun, was man kann, nicht wahr?» Er lächelte Samuel an, der wacker den rechten Arm in die Luft streckte und Mark gegen das Kinn boxte. Ich nickte. Man muss tun, was man kann.

Laras Schwangerschaft stand unausgesprochen im Raum. Mark wird in fünf Monaten wieder hier sein, diesmal um seinen eigenen Sohn zu sehen, ein Kind, das sozusagen mit einem Elternteil zu wenig zur Welt kommt. Ich weiß, dass Tom dasselbe dachte, denn als er Samuel von Mark entgegennahm, drückte er unserem Jungen verstohlen einen Kuss auf den Kopf und umarmte ihn innig.

Während Mark, Tom und ich über die Geburt sprachen, über das Stillen, über die eigentümliche Mischung aus Hochgefühl und Erschöpfung, die sich nach der Ankunft eines Kindes einstellt, schien Brianna sich zunehmend unbehaglich zu fühlen. Schließlich schwieg sie bedrückt. Ich versuchte, sie ins Gespräch einzubeziehen, indem ich Themen anschnitt, bei denen sie mitreden konnte – Arbeit, Freunde –, aber sie warf immer wieder wehmütige Blicke zu Mark, der völlig in Erinnerungen versunken schien. («Nach Edwards Geburt konnte Lara sich eine Woche lang kaum auf den Beinen halten. Es ist furchtbar, mit ansehen zu müssen, wie die Frau, die man liebt, solche Schmerzen leidet. Aber wenigstens war Ed ein ruhiges Kind, nicht so wie Lucy, die in einem fort brüllte, kaum dass ihr Kopf draußen war.») Ich versprach Brianna, sie bald einmal zum Essen einzuladen, zum Dank für ihre Freundschaft und Unterstützung in den letzten Monaten. Aber ich bin nicht sicher, ob sie mich überhaupt hörte. Nach einer halben Stunde gingen die beiden, beide in sehr unterschiedlichen Welten.

Fay kam als Nächste. «Nur rasch zwischen zwei Terminen, eigentlich sollte ich gar nicht hier sein, aber ich wollte dir *dies hier* bringen.» (Wobei «dies hier» ein geradezu grotesk riesiger Strauß Treibhausblumen mit einer blauen Satinschleife war.) «Von den Kollegen. Und natürlich soll ich dir von allen ausrichten, dass wir uns auf deine Rückkehr freuen.»

Natürlich.

«Und dann wollte ich dir noch sagen, diese Dreckskerle bei Randalls kippen um wie die – ach, hallo, Tom!» (Tom kam gerade mit einem Krug frischem Eiswasser herein.) «Ähem, nun, Q, das bekommst du sicher alles noch von deinen Freunden erzählt, aber ich denke, es wird dir gefallen, wie sich diese kleine Angelegenheit entwickelt hat. Übrigens sollten wir uns, wenn du wieder arbeitest, einmal über deine *Pro-bono*-Fälle unterhalten, ich beabsichtige, dir dafür in Zukunft einen gewissen Freiraum zu gewähren. Aber jetzt muss ich wirklich zurück, ich muss diese verdammten Papiere noch fertig machen – wo zum Teufel ist meine Aktentasche?»

Und damit verschwand sie wieder in ihre eigene hektische, einsame kleine Welt.

Zehn Minuten später, als ich gerade versuchte, meine linke Brustwarze in Samuels widerspenstigen Mund zu zwängen, erschienen Mrs. G. und Alexis. Mrs. G. beobachtete einige Sekunden unseren vergeblichen Kampf, dann kam sie an mein Bett, drückte meine Brustwarze zurecht, bis sie die Form einer Gewehrpatrone hatte, und strich damit über Samuels Oberlippe. Er sperrte sofort den Mund auf wie ein Vogelküken und schnappte zu; im nächsten Moment hörte ich, wie er schluckte. Früher einmal hätte ich es möglicherweise eine Spur zudringlich gefunden, wenn jemand so einfach meine Brustwarze anfasste, aber heute, nachdem ich mich sechzehn Stunden lang allein abgemüht hatte, mein Kind zu stillen, empfand ich nichts als Dankbarkeit. Alexis starrte höchst interessiert aus dem Fenster, während mein Sohn trank.

Mrs. G. ließ sich auf einem Plastikstuhl neben meinem Bett nieder und stellte mir eine Schachtel Pralinen und einen Pappteller mit griechischem Konfekt auf den Nachttisch. Dann, nachdem Samuel von meiner Brust in ein milchsattes Koma gesunken war, umarmte sie mich überschwänglich und erzählte mir, ihre Freunde aus dem Haus gegenüber seien gerettet – zumindest ist Randalls dazu übergegangen, ihnen riesige Abfindungen anzubieten. Manche der Mieter werden wohl sofort einwilligen, wie sie erzählte, weil sie die ganze Angelegenheit so schnell wie möglich hinter sich bringen wollen; andere haben vor zu kämpfen, um noch mehr herauszuschlagen. Aber wie auch immer die Sache ausgeht und ob das Gebäude letztendlich abgerissen wird oder nicht, die Mieter werden reichlich genug entschädigt werden, um woanders eine angemessene Bleibe für den Rest ihres Lebens zu finden. «Und ich weiß, das haben wir dir zu verdanken», sagte Mrs. G. ernsthaft. «Du hast das geschafft. Du liebes Mädchen. Weißt du, mir machen sie auch gutes Angebot, sie wollen meine Wohnung, und ich denke, ich nehme das Geld, ziehe aufs Land, weißt du? Ich bin das alles hier leid. Ich kaufe mir hübsche Wohnung, koche, genieße mein Leben. Aber *dich* ich werde vermissen!»

Und ich werde sie vermissen. Sie ist meine beste – meine einzige – Freundin in der Nachbarschaft. Wir umarmten uns noch einmal, und ehe sie ging, drückte sie Samuel einen Kuss auf die Wange. Alexis lächelte mir schüchtern zu, schon halb zur Tür hinaus; ich blickte ihm mit einem gewissen Bedauern nach. Er ist ein ganz reizender Mann, und es hat mir schon gefallen, ihn in den letzten Wochen öfter zu sehen. Aber wenn Mrs. G. fortzieht, werden wir uns wohl aus den Augen verlieren, wie es so oft geschieht: Anfangs wechselt man noch ein paar freundliche Worte, wenn man sich auf der Straße begegnet, aber mit der Zeit hört auch das auf.

Lara kam eine Stunde später, Edward und Lucy im Schlepptau. Sie sah müde aus, hohlwangig. «Ein wunderschönes Baby, Q, ich bin so froh, dass alles gut gegangen ist», sagte sie. «Deine Mutter war umwerfend, sie hat mir gestern und vorgestern etwas zum Abendessen vorbeigebracht, wirklich erstaunlich, wenn man bedenkt, dass sie selbst gerade einen Enkel bekommen hat, und sie hat sogar angeboten, mir mit den Einkäufen zu helfen. Du kannst dich wirklich glücklich schätzen, so eine Mutter zu haben. *Meine* Mutter nimmt kaum Notiz von mir, das war schon immer so. Lucy, hör auf, Edward die Hose runterzuziehen – Himmelherrgott, wirst du das wohl lassen! Ihr beide habt nicht zufällig Mark gesehen? Nein, das sollte ich nicht fragen, tut mir Leid – LUCY! Was hab ich dir gerade gesagt! Er hat mich gestern Abend angerufen, um mir zu sagen, dass er und dieses Mädchen heiraten wollen, sobald unsere Scheidung durch ist. Es ist nicht leicht, den eigenen Mann davon reden zu hören, dass er eine andere heiraten will. Entschuldige, Tom, ich sollte wohl nicht schlecht über deinen Freund reden, aber ich weiß nicht, wie ich es ertragen soll – LUCY! LASS DAS! Ich gehe jetzt besser, die beiden kriegen schon wieder Hunger, und die letzten Wochen waren auch für sie nicht leicht. Ich besuche euch mal, wenn du wieder zu Hause bist, das heißt, sofern ihr nichts dagegen habt, vielleicht trefft ihr euch in Zukunft lieber nur noch mit Mark?»

Tom und ich versicherten ihr hastig, wir wollten selbstverständlich mit ihr in Kontakt bleiben, auch wenn ich ehrlich gesagt nicht überzeugt bin, dass daraus etwas wird. Aber ich besann mich dennoch auf die Worte meiner Mutter und sagte zu Lara, wenn sie jemanden bräuchte, der ihr bei der Geburt beistünde, wäre ich gern zur Stelle. Sie dankte mir, wobei ich jedoch nicht sicher bin, ob sie wirklich mitbekam, was ich sagte. Inzwischen war es Lucy nämlich gelungen, Edward die Hose herunterzuziehen, und sie machte sich gerade daran, ihm Eiswürfel in die Hosenbeine zu stecken.

Jeanie und Alison haben beide in den letzten zwei Stunden angerufen, um mir zu gratulieren. Jeanie hat das Telefon kurz an Dave weitergereicht, und wir tauschten ohne jede Herzlichkeit ein paar Floskeln aus; Alison holte Serena und Geoffrey an den Hörer, und – nun, ich bemühte mich nach Kräften, nett zu ihnen zu sein. «Ihr habt einen neuen Cousin», sagte ich, «und er wird bestimmt später sehr gern mit euch spielen. Ihr werdet alle sehr, sehr gute Freunde werden.»

Meine Mutter hat heute viel Zeit hier verbracht, ist jedoch auch zwischendurch immer wieder losgezogen, um dies oder jenes einzukaufen («Wenn du nach Hause kommst, Q, soll schließlich der Kühlschrank gut gefüllt sein. Und ich hoffe, ich schaffe es noch, ein paar Mahlzeiten einzufrieren, bevor ich wieder abreise. Ich weiß, dass ich keine brillante Köchin bin, aber gegen ein bisschen tiefgekühlten Gemüseauflauf auf Vorrat hättest du doch bestimmt nichts einzuwenden, nicht wahr?»). Sie verursachte allerdings einen mittleren Aufruhr, als sie eine Schwester beschuldigte, Samuel falsch zu behandeln – «Es tut mir Leid, Liebes, aber sie hat seinen Kopf nicht ordentlich gestützt, was sollte ich denn tun? Ruhig mit ansehen, wie sie meinem Enkelsohn den Hals bricht?» –, aber abgesehen davon hat sie sich vorbildlich benommen. Das kann natürlich nicht von Dauer sein.

Peter und Lucille haben vor ein paar Stunden angerufen, um Bescheid zu geben, dass sie auf dem Weg von Baltimore hierher sind, um uns später am Abend zu besuchen. «Peter hat diese Woche unglaublich viel Arbeit, wirklich, das könnt ihr euch gar nicht vorstellen, aber er nimmt sich die Zeit für einen kleinen Abstecher nach New York, um sein – das wievielte ist es doch, mal nachdenken, ach ja – sein viertes Enkelkind zu sehen», sagte Lucille trocken (damit ich mir nur ja nicht schmeichelte, ein größerer Meilenstein in Peters geistiger Landschaft zu sein, als ich in Wirklichkeit bin). «Aber wir wussten, dass ihr *furchtbar* enttäuscht sein würdet, wenn wir es nicht schaffen, euch und den Kleinen zu besuchen, darum machen wir sozusagen das Unmögliche möglich!» Tom übernahm das Telefon gerade noch rechtzeitig, ehe ich mich verschluckte. «Wirklich, Mum, es ist schon in Ordnung, wir nehmen es nicht übel, wenn … nein, aber Mum, weißt du … wirklich! Ja, okay, okay. Ja. Also dann um neun. Wunderbar, bis dann.» Er legte den Hörer mit einem derart gequälten Gesichtsausdruck auf, dass ich lachen musste. Fröhlich, unbeschwert. Sollen sie doch kommen. Mit Peter und Lucille kann ich es aufnehmen. Tom wird ihnen von der Sache bei Crimpson erzählen müssen, erklären, dass er es nicht zum Partner bringen wird, aber nicht heute. Wir haben uns darauf geeinigt, dass es nicht heute sein muss. Vielleicht sollten wir erst verreisen, weit, weit fort (an einen der Pole oder so), und sie dann von dort aus anrufen.

Tom und ich sitzen hier und betrachten Samuel, dann einander, und dann richten wir den Blick auf unsere Zukunft. Ich weiß nicht, wie es von jetzt an mit uns weitergeht. Wir haben noch nicht darüber gesprochen, wie er sich seinen nächsten Job vorstellt, und von meiner zukünftigen Karriere war auch noch nicht die Rede. Wo werden wir in einem Jahr stehen? Werden wir noch immer in Manhattan leben, unseren Sohn großziehen und gleichzeitig zwei irrsinnige Karrieren jonglieren? Oder werden wir endlich in der Vorstadt wohnen und unsere Fantasie vom Viking-Herd-Besitz verwirklichen? Oder werden wir gewaltige Einkommenseinbußen in Kauf nehmen und ganz woandershin ziehen, wo wir ein ruhigeres Leben führen können, vielleicht mit einem kleinen Gemüsegarten? Ich weiß es nicht. Aber zum ersten Mal seit Monaten kann ich der Zukunft entgegenblicken, eine Zukunft für uns alle drei sehen und das, was ich sehe, schön finden. Ich setze einen neuen Punkt auf die Liste *Was die Frau von heute vor dreißig erledigen sollte*: Sich nicht zu sehr darauf fixieren, jeden einzelnen Punkt abzuhaken, sondern die Zukunft als Ganzes auf sich zukommen lassen. ☑.

Ich lausche dem Atem meines Sohnes. Ein, aus, ein, aus. Seine Brust hebt und senkt sich. Ich streiche mit den Fingerspitzen entlang seiner zarten Äderchen, die das Blut durch seinen Körper transportieren, zu seiner Lunge, seinem Herzen. Ich beobachte, wie seine Augenlider flattern, seine Nasenflügel beben. Ich liebkose seine Ohren, unglaublich feine, zarte Gebilde aus Haut und Knorpel. Ich drücke seinen Körper, leicht und warm und schrumpelig rosa, an mich, und er schmiegt sich perfekt in meine Umarmung, wie eine Tasse auf die Untertasse. Und ich denke bei mir: *Ich* habe ihn geschaffen! Ich habe es geschafft!

Danksagung

Vielen, vielen Dank an Daniel Markovits und Sharon Volckhausen für ihre wertvollen Anregungen sowie die Informationen über Miet- und Immobilienrecht und darüber, wie es in Anwaltskanzleien zugeht.